Hanes Rhyw Gymraes

Hanes Rhyw Gymraes

Hunangofiant

sharon morgan

y lolfa

I 'mhlant, Steffan a Saran

Argraffiad cyntaf: 2011

Dymuna'r cyhoeddwyr gydnabod cymorth ariannol
Cyngor Llyfrau Cymru

Llun y clawr: Warren Orchard
Cynllun y clawr: Y Lolfa

Rhif Llyfr Rhyngwladol: 978 1 84771 329 2

Cyhoeddwyd, rhwymwyd ac argraffwyd yng Nghymru gan
Y Lolfa Cyf., Talybont, Ceredigion SY24 5HE
gwefan www.ylolfa.com
e-bost ylolfa@ylolfa.com
ffôn 01970 832 304
ffacs 832 782

Rhagair

PEIDIWCH Â MEDDWL 'mod i'n mynd i ddweud y gwir. Stori dylwyth teg yw hon, a holl nodweddion y *genre* hwnnw. Fe fydd 'na ffeithiau a dyddiadau, ond mae'r cof yn anifail rhyfeddol a all newid ei siâp yn fympwyol wrth eich tywys ar hyd llwybrau hiraeth.

Dwi ddim yn cyfeirio at ein tueddiad i ramanteiddio'r gorffennol, na'r modd y mae ystyr digwyddiad yn newid wrth ei weld trwy niwl cymylau amser, yn troi cyffro'n arswyd neu siom yn ollyngdod. Hon yw'r stori dwi wedi bod yn ei hadrodd i fi fy hun ers y dechre, y stori barhaus sy'n digwydd yn fy mhen, y sgwrs sy'n digwydd rhwng yr holl *alter egos* sy'n byrlymu o gwmpas fy ymennydd.

Dwi'n actores, dwi'n ennill fy mywoliaeth trwy dwyll; fy nghrefft i yw ffugio. Byd breuddwydion, y mwg a'r drych yw 'nghynefin, lle galla i fod yn unrhyw un, gan wybod bod y 'fi' go iawn yn dal i fodoli o dan y clogyn hud. Wedi'i weu trwy'r brodwaith cynhaliol hwn mae llinyn amryliw chwedlau'r teulu, y pentre, y sir, y wlad, y byd a'r bydysawd. Ac mae'r cyfan yn creu haenau o hunaniaethau sydd wedi'u gwreiddio mewn myth. Felly mae'n rhaid i chi gytuno bod y syniad o wirionedd yn gwbwl amherthnasol.

Sharon Morgan
Hydref 2011

1

Dechreuad

Clawddowen sydd ar fy mhasbort, pentre nid nepell o bentrefi Abergorlech a Brechfa yng ngogledd Sir Gaerfyrddin. Yno y ces i 'ngeni.

Ond ganwyd Mam a 'Nhad mewn cwm diwydiannol yn nwyrain y sir, yn Nyffryn Aman, yn yr un pentre ac ar yr un stryd – Heol Tircoed, Glanaman, ar odre'r Mynydd Du, ac o'r naill ochr i'r mynydd hwnnw y daw tri chwarter 'y nheulu. Daw'r chwarter arall o Birmingham, wrth i 'nhad-cu, tad fy mam, ddod i'r cwm gyda'i deulu i chwilio am waith yn fachgen un ar bymtheg oed.

Cwm Cymraeg ei iaith ar y ffin rhwng y gwledig a'r diwydiannol yw Dyffryn Aman, ôl-ddiwydiannol erbyn hyn, wrth gwrs, yr aer yn glir ac afon Aman yn lân, y cylch wedi'i gyfannu. Ond cwm y bwrlwm a sŵn y sgitshe gwaith yw cwm fy hunaniaeth i. Hwn yw'r cwm sy'n dal i fodoli yn 'y mhen i, er ei fod e, fel y baw a'r llwch a'r gwithe glo, wedi hen ddiflannu. Hanes 'y nheulu trwy ddau ryfel byd a dirwasgiad, mewn cwm o'dd yn bair crefyddol, addysgol a diwylliannol lliwgar, yn llawn sŵn a mwg, yw gwraidd fy hunaniaeth i.

Ffermwyr a thyddynwyr ac ambell i grefftwr o'dd fy hynafiaid ar ddiwedd y ddeunawfed ganrif, cyn i'r chwyldro diwydiannol eu denu o'u ffermydd i fod yn goliers a gweithwyr tun. Mae bron i bob cyfenw Cymraeg rywle yn fy achau i, yn Llywelyn, Evans, Jones, Edwards, Morgans, Williams, Owens a Rees. Cafon nhw i gyd eu geni o fewn rhyw ugain milltir i'w gilydd, a chafodd y rhan fwya ohonyn nhw o leia wyth o blant. Mae 'na bosibilrwydd cryf 'mod i'n perthyn i bawb yn nwyrain Sir Gâr!

Fel cymaint o Gymry'r tridege, mynd yn athrawon wnaeth fy rhieni, er i'r ddau ddilyn llwybrau digon troellog cyn cyrraedd y stafell ddosbarth. Cafodd Mam gyfle i fynd i'r brifysgol yng Nghaerdydd, ond do'dd hi ddim eisie i'w rhieni orfod ysgwyddo'r baich ariannol ac felly a'th i weithio at gwmni 'James y bysys' yn y swyddfa yn Rhydaman am gyfnod, cyn llwyddo i ddianc i Birmingham at deulu ei thad i chwilio am ryddid. Ro'dd hi'n teimlo bod ei pherthnasau yno'n fwy diddorol ac yn llawer mwy cydnaws â'i phersonoliaeth hi gan eu bod yn fwy rhyddfrydol. Bu'n gweithio mewn ysbyty am dipyn ac wedyn yn un o'r siopau mawr. Ond cyn iddi allu derbyn cynnig y perchennog i ddysgu teipio er mwyn ca'l swydd well, fe ddenodd ei mam hi gartre gydag addewid am swydd yn ei chynefin. Fe ddychwelodd yn ddigon anfodlon, dim ond i ddarganfod bod y Cristion pybyr wedi dweud celwydd! Hynny er lles enaid ei merch, wrth gwrs, yn y ddinas fawr ddrwg. Enghraifft wych o sut mae'r diben yn cyfiawnhau'r modd!

Dyna pryd y cafodd Mam swydd fel *pupil teacher* yn y Garnant, pentre cyfagos, ac wedyn cafodd ei hapwyntio i swydd yn adran y babanod yn Ysgol Gynradd Drefach, Llanelli, gan drafaelu'n ddyddiol ar y bws. Ond o'dd byw gartre'n anodd ar ôl blasu'r rhyddid a gawsai yn Birmingham, a cheisiodd am y rhyddid hwnnw unwaith eto drwy ga'l swydd yn Ysgol Llanycrwys yn Ffaldybrenin ger Llanbedr Pont Steffan. Bu'n byw'n hapus mewn dwy stafell mewn tŷ ffarm am ddeg swllt yr wythnos, yn mwynhau cwmni myfyrwyr Coleg Llambed, treulio orie diddig ar y traeth yn Aberaeron, prynu ei dillad yn siop B J Jones a mynd i ddawnsfeydd yn ôl ei dymuniad. Da'th yr *idyll* i ben pan gafodd Mam-gu anaf ar ei chefn a chaniataodd yr Awdurdod Addysg i Mam symud i ddysgu yn Ysgol Gynradd Llanymddyfri fel bod modd iddi deithio yno'n ddyddiol o gartre.

Erbyn hyn, ar ôl cyfnod ar y môr, o'dd 'Nhad hefyd wedi dechre gyrfa fel athro, yn Long Ditton ac wedyn yn Hinchley Wood Central School yn Surrey, ac wedi dechre bwrw ei hun i mewn i weithgareddau cymdeithasol, yn glybiau nofio a phêl-droed, yr NUT a Chymdeithas Gymraeg Kingston, nodwedd a barhaodd hyd ddiwedd ei oes. Yn y gymdeithas hon y gwnaeth 'Nhad gyfarfod â Syr David Hughes Parry a'i wraig Haf, merch O M Edwards. O'dd Syr David yn ddarlithydd yn yr LSE ar y pryd ac, er gwaetha'i gefndir naturiol Gymreig, dwi'n tybio taw yn Kingston y gwnaeth 'Nhad werthfawrogi diwylliant llenyddol cynhenid ei wlad am y tro cynta, fel y gwnaeth Gandhi pan dda'th hwnnw i Lundain i hyfforddi fel bargyfreithiwr. Dyna waddol tlodaidd y drefn drefedigaethol ym mhob cwr o'r byd.

Gyda dyfodiad yr Ail Ryfel Byd ym mis Medi 1939 da'th tro ar fyd. Yng Nglanaman, bu Mam yn trefnu cyngherddau i godi arian ac anfon parseli i'r lluoedd arfog, ac fe ymunodd 'Nhad â'r awyrlu fel gwirfoddolwr gan ga'l ei alw i wasanaethu ym mis Mai 1941. Fe fu 'Nhad yn hyfforddi fel peilot yn Bulawayo a Salisbury (Harare heddiw) yn Ne Rhodesia, Zimbabwe heddiw, ac yn Ne Affrica. Er na soniodd ddim am y cyfnod, cadwodd gofnod ar ffurf lluniau: afon Zambezi a Rhaeadr Fictoria; Sw Dunbar; dathliadau Dydd Gŵyl Dewi yn Matopos; Cape Town yn y nos o ben Table Mountain, â chriwiau o ddynion ifanc mewn iwnifform yn gwenu. Cyn mynd fe aildaniodd ei berthynas â Mam, o'dd wedi bod yn mudferwi ers blynyddoedd, a phan a'th e gartre ar ôl cwblhau ei hyfforddiant, ac ennill ei adenydd fel *flight lieutenant* ym mis Mai 1942, gofynnodd i Mam ei briodi.

'Snowball' o'dd llysenw 'Nhad, am fod ei wallt yn felynwyn a gole tan iddo gyrraedd ei dridege; o'dd e'n ddyn ifanc smart yn ei ddillad criced gwyn, â'i lygaid glas a'i liw haul. O'dd e'n gymeriad annibynnol a deniadol ac yn dipyn o rebel, a gwelodd Mam ei chyfle i ddianc unwaith eto o glawstroffobia byw gartre gyda'i rhieni. O'dd priodas yn y cyfnod yn baradocsaidd, yn ffordd i fenyw geisio ennill bywyd annibynnol. Priodon nhw ar 5 Tachwedd 1942, yn eglwys St Margaret's yng Nglanaman, addoldy 'Nhad ar ôl iddo ga'l ei ddiarddel o gapel Bethania am smoco yn y festri yn ei ddyddie gwrthryfelgar. Gadawon nhw ar y trên dau o'r gloch o Gastell-nedd i Lundain am wythnos ar eu mis mêl.

A'th rhai menywod i weithio ar y tir a rhai i'r ffatrïoedd arfau, ond teithiodd Mam o gwmpas Prydain yn mwynhau pob eiliad o'i rhyddid newydd, er gwaetha, neu efallai oherwydd, yr agosrwydd at berygl enbyd. Aelod o Sgwadron 502 o'dd 'Nhad, rhan o'r Coastal Command, yn gwarchod arfordir yr Iwerydd gan ymosod ar yr *U-boats* a llongau eraill yr Almaenwyr. Eu harwyddair o'dd 'Nihil Timeo' – 'Dwi'n ofni dim'. I St Eval yng Nghernyw a'th y ddau ifanc i ddechre, a dyna lle cafodd Mam ei thrwser cynta, dilledyn gwaharddedig yng Nglanaman, trwser *corduroy* lliw *aubergine*, yn symbol o'i rhyddid newydd. Pan symudon nhw i Christchurch ger Bournemouth yn 1943, chwalwyd y stryd drws nesa dros nos yn ystod cyrch bomio arbennig o ffyrnig, ond yna, yn 1944, fe gafodd Sgwadron 502 ei symud i Stornoway yn yr Alban i amddiffyn gogledd Môr Iwerydd ac arfordir Norwy. Felly ar ynysoedd Heledd, yn Tiree, y treuliodd Mam a 'Nhad weddill cyfnod y rhyfel.

Ynys fach 13 milltir o hyd a 7 milltir o led, heb goed na pherthi, a gwyntoedd nerthol yr Iwerydd yn hyrddio drosti yw Tiree, a phawb ar y pryd yn siarad Gaeleg. Chlywes i ddim gair gan 'Nhad am y lle, ond swynwyd Mam gan yr ynys, ac mae ei henw yr un mor rhamantus a hudolus i mi â Bali Ha'i o'r sioe *South Pacific*, neu ynys Afallon hyd yn oed.

O'dd Mam a 'Nhad a Dinghy'r ci yn byw mewn bwthyn o'r enw Catrim, tua thri chan llath o'r traeth, wedi ei oleuo gan ganhwylle a lampe paraffin. Ci mawr browngoch hanner Alsatian o'dd Dinghy, a buodd e'n rhan o'n teulu ni tan 1958, pan fu farw o henaint. Y cinio Nadolig gore gafodd Mam erio'd, medde hi, o'dd tocyn o dost o fla'n y tân ym mwthyn Catrim gyda Dinghy ar Tiree.

Ond ro'dd trasiedi a thristwch yn anochel. Ar Ddydd San Steffan 1944, gwelodd Mam a Maggie Mcdonald, y bostfeistres, awyren 'Nhad, *S for Sugar*, yn taro yn erbyn awyren arall wrth i'r naill ddod i mewn i lanio ac i'r llall godi i'r awyr. Fe ffrwydrodd y ddwy. Eisteddodd Mam yn y berth â'i breichiau'n dynn o gwmpas Dinghy tra bod pobol eraill yn gweiddi a rhedeg o'i chwmpas. O'dd hi'n beichio crio, yn torri'i chalon, ond yn sydyn clywodd lais yn gofyn, 'What on earth are you doing there?' 'Nhad o'dd yno, gan mai peilot arall hedfanodd *S for Sugar* y diwrnod hwnnw. Anghofiodd Mam fyth mo'r diwrnod pan gladdwyd cyrff y tri ar ddeg a laddwyd ym mhridd yr ynys. O'dd erchylltra'r agosrwydd at farwolaeth yn arwain at ysfa i herio breuder bywyd gan ymdrechu i fwynhau bywyd i'r eitha, trwy wisgo dillad pert i fynd i bartïon a dawnsfeydd yn yr *officers' mess*, cerdded gartre ar hyd y traeth yng ngole'r lloer, a sefyll o gwmpas y piano i ganu,

> 'Don't sit under the apple tree
> With anyone else but me...'

O'dd 'Nhad yn herio marwolaeth yn ddyddiol, ac mae'n rhaid ei fod e wedi gweld pethe erchyll, ond, yn ôl ei arfer, soniodd e 'run gair am y cyfnod. Yr unig ddolen gyswllt o'dd yr awyrennau bach gerfiodd e o bren i hongian o'r to. Saer coed o'dd ei dad ac etifeddodd y ddawn honno, a bu wrthi'n gyson trwy 'mhlentyndod yn creu modelau, yn arbennig o longau mewn poteli.

A hwythe wrth eu bodde yng nghanol antur a chyffro, llwyddodd y ddau berson golygus, deallus a gwrthryfelgar yma i ddianc dros dro, ond ar ddiwedd y rhyfel, yn 1945, yn ôl i Gymru y daethon nhw.

Erbyn iddi hwylio 'nôl o Tiree i Tobermoray, wedyn i Oban, cyn dal y trên gartre yn llawn o filwyr y lluoedd arfog, a Dinghy ar ei chôl, ro'dd Mam yn feichiog 'da 'mrawd. 'Nôl i gartre ei mam a'i thad aethon nhw, wrth aros am swydd i 'Nhad, a dyna lle ganwyd fy mrawd, Paul, ar 18 Chwefror 1946, yn ysbyty Glanaman. O'dd Mam yn un o ddau y cant o fenywod sy'n geni'n ddidrafferth ac yn ddi-boen, er i mi ddarganfod, yn anffodus, nad o'dd hynny'n rhedeg yn y teulu. Serch hynny, fe gollodd lot o waed ar ôl yr enedigaeth a phan dda'th 'Nhad 'nôl o'r mynydd lle bu'n casglu gwlân defaid o'r perthi i greu cwilt i'r crud, ro'dd Mam-gu a'i phedair chwaer ar eu pengliniau yn y parlwr yn gweddïo ar i Mam ga'l byw. Byw na'th hi, diolch i ofal meddygol da.

O'dd Mam a 'Nhad, felly, yn y blynyddoedd cyn 'y ngeni i, wedi dod yn agos iawn at farwolaeth. Edefyn tene iawn yw hwnnw sy'n penderfynu'n bodolaeth ni yn yr hen fyd 'ma, a thipyn o hap a damwain yw lleoliad ein geni hefyd. Gallen i fod wedi ca'l 'y ngeni yn Kingston upon Thames. Dyna'n sicr ro'dd Mam wedi'i obeithio, ca'l byw yn Surrey yn ddigon pell o gulni a gormes Dyffryn Aman. Wedi'r cyfan, dyna lle o'dd 'Nhad yn byw cyn y rhyfel. Dwi'n siŵr bod y newid byd hwnnw'n rhan o atyniad y briodas, a dwi'n ffantaseiddio'n amal am ga'l bod yn Saesnes yn Surrey – yn ffantaseiddio am wisgo *twin-set* a pherlau, mynd i *gymkhanas* a byw yn rhywle tebyg i Nutwood, cartre Rupert Bear. Bues i'n darllen am leoedd tebyg droeon yn ystod 'y mhlentyndod, a dyma'r diwylliant o'dd 'y nghenhedlaeth i'n ca'l ei harwain i gredu ein bod ni'n rhan ohono gan ein cyfundrefn addysg. I ardal debyg yr es i'n ddiweddar wrth ffilmio pennod o *Midsomer Murders*. O'n i'n nabod y dirwedd, yr adeiladau a'r meddylfryd, yn teimlo 'mod i'n eu nabod er mor ddieithr oedden nhw; teimlad tebyg ges i wrth ymweld ag Efrog Newydd am y tro cynta, gan ein bod ni bellach hefyd wedi'n trwytho yn niwylliant yr Unol Daleithiau.

Nid ar lannau'r Tafwys ond, yn hytrach, yn nyfnderoedd cefn gwlad Cymru ar lannau afon Gorlech y gweles i ole dydd am y tro cynta, mewn ardal wyllt a diarffordd, nid nepell o Abergorlech a Llanfynydd yng ngogledd Sir Gaerfyrddin. Yn fuan ar ôl geni 'mrawd, clywodd 'Nhad ei fod e wedi'i apwyntio'n brifathro ar Ysgol Clawddowen ger Brechfa. Mae'n siŵr bod y rhyfel wedi creu ysfa am dawelwch, am gysur ac am sicrwydd, yn fy nhad o leia. Yn wir, mae'n debyg ei fod e am ailafael mewn normalrwydd, er y gall y llinell fod yn dene rhwng normalrwydd a diflastod, rhwng merddwr a thawelwch – ac, wrth gwrs, mae'n dibynnu sut ry'ch chi'n diffinio normalrwydd.

2

Clawddowen

Do'dd Clawddowen yn ddim mwy nag ysgol a thŷ'r ysgol yn y bôn, wedi'u hamgylchynu gan ychydig o ffermydd a thai gwasgaredig. Mae'r ysgol wedi hen gau erbyn hyn, wrth gwrs, a chynlluniau ar droed i gynnig gwely a brecwast yn yr hen adeiladau. Falle y gwna i fynd i aros yno a cha'l cysgu yn y stafell lle ces i 'ngeni. Gartre yn nhŷ'r ysgol y digwyddodd hynny, ar 29 Awst 1949, am fod *typhoid* yn yr ysbyty yng Nghaerfyrddin. Ga'th Mam a 'Nhad eu hanfon gartre i ddarganfod Dr Bloch, o'dd yn wreiddiol o Czechoslovakia, yn eistedd yn amyneddgar yn yr haul ar stepen y drws. Eiliad cyn i fi ga'l 'y ngeni, medde Mam, hedfanodd iâr fach yr haf i mewn trwy'r ffenest agored, a medde Dr Bloch, 'Look, there's a butterfly!' a chyrhaeddes i'r byd. O'r Beibl y da'th yr enw Sharon, dewis Mam; Rhosyn Saron, cân Solomon, enw anghyffredin ar y pryd, a dwi wrth fy modd gyda'r enw, er gwaetha'r cysylltiad mwy diweddar ag Essex a stiletos gwyn. Dewis 'Nhad o'dd fy ail enw, Haf, ar ôl Lady Haf Hughes Parry o Gymdeithas Gymraeg Kingston, a gafodd gymaint o ddylanwad arno cyn y rhyfel, a dwi wrth fy modd 'da hwnnw hefyd.

Rhyw gymysgfa o ddarluniau digon swreal yw'r atgofion sydd gen i o Glawddowen am y cwta dair blynedd y bues i'n byw 'na, fel lluniau llyfr darllen plentyn bach: ffarm

Nantsebon, wedi'i henwi ar ôl y nant ar bwys y tŷ o'dd yn llawn cymylau mawr o ffroth lliw hufen fel sebon golchi a lle ro'dd Telora King, y tarw mawr ffyrnig, yn byw, a 'mrawd dewr yn ei ddala fe â rhaff. Fy mrawd yn cwympo i mewn i domen dail Nantsebon ac yn ca'l ei achub jest mewn pryd. Merch o'r enw Irene yn dod ar ei gwylie i Nantsebon a chware *chippings* ar yr iard 'da hi a 'mrawd, a bobo lwy gawl 'da ni a lori fach goch, a'r tri ohonon ni'n gwisgo *rosettes* y coroni. Pishys bylb shinog arian wedi'u chwalu'n shitrws, cenawon llwynog, robin goch dof, a hyn i gyd wrth fyw mewn tŷ lle ro'dd pob celficyn yn wyrdd, ffarm Penybanc, a gwynt paraffin.

O'n i'n blentyn aflonydd ac annibynnol, o'n i'n blentyn bishi. Yn dianc o'r cot bob gafael, trwy neidio lan a lawr a gwasgu fy hun mas rhwng y fatres a'r ffrâm, ac yn nes 'mla'n yn cripian ar draws yr iard at yr ysgol bob cyfle cyn dysgu cerdded. Fydde Mam byth yn 'y ngwisgo i gynta cyn mynd mas, achos bydden i'n siŵr o drochi 'nillad. Bydden i'n gwrthod yn lân â chydio yn llaw 'y mrawd o'dd yn cynnig fy helpu i gerdded lan y tyle serth ar bwys y tŷ, achos 'mod i'n 'gallu gwneud hynny 'yn hunan', ymadrodd a safbwynt dwi wedi glynu ato ganwaith ers hynny! Ar un wedd mae'n rhaid i fi edmygu dewrder y ferch fach aflonydd, chwilfrydig honno, sy'n dal i fodoli ynof, er 'mod i'n amau ei doethineb, achos do's dim dwywaith y bydde derbyn ychydig mwy o gymorth wedi gwneud bywyd yn haws iddi hi a fi o bryd i'w gilydd, ac i bawb arall ar hyd y blynyddoedd.

O'n i'n perfformio ar ford y gegin pan o'n i'n dair, yn ôl Mam, ac yn ei chadw hi a 'mrawd mewn *stitches*. O'dd 'Nhad mas. O'dd 'Nhad wastad mas gan ei fod e'n brifathro, yn bwyllgorddyn ac yn pregethu ar y Sul yn yr Eglwys yng Nghymru – swydd y gwnaeth barhau i'w chyflawni am ryw 30 o flynyddoedd. Fy rhieni bedydd o'dd Wncwl Gwilym, ficer Brechfa, a'i wraig Anti Jane, a bydde Mr Grey, y curad, yn ei *beret* ar gefn ei sgwter yn ymwelydd cyson. O'dd yr eglwys yn rhan o'n bywyd ni, a Mam yn croesawu hynny, fel agwedd lai ffanatig, mwy gwaraidd ar grefydd o'i gymharu â'r capel. Wedi'r cyfan, eglwyswr o'dd ei thad, ond serch hynny, bydde dydd Sul yng nghanol unman yn ddiwrnod hir, yn enwedig yn y gaeaf, wrth ofalu am ddau blentyn bach a 'Nhad mas yn pregethu.

Do'dd dim trydan yn nhŷ'r ysgol, ac mae gwynt paraffin y lamp fach werdd a adawai Mam y tu fas i'n stafelloedd gwely tan i ni fynd i gysgu yn gefnlen i'r holl atgofion am Glawddowen. O'dd siâp ei chysgod yng ngole'r lamp wrth iddi ddweud 'nos da' yn ddelwedd gysurlon i blentyn, er bod realiti bywyd gwraig tŷ yn y cyfnod hwn yn un anodd a blinderus. Bydde'n rhaid golchi popeth â llaw, codi carpedi a'u pwno ar y lein ddillad, a chynnau tân i ga'l dŵr twym, gwaith corfforol a chaled iawn. Pan gafodd 'Nhad y swydd yn Ysgol Clawddowen, ro'dd e am i Mam ailafael yn ei gyrfa ddysgu, ond gwrthod wnaeth hi gan ei bod am ganolbwyntio ar fy magu i a 'mrawd yn hytrach nag ymddiried yn rhywun arall i wneud hynny. Er mor ddeniadol yr annibyniaeth economaidd a'r pleser o ddysgu, fe fydde hi hefyd wedi gorfod parhau i gyflawni cyfran helaeth o'r holl waith tŷ a gofalu am ei phlant pan na fydde yn yr ysgol! Dyna'r dilema. Gwneud dwy swydd a mwy, ac o ganlyniad bydde'r blinder a'r annhegwch yn ei lladd, neu bod yn ddibynnol ac ynysig. *Plus ça change*!

O'dd Mam yn gallu gyrru, fodd bynnag, a da'th y gallu hwnnw'n fendithiol pan ddatblygodd 'mrawd *peritonitis* a bu'n rhaid iddi fynd â fe yn y Ffordyn bach du'r holl ffordd i'r ysbyty yng Nghaerfyrddin, lle buodd e jest â marw. Achubwyd fy mrawd, ond ga'th Mam ei sigo gan ofid o ganlyniad i'w dostrwydd. Yn wir, yn fuan wedyn a'th Mam ei hun yn dost. A hithe ar ei phen ei hun gymaint yn gofalu am ddau blentyn bach a 'Nhad yn fishi, hyd yn oed ar ddyddie Sul, a ninne ymhell o bobman, fe gollodd bwyse'n ddychrynllyd. Prin chwe stôn o'dd hi, a phenderfynwyd mynd yn ôl i Lanaman i gartre ei rhieni, Glanllyn, nes iddi wella. Yng Nglanaman, er mawr syndod i bawb – gan gynnwys Mam, medde hi – fe roiodd enedigaeth i blentyn bach marw ar ôl beichiogrwydd o bum mis. Fe'i claddwyd yng ngardd Glanllyn, mewn llecyn lle yr adeiladwyd garej yn ddiweddarach, ac fe'i enwyd yn Peter. Cofiai Mam y diwrnod hwnnw'n glir tra bu, a hyd yn oed yn ei hwythdege daliai i hiraethu am y plentyn a gollodd. Dwi'n amal yn dychmygu pa mor braf fydde hi wedi bod i ga'l brawd bach.

A'th Mam yn isel iawn ac fe a'th 'Nhad ati i ofyn i'r Awdurdod Addysg ddod o hyd i swydd iddo mewn lle llai ynysig.

3

Glanaman

DYMA'R UNIG GYFNOD y bues i'n byw yng Nglanaman. Âi 'mrawd i'r ysgol yno, a dwi'n cofio bod yr orie'n hir wrth aros iddo ddod gartre. Erbyn hyn o'n i'n addoli 'mrawd. Fe o'dd fy arwr i. Yn groten fach, wrth weld cerflun ar blinth, fel Nott ar Sgwâr Nott yng Nghaerfyrddin, o'n i'n pwyntio ato ac yn galw 'Paul!' gan ei roi fe ar bedestal yn llythrennol! O'dd e mor bert, ei wallt yn arian-wyn a'i gro'n yn frown, frown. Enillodd wobr gynta yn y gystadleuaeth 'Prince Charming' yng ngharnifal Glanaman, wedi'i wisgo mewn sidan glas gole a'i feic wedi'i addurno â phapur *crêpe* glas. Trwy'n hieuenctid ro'n i'n edmygu Paul ac yn ymdrechu i fod cystal â fe, ond byth yn llwyddo. O'dd Paul yn well na fi ym mhopeth, yn gallu gwneud pethe'n gynt na fi, am ei fod e dair blynedd a hanner yn hŷn na fi wrth gwrs! Yr unig beth ro'n i'n gallu gwneud yn well na Paul o'dd bwyta, ac mae gen i atgof clir o eistedd yn ddwy flwydd oed yn 'y nghadair uchel yn stwffo tjopen o gig oen i 'ngheg, a'r grefi ffein yn arllwys lawr 'y ngên i, tra bod Mam a Mam-gu naill ochr i 'mrawd yn ceisio'i berswadio fe i fwyta. O'n i'n teimlo'n browd iawn o'n hunan! Fi enillodd y tro hynny, o leia. Ac mae'r hoffter o fwyd wedi aros gyda fi byth ers hynny – gorhoffter bydde rhai'n ei ddweud. 'Scooty fach' o'dd enw Paul arna i achos nad o'n i byth yn llonydd.

Yng Nglanaman y dechreuodd y broses a barodd am oes gyfan o drial dofi 'ngwallt i. Bydden i'n eistedd ar ben y ford er mwyn i Mam ga'l rhoi Toddilocks yn 'y ngwallt, i gadw'r *ringlets* yn eu lle. Bob nos bydde Mam yn cwrlo 'ngwallt mewn darne o racs, sef pishys o hen ddefnydd, i greu *ringlets* yn y bore ac wedyn yn clymu dau ruban mawr ar dop 'y mhen. Yng Nglanaman hefyd y dechreuodd y diddordeb mewn dysgu doliau ac anifeiliaid wedi'u stwffo. Bydden i'n eu rhoi nhw i eistedd mewn rhes ac yn eu ceryddu nhw'n ffyrnig, wedi fy ysbrydoli dwi'n siŵr gan y gerdd o'dd yn dechre 'Nawr, Tedi, paid â siarad, paid ag edrych draw...' Bydden i'n eu gwisgo nhw a'u golchi, ac arweiniodd hynny at ddiwedd trasig iawn i un ddoli anffodus o'r enw Gladys gan ei bod hi wedi'i gwneud o gardfwrdd ac a'th hi'n bishys yn y woblin. O'dd bath iawn yng Nglanllyn a dwi'n cofio 'Nhad yn batho fi a 'mrawd ac yn ein sychu ni'n egnïol gan ddefnyddio tywel mawr, 'fel bydden nhw'n neud yn y Navy'. Dwi'n cofio hefyd torri cwch bach trydan gafodd Paul a'i wylio fe'n boddi yn nŵr y bath, a byth ers hynny mae'r syniad o longddrylliad yn creu arswyd ynddo i.

Erbyn 1951 ro'dd 'Nhad wedi ca'l swydd newydd fel prifathro mewn ysgol bentre, yn Llandyfaelog, chwe milltir o Gaerfyrddin. Erbyn hynny ro'dd y Ffordyn wedi mynd, a Hillman Minx glas fydde'n mynd â 'Nhad 'nôl a 'mla'n i'r gwaith. Yn 1953 symudon ni i gyd, ond nid i Landyfaelog, ond yn hytrach i lan y môr, i bentre cyfagos Glan-y-fferi.

4

'Nhad

MAE'N SIŴR EICH bod wedi dyfalu erbyn hyn nad o'dd fy nhad yn parablu'n huawdl am ei hanes. Yn wir, mae popeth dwi'n ei wybod am fy nhad a'i deulu naill ai wedi ei adrodd gan Mam neu'n ffrwyth fy ymchwiliadau ar y we. O'dd y diffyg cyfathrebu yma'n nodweddiadol o dadau'r pumdege, mae'n debyg, yn enwedig y rhai o'dd wastad mas mewn rhyw bwyllgor neu'i gilydd. Ddois i erio'd i'w nabod e a dweud y gwir, a dim ond nawr, wrth i fi heneiddio, yr ydw i wedi ceisio creu darlun mwy crwn o ddyn o'dd, yn ôl ei gyfaddefiad ei hun medde Mam, yn well ganddo gwmni cŵn na phobol, o'dd yn credu yn y Beibl air am air, o'dd yn mynychu encil yn Nhyddewi o bryd i'w gilydd, ddysgodd yr iaith Roeg a Hebraeg ar ôl iddo ymddeol, o'dd yn bregethwr lleyg, o'dd â thymer wyllt, o'dd byth yn yfed, o'dd yn swil ac ansicr, ac o'dd yn Gymro i'r carn.

Yn 1912 y ganwyd 'Nhad, Bernard Llywelyn Morgan, yn fab i Morfydd Llywelyn a Benjamin Morgan. O'dd Morfydd yn ferch i Dafydd Llywelyn, un o deulu anferth Llywelyns Nantycreigle, ffarm ar ochr y Mynydd Du yng Nglanaman. O Langadog y da'th Benjamin Morgan, saer coed fel ei dad a'i dad-cu o'i fla'n, a da'th e dros y Mynydd Du i weithio ar y tai newydd a gafodd eu hadeiladu yn Heol Tircoed yng Nglanaman, yn gartrefi i'r llu o weithwyr newydd a lifodd i'r cwm ar droad y ganrif. Yn yr ugain mlynedd rhwng 1891 ac 1911 fe wnaeth poblogaeth y cwm fwy na dyblu, gan gynyddu o 5,403 i 11,611.

Ychydig iawn o'n i'n ei wybod am y teulu Llywelyn, ond trwy fy ymchwil ar y we fe wnes i ddarganfod 'mod i'n perthyn i Ryan Davies, o'r ddeuawd Ryan a Ronnie. O'dd Dafydd Llywelyn yn frawd i Rachel Llywelyn, mam-gu Ryan. O'dd Nans, merch Rachel, a Mam-gu, Morfydd Llywelyn, yn gyfnitherod cynta felly, a'u meibion, fy nhad a Ryan, yn ail gefndryd. Pleser mawr o'dd dweud wrth Arwyn Davies, mab Ryan, sef Mark Jones *Pobol y Cwm*, pan weles i fe ar fy ffordd i'r siop yn fuan ar ôl darganfod hyn, ein bod yn rhannu'r un hen hen dad-cu, o'dd yn meddu ar yr enw hyfryd Llywelyn Llywelyn. Weithies i gyda Ryan unwaith, ar raglen blant i HTV ychydig cyn ei farwolaeth, a'r naill na'r llall ohonon ni'n gwybod dim am ein perthynas deuluol, am wn i.

Elinor Thomas o'dd mam Mam-gu, Morfydd, ac fe'i ganwyd yn y Wennant, Llangadog, yn ferch i Morgan Thomas, groser, a'i wraig gynta, Esther Rees, a fu farw'n ifanc. Yn ôl Mam, fe dda'th Elinor i Lanaman i gadw'r doll ar y sgwâr, ac mae gen i'r sgiw y bydde hi'n ei defnyddio i gadw'r arian yn ddiogel. Cafodd Dafydd ac Elinor blentyn arall, Esther ar ôl y fam a gollwyd, a fu farw'n bedwar mis oed, yn 1887, cyn Morfydd, Mam-gu, a anwyd yn 1889. Am flynyddoedd bu Elinor yn wael ei hiechyd, yn defnyddio cloch fach wydr i alw am gymorth. Bu farw yn 1917 yn drigain oed ar ôl treulio hanner ei hoes mewn gwaeledd.

Fe briododd Benjamin Morgan â Morfydd Llywelyn, o'dd yn fenyw ifanc hardd tu hwnt, a'i gwallt modrwyog melyn fel cwmwl o gwmpas ei phen, yn ôl fy mam-gu arall, ym mis Mai 1912, ddeufis cyn geni 'Nhad ar 1 Gorffennaf. Rhywbeth yn debyg i bacyn dou bownd o siwgir o'dd e'n pwyso, medde Mam, ac yn ddigon bach i ffitio mewn i jwg la'th. Cyrhaeddodd chwaer i 'Nhad, Esther arall, Esther

Ann, neu Nansi fel bydde pawb yn ei galw, rai blynyddoedd yn ddiweddarach.

Magwyd 'Nhad ym Mryngwyn, 26, Heol Tircoed, cartre'i dad-cu, Dafydd, o'dd yn rheolwr yn y gwaith tun, ac Elinor ei fam-gu. Morwyn o'r enw Maud fagodd y plant bach, mae'n debyg, gan fod ei fam yn brysur yn gofalu am ei mam. Er, bu cryn dipyn o deithio rhwng Glanaman a Llangadog. O'dd fy nhad-cu, Benjamin, 'Builder and contractor' yn ôl ei dystysgrif briodas, yn treulio misoedd oddi cartre yn gweithio ar ffermdai anghysbell, a Morfydd yn teithio 'nôl a 'mla'n gyda'r plant ym mhob tywydd. A'r tywydd, mae'n debyg, a'th â Benjamin yn y pen draw. Yn sgil yr oerfel a'r gwlybaniaeth a ddioddefodd wrth iddo ennill ei fywoliaeth, cafodd y ddarfodedigaeth, a threuliodd gyfnodau hir ac ofer yn ceisio gwella yn sanatoriwm newydd sbon Allt-y-mynydd yn Llanybydder, a agorwyd gan y Dywysoges Christina. Bu farw pan o'dd 'Nhad yn dair a Nansi tua phum mis, tua'r un adeg â'i frawd David, a gweddw fu Morfydd Morgan benfelen am weddill ei hoes. Y tro cynta i mi weld llun o 'Nhad-cu o'dd pan wnes i ddarganfod llun o bwyllgor y cleifion yn Allt-y-mynydd wrth glirio Bryngwyn ar ôl colli 'Nhad.

Treuliodd 'Nhad dipyn o amser yn Llangadog 'da'r Morgans yn dilyn marwolaeth ei dad. Ym mhentre Myddfai o'dd gwreiddiau Benjamin, ond yn 41, Welcome Place yn Llangadog y cafodd ei eni, yn fab i William Morgan a'i wraig Ann. O'dd 'y nhad yn ca'l ei strwa'n rhacs yn ôl pob sôn. Mae'n debyg un tro iddo lefen a sgrechen a strancio ar blatfform stesion Llangadog, am ei fod e'n methu mynd â'r trên gartre 'da fe. Pobol fusnes o'dd y Morgans. Cadwai brawd Benjamin, William, siop y Beehive yng nghanol pentre Llangadog am flynyddoedd, cyn mynd i gadw llaethdy yn Camden Town yn Llundain, er bod ei galon yn Llangadog hyd y diwedd. Dywedwyd mai Eisteddfod Llangadog o'dd yr unig eisteddfod fach â'i phencadlys yn Llundain. Fe fuodd plant William yn rhedeg gwestai a bu brawd arall i Benjamin,

Osborne, yn cadw gwestai'r Croft a'r Fourcroft yn Ninbych-y-Pysgod. Yn wir, mae ei wyrion yn dal yno.

Aeth 'Nhad i Ysgol Ramadeg Llandeilo er iddo, mae'n debyg, dreulio rhan helaeth ei amser yn reido bysys James lan a lawr y cwm yn ystod orie ysgol. Mae'n debyg mai tua'r un pryd y cafodd e ei daflu mas o'r capel am smoco yn y festri. Gadawodd yr ysgol yn ddwy ar bymtheg ac, mewn ymges i ga'l trefn arno efallai, penderfynodd – neu awgrymwyd wrtho – yn ddeunaw oed y dyle ymuno â'r British and African Steam Navigation Co. Ltd and African Steamship Co. Ltd fel cadét ar yr *SS Boutry*. Dwedodd Mam ei fod e wedi bod rownd y byd, ond dois i o hyd i ddyddiadur a gadwodd e a gweld, er nad a'th e rownd y byd, ei fod e wedi bod yn ddigon pell o Ddyffryn Aman. Hwyliodd o Lundain i Douala ac yn ôl, a galw yn Tenerife, Las Palmas, Freetown yn Sierra Leone (lle bu fy mab yn ffilmio'n ddiweddar gyda'r pêl-droediwr Craig Bellamy), Monrovia, Takoradi, Accra, Saltpond, Winneba, Lagos, Apapa, Port Harcourt, Opobo a Calabar. Mae'n nhw'n enwe cyffrous ac egsotig, ac fe fyddwn i wedi bod wrth fy modd yn cael clywed hanesion am y lleoedd hyn, ond mae'n debyg ei fod e wedi sylweddoli'n go gloi taw nid dyma'r bywyd iddo fe. Diflastod a rhwystredigaeth yw prif themâu'r dyddiadur, wrth iddo ddyfeisio gwahanol ffyrdd o gadw'n gall. Mae yna sôn am chware criced, creu croesair i ddiddanu'r Capten, cath yn ca'l pedair cath fach, peintio'r llong, diflasu'n llwyr a'r gollyngdod pur o ga'l gadael ar ôl cwta dri mis. Mae'n debyg bod y profiad yma wedi ei argyhoeddi bod gwerth i addysg wedi'r cwbwl, a gan fod Dafydd Llywelyn yn gallu fforddio talu am yr addysg honno, i ffwrdd â 'Nhad i Goleg y Drindod i hyfforddi fel athro a cha'l gobaith am fywyd tipyn yn brafiach na bywyd morwr. Yn 1936, pan o'dd 'Nhad yn 24, ac ynte'n dysgu yn Lloegr bell, bu farw ei dad-cu, Dafydd Llywelyn, ac erbyn 1939 ro'dd ei chwaer, Nansi, wedi gadael cartre, gan briodi Llywelyn Thomas, Wncwl Llew, yn

Watford. Aethon nhw i fyw i Ferthyr Tudful a chafon nhw efeilliaid, Russell a Royston, sy'n dal i fyw ym Merthyr. Cefes ddau ddarlun hardd ganddyn nhw a roddodd rywfaint o gysylltiad i mi â'r teulu Llywelyn. Portreadau o Elinor a'i merch Morfydd ydyn nhw, mewn lliw, ac yng nghefn llun Morfydd fe wnes i ddarganfod darn o'i gwallt eurliw, wedi ei roi yno fel canllaw i'r crefftwr o'dd yn lliwio'r llun, mae'n debyg.

Er bod dim cysylltiad â'r teulu Llywelyn, fe gadwon ni gysylltiad agos â'r Morgans. Wncwl Idris, cefnder fy nhad yn Ninbych-y-Pysgod – mab Osborne, brawd Benjamin ei dad – o'dd ein deintydd, ac fe fydden ni'n teithio lawr 'na ar ôl ysgol i'w weld. Wncwl Idris, dyn o ychydig eirie, gyd-ddyfeisiodd y teclyn 'na sy'n ca'l ei roi yn eich ceg i oeri pethe wrth ga'l triniaeth. Buon ni'n aros gydag Wncwl Gwyn ac Wncwl Denzil, plant William, brawd arall Benjamin, yn eu gwestai yn Llundain, a bu Dad yn helpu Wncwl Denzil pan dda'th e 'nôl i Gymru i gadw gwesty'r Mount Sorrel yn y Barri. O'n i hefyd yn agos iawn at Wncwl Freddie a'i wraig Anti Myfi, mab David, fu farw yr un pryd â'i frawd Benjamin, a Freddie ynte yn blentyn bach tua thair blwydd oed ar y pryd.

5

Mam

ENW LLAWN FY mam o'dd Rachel Mary Adelaide Nicholson ac fe'i ganwyd ar 16 Awst 1916, yng nghanol y Rhyfel Byd Cyntaf. Fe'i bedyddiwyd yn Rachel ar ôl ei mam-gu, Mary ar ôl ei mam fedydd ac Adelaide ar ôl ei hen fodryb. Parodd yr enedigaeth am bedair awr ar hugain, mae'n debyg, ac fe gyrhaeddodd â'r cordyn am ei gwddwg – arwydd o blentyn arbennig medden nhw. Llwyddodd y fydwraig fedrus i'w dynnu cyn iddi fogi. Mae'n siŵr fod y profiad anodd hwnnw wedi cyfrannu at benderfyniad Mam-gu i beidio â cha'l mwy o blant, ond 'sdim dwywaith fod bywyd ei mam ei hun, a gafodd 18 o blant, wedi dylanwadu'n drwm arni hefyd. Mae'n annhebygol bod offer atal cenhedlu'n rhan o'r penderfyniad, wrth feddwl am gyngor Anti Hetty, chwaer Mam-gu, i Mam cyn iddi briodi, 'Cofia di nawr bach, mae'n rhaid i ti weddïo am blentyn bob tro ry'ch chi'n caru, mae'n bechod fel arall.' Fel dwedodd Tad-cu, 'Ma ishe bod yn ddyn i neud babis, ond ma ishe bod yn fwy o ddyn i bido.' Ie wir, gwaeddwn 'Haleliwia!' am fod y bilsen wedi dod i fodolaeth.

Yn Hopkinstown, Rhydaman ga'th Mam ei geni, ond yn fuan wedyn symudodd y teulu bach i 116, High Street ac ailfedyddiodd Mam-gu e'n White Rose Cottage. O'dd Dad-cu yn gweithio yng ngwaith glo'r Betws, a bob dydd ar y ffordd gartre o'r ysgol o'dd Mam yn gweddïo y dôi ei thad 'nôl yn fyw ac yn iach. Cafodd ddamweiniau o dan ddaear: ei wasgu rhwng dwy dram nes ei fod e'n ddulas drosto; colli dau fys; ca'l anaf difrifol ar ei goes; ac, fel pob glöwr arall, ro'dd e'n diodde o *pneumoconiosis*. Dyn mwyn o'dd Dad-cu a phan gyrhaeddodd y baddondai i'r pylle glo ro'dd e'n rhy swil i'w defnyddio nhw. Pan dda'th cyfnod y ceffyle gwaith, y *pit ponies*, i ben bydde Tad-cu'n mynd ag afal neu foronen i'r cae lle bydde ei gyn-bartner yn pori, a dim ond i alwad Dad-cu y bydde'r hen geffyl yn ymateb. Yr arian yn fach a'r gwaith yn ddansherus – 'sdim rhyfedd bod Dad-cu wrth ei fodd yn yr ardd yn yr haul ar ôl gweithio yn y tywyllwch fel gwahadden. Mam-gu fydde'n trafod yr arian bob amser a dwi'n cofio 'mrawd a finne'n eistedd wrth ford y gegin pan o'n ni ar ein gwylie 'da nhw rhyw nos Wener, yn aros i Dad-cu ddod 'nôl o'r gwaith â'i bacyn pae, a bod mor browd pan gafon ni bishyn chwech yr un o'r amlen frown.

Falle fod arian yn brin, ond o'dd digonedd o bopeth arall. Gadawodd Mam-gu'r ysgol pan o'dd hi'n un ar ddeg ond nyrs o'dd hi eisie bod. Pan fydde rhywun yn ca'l darn o dun yn ei lygad yn y gwaith tun, lle buodd hi'n gweithio'n fenyw ifanc, am Annie fydden nhw'n galw. Ma'r dalent a'r egni a gollwyd oherwydd diffyg cyfleoedd addysgol yn dorcalonnus, yn enwedig i ferched, ac o ganlyniad priodi o'dd yr opsiwn gore yn economaidd iddyn nhw. Gocheled pawb rhag honni nad o'dd y dosbarth gweithiol yn ddeallus nac yn urddasol. Falle na chafon nhw lawer o addysg ffurfiol ond o'dd hi'n fenyw tu hwnt o graff a deallus, a Duw ar ei hochr wrth gwrs. Bedyddiwyd Mam-gu yn afon Llwchwr ar ochr y Mynydd Du yn ystod diwygiad '04–'05, a rhoddodd nerth iddi dra-arglwyddiaethu droson ni gyd byth wedyn.

Arllwysodd ei hynni i'w merch, ac er bod hynny'n fanteisiol iawn mewn rhai ffyrdd, ro'dd e weithie hefyd yn troi'n ormesol wrth iddi ddisgwyl perffeithrwydd ar bob achlysur. Wedi dysgu crosio gan gymydog yn dair ar ddeg, heb batrwm yn y byd, creodd ddillad hardd i 'Ray fach', a thalodd swllt yr wythnos, arian mawr ar y pryd, i brynu cot a hat ffwr gwyn hardd iddi.

Yn dair oed canodd Mam o bulpud yr English Cong, sef capel Gelli Manwydd, yn Rhydaman:

Oh teach me how to pray,
Oh teach me how to live,
And make me better day by day,
To thee my soul I give.

Yn fuan wedyn dechreuodd y gwersi piano fydde'n arwain at ennill ei ALCM yn dair ar ddeg, gan wireddu un o freuddwydion ei mam. Enillodd fwy na chant o gwpanau mewn eisteddfodau am ganu a chware'r piano, er ei bod hi'n casáu'r cystadlu. Fydde Mam ddim yn mwynhau chware'r piano chwaith, yn benna am mai dim ond emynau a miwsig clasurol fydde'n dderbyniol, a hithe'n ysu am ga'l chware *comic songs* a miwsig y pictiwrs. Rhys Williams, cefnder ei mam, o'dd ei hathro canu a chware'r piano ac ro'dd hi'n aelod o gôr plant enwog Gwilym R Jones, brawd-yng-nghyfraith Anti Jennie, chwaer Mam-gu. Buodd hi'n cyfeilio droeon i'w modryb mewn cyngherddau ar hyd a lled yr ardal. O'dd Mam felly wedi'i thrwytho yn niwylliant Cymraeg cyhyrog a byw y cwm, ond serch hynny, Saesneg o'dd iaith yr aelwyd.

Pan o'dd Mam yn flwydd oed, fe a'th ei thad i'r Rhyfel Mawr. Do'dd dim rhaid i lowyr fynd ar ddechre'r rhyfel, ond erbyn 1917, a miloedd ar filoedd o ddynion ifanc wedi ca'l eu bwtshera, dechreuwyd recriwtio o'r gweithfeydd glo. Fe dynnwyd gwelltyn ac, er nad Tad-cu dynnodd y gwelltyn byr, dewisodd fynd i arbed y truan anffodus a'i tynnodd, Duw a ŵyr pam. Mae'n rhaid bod yna ryw amgylchiade arbennig yn sefyllfa'r dyn hwnnw wedi effeithio ar ei benderfyniad. Y gân 'If I can help somebody...' o'dd arwyddair Tad-cu, a dyna beth na'th e.

O'dd Mam yn dwlu ar ei thad, fel antidot angenrheidiol i'w mam mae'n debyg, a phan dda'th e gartre ar ôl cwblhau ei hyfforddiant fe guddiodd ei gap er mwyn ei gadw yno. Da'th Mam-gu o hyd i'r cap yn y cwtsh dan stâr a mynd 'nôl fu'n rhaid iddo. Llwytho'r gynnau mawr o'dd gwaith Tad-cu ac fe ga'th y sŵn byddarol effaith ddychrynllyd arno. Am flynyddoedd bydde sŵn taranau yn ei gynhyrfu'n lân, gan blannu ofn dychrynllyd yn Mam. Bydde hi'n cau'r llenni ac yn diffodd y trydan pan glywai'r arwydd lleia o storom yn cyniwair yn y pellter. Dim ond unwaith dwi'n cofio Tad-cu'n sôn am y rhyfel, ac ynte yn ei wythdege'n cofio dyn ifanc yn rhewi yn y trenshys ac yn sôn am wasgu'r llau anferth yn leining ei iwnifform 'da'i fysedd.

Pan dda'th Tad-cu 'nôl o'r rhyfel o'dd Mam yn uniaith Gymraeg, a do'dd e ddim yn gallu'i deall hi'n siarad. Wrth gwrs, mae'n siŵr fod ganddo fe hen ddigon o Gymraeg i gynnal sgwrs, a fynte wedi byw yn y cwm am saith mlynedd, ond penderfynwyd troi i'r Saesneg. Y gred gyffredin ar y pryd o'dd mai dim ond trwy siarad Saesneg o'dd 'dod 'mla'n yn y byd' ac mae rhai hyd yn oed heddiw yn dal i gredu hynny. Saesneg o'dd iaith arian a statws a Saesneg o'dd iaith y dyfodol. Saesneg o'dd iaith teuluoedd *bourgeois* Rhydaman, fel yr Iddewon, y Cohens a'r Shepherds, a ffrind penna Mam yn yr ysgol gynradd o'dd Sylvia Cohen. Ysgogodd Mr John Lewis, prifathro Ysgol Gynradd Rhydaman, ddiddordeb ei ddisgyblion mewn llenyddiaeth Saesneg trwy orchuddio waliau'r stafell ddosbarth ag enwe ffigyre blaenllaw llenyddiaeth Lloegr, fel Shakespeare, Dickens, Tennyson a Wordsworth. O'dd Mam yn ddarllenwraig frwd, a gwirionodd ar lyfrau fel *The Water-Babies* ac *Alice in Wonderland*. Ar ben hyn i gyd, ro'dd perthynas arbennig rhyngddi hi a'i thad, a adawai iddi fwyta picls pan fydde ei mam wedi mynd i'r Sisterhood, a mwynhâi y profiad o ga'l mynd ar wylie egsotig i Birmingham! O'dd Saesneg yn sbri, do'dd y Gymraeg ddim. Cofleidiai Mam y Saesneg, mewn cwm o Gymry Cymraeg, a diffiniwyd ei hunaniaeth gan brofiade personol ga'th ddylanwad dwfn ar ei hagweddau gwleidyddol a diwylliannol. Mor wir yw geirie ffeministiaid America'r saithdege – 'The personal is political.'

Â Mam yn ddeg oed, dyfnhawyd y canfyddiad eto fyth. Yn 1926, pan o'dd ei brawd, Wncwl Jack, yn Pennsylvania, ei thad yn ddi-waith a'i mam yn dost, penderfynodd Mam-gu symud y teulu i Glasfan, cartre ei rhieni yn y Garnant, fel y gallai ofalu am y teulu. Sôn am *culture shock*. Dim ond ychydig filltiroedd o Rydaman chwaethus o'dd y Garnant, ond ro'dd hwn yn fyd ar wahân, yn llawn coliers ryff a swnllyd a'r iaith Gymraeg ym mhobman. O'dd Rachel a John Ifans yn uniaith Gymraeg ac yn siarad Cymraeg â'u hwyres a hithe'n eu hateb nhw yn Saesneg. O'dd plant Ysgol y Garnant ar y pryd, lle bydde Mam yn dysgu rai blynyddoedd yn ddiweddarach, yn gwisgo clocs am eu traed a pinersi dros eu dillad. Anghofiodd mo Mam tra bu byw garedigrwydd un ferch fach gwallt coch o'r enw Lally Lewis, sef mam yr actorion Hywel Bennett ac Alun Lewis. Cysylltai Mam Gymreictod â diflastod, culni a chosb, ac wedi symud ro'dd hi'n ei gysylltu â thlodi hefyd.

Eto i gyd, lle hapus iawn o'dd y cartre ei hun, ac un rheswm o'dd bod Anti Dora, chwaer ifanca Mam-gu, yn byw 'na. Mam yr actor Dafydd Hywel o'dd Anti Dora, a'r fenyw ffeina'n fyw. Dim ond deuddeg mlynedd o'dd rhwng Anti Dora annwyl, garedig a'i llais alto cyfoethog a Mam ac ro'dd y ddwy'n ffrindie mynwesol, yn rhannu cyfrinache wrth y tân yn y seler fawr o dan y tŷ wrth bobi tatws, gan dreulio'r rhan helaeth o'u hamser yn chwerthin. Disgrifiad Mam ohonyn nhw ill dwy'n chwerthin ysbrydolodd y darn yma o *Ede Hud*, fy sioe un-fenyw a ysbrydolwyd gan hanes y menywod yn fy nheulu, lle mae Anti Dora'n personoli bywydau gwerthfawr menywod 'bob dydd', sy'n dal i ga'l eu diystyru:

Anti Dora, y groten ifanca,
yn neud y pethe bob dydd,
a 'werthin.
Ishte ar sil ffenest
tu fas i'r tŷ,
yn beryglus o bell uwchben y blode.
Yn dishgwl mewn,
a'i gwên yn shino, yn shino'r ffenest, yn shiglo dwster
a galw lawr, 'Iw hw!'
a 'werthin.
Dishgwl miwn ar y pethe bob dydd.
Bara the a caws pôb,
tynnu staes yng ngole'r gannw'll...
a 'werthin, 'werthin sbo i'n llefen.

Bob Nadolig yn Glasfan bydde'r teulu mawr yn ymgasglu i gynnal Noson Lawen, a phawb yn cyfrannu.

Y diwrnod y clywodd Mam ei bod hi wedi 'paso'r *scholarship*', symudodd y teulu bach. O'dd Annie Nicholson hirben a darbodus wedi penderfynu rhoi cynnig am dŷ William, brawd ei thad, pan fu'n rhaid iddo adael ei gartre oherwydd salwch. Bwthyn bach o'r enw Cae Glas Isha yng Nglanaman, reit ar dop Heol Tircoed, o'dd y cartre newydd, ond newidiodd Mam-gu'r enw i Glanllyn, er nad o'dd yna lyn yn agos i'r lle, dim ond afon fach Berach led cae o waelod yr ardd yn ymdroelli'n ddiddig tuag at afon Aman.

O'dd llwyddiant academaidd yn destun llawenydd mawr i Mam-gu a Tad-cu, a'r byrdwn parhaus o'dd 'Gwithwch yn yr ysgol i chi ga'l paso', ac wrth gofio'i hanes do's dim rhyfedd bod y gred yng ngallu lledrithiol addysg i wella pob clwy ac i greu iwtopia newydd yn rhan bwysig o ddiwylliant byrlymus y cwm. O'dd Neuadde'r Gweithwyr, a adeiladwyd ag arian prin y glowyr, yn ganolfanne diwylliannol o fri ac yn gartre i bob math o weithgareddau amrywiol. Da'th cwmni bale Rambert i'r Garnant ar un adeg, mae'n debyg, ac ro'dd y capeli mor llawn bob dydd Sul fel bod yn rhaid cyrraedd yn gynnar i ga'l sêt. Yn ogystal â bod yn addoldai, ro'dd rhain yn gartre i bob math o weithgareddau, rhai gan gwmnïe proffesiynol, yn cynnwys cynyrchiadau theatrig, a dyma ble deffrowyd diddordeb Mam yn y ddrama. Mae gen i lun ohoni mewn ffrog wen, ffon hud yn ei llaw a choron ar ei phen, yn chware'r brif ran yn nrama gerdd *Y Blodyn Glas*.

Ond ro'dd atyniadau eraill hefyd yn Nyffryn Aman yn ystod y tridege – atyniadau gwaharddedig. Gwaith y diafol o'dd y dawnsfeydd a'r ffilmie! Bydde Mam yn mynd i ddawnsfeydd, gan guddio'i ffrog ddawns o dan ei chot, ac i'r sinema ddrwg, gan smalio ei bod hi'n mynd i rywle arall. Falle eu bod nhw'n waith y diafol, ond ro'dd Mam yn fodlon risco mynd i uffern!

Agorwyd sinema Glanaman, Siew Sam, ar safle'r hen rinc sglefr-rolio, ac er ei bod hi'n anodd credu, dyna lle buodd Mam-gu a Dad-cu'n raso rownd gyda'i gilydd. Yna, pan dda'th y sgrin arian i Ddyffryn Aman ga'th Mam, fel gweddill trigolion y cwm, ei hyrddio i fyd syfrdanol o wahanol. Cafodd Mam ei hysbrydoli gan Marlene Dietrich, Greta Garbo, Rita Hayworth a Ginger Rogers i fynd â'i syniadau am ddillad at Joyce, y deilwres leol, i'w gwireddu. O'dd Mam yn adnabyddus am ei delwedd anarferol, ei chlogynnau dramatig a'i siwtiau smart – ond dim trwseri, gan fod rheiny gam yn rhy bell i Lanaman yn y tridege, hyd yn oed i Mam. Bydde hi'n edrych fel *film star*, medden nhw, ac yn fynegiant concrit o'i hysfa i ddarganfod byd mwy na Dyffryn Aman.

6

Gwreiddiau

YN WAHANOL I Mam, o'dd Dyffryn Aman wastad wedi ymddangos yn fwy na digon i fi. Poblogwyd fy mhlentyndod gan gymeriade o'r cwm o'dd mor lliwgar a chyffrous ag unrhyw ffilm o Hollywood. Ysbrydolwyd fi i sgrifennu'n sioe lwyfan gynta erio'd, *Ede Hud*, gan y straeon glywes i gan Mam a Mam-gu am deulu'r Evansiaid.

O'dd y stori'n dechre mewn hen dŷ cerrig o'r enw Garnlwyd ar ochr y Mynydd Du, pellter o ryw dri chae o Nantycreigle, cartre fy hen dad-cu arall, Dafydd Llywelyn. Rhaid fydde ymweld â Garnlwyd pan fydden i ar 'y ngwylie yng Nglanaman – ro'dd e fel pererindod. Mynd lan i Heol y Mynydd mor bell â'r pistyll dŵr, lle bydde Mam-gu'n casglu berwr dŵr, a thrwy'r gât at y mynydd ei hunan, 'nhad-cu'n cario morthwyl a hoelion ne' ddarn o sinc er mwyn trwsio'r perthi neu'r to. Dim ond cragen o'dd ar ôl o'r hen gartre erbyn hynny ac fe werthwyd e am ryw ddau gan punt pan a'th e'n drech na nhw wrth iddyn nhw heneiddio.

Gwobr o'dd Garnlwyd am ddal ysgyfarnog wen. Cynigiodd Arglwydd Cawdor ddarn o dir i'r dyn cynta a ddeuai o hyd i un o'r creaduriaid prin o'dd 'mond yn ymddangos wrth i'w cotie newid lliw yn ystod y gaeaf. Fy hen, hen, hen dad-cu, John Owen, o'dd y dyn hwnnw.

Do'n ni ddim yn galw'r tŷ yn Garnlwyd. Tŷ Anti Mari o'dd e i ni. Menyw dal, eofn â llygaid glas treiddgar o'dd Mari Ifans, chwaer tad Mam-gu, yn ôl Mam. Cymeriad cryf, annibynnol yn smoco pib ac yn annog Mam i wisgo du – lliw'r ifanc, medde hi. Bydde hi'n stopio'n sydyn i bisho ar ei sefyll wrth i Mam ei hebrwng gartre ac o'dd 'da hi farn gref ar bopeth dan haul – taflodd hi ffrog werdd rhyw berthynas i'r tân yn ddisymwth, fel y gwnaeth Édith Piaf daflu ymbarél werdd drwy ffenest ym Mharis, mae'n debyg, am ei fod e'n lliw anlwcus. Bydde Mam wrth ei bodd yn gwrando ar ei mam a Mari'n dadlau, un yn ceisio'i gore i drechu'r llall, dwy fenyw ddeallus na chafodd y cyfle i ddefnyddio'u talentau. Buodd yn rhaid i 'nhad-cu godi Anti Mari a'i chario o'r tŷ fwy nag unwaith am achosi trwbwl. Yn y gwaith tun y buodd hi'n gweithio ac yna'n byw *on her own means*, ar ôl i'w phriod, dyn o Aberdâr, farw o fewn blwyddyn i'w priodas. Gofalodd Mam-gu amdani, fodd bynnag, ac yn nhŷ Mam-gu y buodd hi farw, a chofiai Mam am ei chorff yn ca'l ei droi heibio (ei baratoi ar gyfer y bedd) yn y stafell fyw.

Yn *Ede Hud*, yn 1996, sgrifennes i fel hyn am Anti Mari a'i mam:

> Wrth fynd am wac i dŷ Anti Mari unwaith eto,
> Hen gragen o dŷ ar ochr y mynydd,
> Tŷ Anti Mari, odd yn smoco pib,
> a byth yn gwisgo nicyrs,
> a'n pisho'n sefyll lan.
>
> A digwyddodd Mam weud
> bod mam Anti Mari
> wedi marw ar ochr yr hewl.
> Menyw heb enw,
> a phedwar o blant,
> yn gwaedu i farwolaeth
> cyn cyrraedd tri deg.

Meddwl am ei phlant bach,
yn dal i gysgu'n sownd.
Mam tad mam 'yn fam yn gwaedu i farwolaeth ar ochr yr hewl.
Gobeithio bod hi'n ddiwrnod ffein.

Yn naw oed ro'dd rhaid i Anti Mari ofalu am deulu bach Garnlwyd – ei thad a'i thri brawd o'dd yn chwech, un ar ddeg a thair ar ddeg – wedi i'w mam farw ar ochr yr hewl wrth golli plentyn, a hithe ar ei ffordd i weithio yn y ffatri ganhwylle yn Rhydaman. Y bachgen chwe blwydd oed o'dd tad Mam-gu, John Ifans.

Yn y cyfamser, ymhell o Garnlwyd, yn y Garnant ar waelod y cwm ro'dd Joseph Jones a'i wraig Mary'n magu eu teulu. Gwehydd o Langyfelach o'dd tad Joseph, John arall, John Jones, a tasen i'n ymwybodol bod gen i berthynas o'r pentre hwnnw wrth i fi ganu un o fy hoff ganeuon gwerin, 'Ffarwel fo i Langyfelach lon', a hynny droeon yn hwyr y nos mewn bws mini wrth i fi deithio heolydd Cymru slawer dydd, bydde yna ystyr ddyfnach i'r geirie. Wrth ymchwilio'r achau mae'n ddiddorol gweld yr arfer o enwi plant ar ôl eu rhieni, a'u rhieni nhw, a'u brodyr a'u chwiorydd. Parhaodd hyn tan tua diwedd y bedwaredd ganrif ar bymtheg, pan ehangwyd ar y dewis o enwe wrth i'r chwyldro diwydiannol ymestyn ei orwelion. Bron na fase rhywun yn meddwl bod yna restr swyddogol o enwe cydnabyddedig, fel sydd yn Ffrainc heddiw, ac yn sicr ro'dd yn rhaid i bob teulu ga'l o leia un plentyn o'r enw John!

Da'th y rheilffordd i'r cwm yn 1840, a gyrrwr trên o'dd Joseph. Yn Albert Cottages ro'dd y teulu'n byw, drws nesa i dafarn y Prince Albert yn y Garnant, ac ro'dd Mam yn adnabod Mary, ei hen fam-gu, fel 'Granny Prince'. O'dd naw o'r plant yn dal i fyw gartre, ond ro'dd Rachel, yr hynaf, yn forwyn i'r melinydd a'i deulu ym melin Maesyr gerllaw. Pan o'dd Rachel Jones yn ddeunaw fe briododd hi John Ifans, brawd Anti Mari. O'dd ganddi wast 18 modfedd, medde Mam.

Teithiodd rhai o frodyr a chwiorydd Rachel ymhell. A'th un brawd, William, i Affrica, lle da'th e'n berchennog ar blanhigfa; a'th Deborah i Canada, i briodi Mounty, a bu farw wrth eni efeilliaid. A'th y brawd canol, John Morgan Jones, ddim ymhell yn ddaearyddol, ond a'th ymhellach o lawer yn ddiwylliannol. Dechreuodd e bregethu ac fe a'th o Ysgol Gwynfryn, Rhydaman, a sefydlwyd gan Watcyn Wyn, i Goleg Coffa Aberhonddu, yna ennill gradd Saesneg o Goleg Prifysgol Caerdydd ac wedyn gradd mewn diwinyddiaeth o Goleg Mansfield, Rhydychen, cyn mynd i Brifysgol Berlin i astudio ymhellach. Buodd e'n weinidog ac yn gynghorydd yn Aberdâr, cyn mynd yn athro ac wedyn yn brifathro ar Goleg Bala-Bangor o 1914 tan ei farw yn 1946. Yn ei goffâd iddo yn rhifyn Ebrill 1946 o *Cofion Cymru at ei Phlant ar Wasgar,* medd R T Jenkins:

> Yma ym Mangor, dyn mawr addysg i bobl mewn oed oedd ef; fe deithiodd, fe gynlluniodd, fe ddarlithiodd, fe weithiodd ym mhob rhyw fodd, dros yr achos mawr hwn... Fe allai rhai dybio bod prifathro coleg yn ddyn rhy brysur i fynd bob wythnos drwy gydol y gaeaf i leoedd pell o Fangor – megis Dolwyddelan – i gadw dosbarth; ond na, fe welid y cerbyd bychan yn cychwyn yn rheolaidd, trwy law ac eira, pa mor dywyll fydde'r nos, heb feddwl am y pedair awr a 'gollid', na meddwl chwaith am ludded JM; 'Canys y mae efe yn caru ein cenedl ni.

O'dd e'n smoco cymaint, lluniwyd y llinell hon iddo gan un o'i fyfyrwyr: 'Crefu wnaf am Craven A'. O'dd e wrth ei fodd yn chware golff a darllen straeon ditectif.

Yn y cyfamser, rhwng 1884 ac 1906, fe anwyd 18 o blant i'w chwaer Rachel. Gwyddwn fod John Morgan Jones yn ddyn pwysig a bod pawb yn hynod o falch ohono, er taw ffigwr annelwig o'dd e i fi. Yn fwy real i fi o'dd llwyddiant symlach aelode o'r teulu o'dd yn byw yn agosach at gartre. O'dd 'Yr Antis', chwiorydd Mam-gu, yn enwedig, yn ffigyre dylanwadol wnaeth argraff arna i, mewn amser pan fydde cyfleoedd i fenywod yn gyfyng iawn, yn arbennig mewn ardal a ddibynnai ar ddiwydiant trwm fel glo.

Priodwyd John Ifans Garnlwyd a Rachel Jones Albert Cottages yn 1884 ac fe fagon nhw eu teulu anferth ym Mryncethin Bach, tyddyn bach yn y Garnant. Yn y teulu hwn mae 'ngwreiddiau i. Adlewyrchwyd holl ystod bwrlwm cyfnod diwydiannu diwedd y bedwaredd ganrif ar bymtheg a dechre'r ugeinfed ym mywydau teulu John a Rachel Ifans. Y tlodi, gwaith caled, dirwasgiad, comiwnyddiaeth, allfudo, canu, crefydda, pregethu a chenhadu. Darluniwyd bywyd ym Mryncethin Bach fel byd delfrydol, a'r plant i gyd yn chware'n hapus, yn gofalu am ei gilydd, yn llwm ond yn fodlon, yn chware pêl-dro'd â phledren mochyn ac yn ei farchogaeth hefyd, cyn ei ladd i gynnal y teulu. O'dd y rhain yn gymeriade lliwgar a'u hanesion fel straeon tylwyth teg, yn rhyfeddod parhaus i fi.

Fe fu farw'r ddwy ferch fach gynta, yn 1884 ac 1885, dwy Margaret, ar ôl y fam a fu farw ar ochr yr hewl, ond fe fuodd y trydydd Margaret, a anwyd yn 1886, fyw ac fe a'th Anti Maggie'n genhades i'r Alban.

Allfudodd Mary, a anwyd yn 1887, i Carbondale, Pennsylvania am chwe blynedd pan dda'th y dirwasgiad. Fe anfonodd luniau di-ri ohoni hi a'i gŵr direidus, Glyn Fowler: yn eu *sou'westers* o fla'n Rhaeadr Niagara; ar feranda eu tŷ; ar gwch, mewn car mewn cot ffyr, a'r *wireless* yn y cefndir.

Ganwyd y bachgen cynta yn 1889, Joseph, un o sylfaenwyr Coleg Beibl Abertawe. Fe gafodd tiwberciwlosis ac a'th i Madeira i wella. Yn 1891, fe anwyd y chweched plentyn mewn saith mlynedd, Annie, sef Mam-gu.

Ar ôl Mam-gu, yn 1892, da'th John arall, Johnnie'r anghrediniwr: Wncwl Jack, comiwnydd rhonc a dafad ddu'r teulu, a geisiodd berswadio Mam-gu i adael i Mam ga'l gwersi tap – gwrthododd hi wrth gwrs, gan mai dim ond y diafol o'dd yn dawnsio. Sgeptig o'dd Jack a wadai fodolaeth Sion Corn, ac o ganlyniad câi hosan llawn tato a winwns. Ond ro'dd gwadu bodolaeth Duw yn waeth o lawer, a'r teulu'n cywilyddio yn ei angladd, gan ei fod wedi gwrthod y capel hwnnw'n llwyr, ac o ganlyniad do'dd gan y gweinidog druan ddim syniad beth i'w ddweud amdano. Yn 1893 fe anwyd Esther, a osodai le i Iesu Grist wrth y ford, cyllyll a ffyrc a chwbwl, a bydde hi'n pregethu a chware'r tambwrîn ar sgwâr Gwauncaegurwen.

Bu farw'r nesa, Hannah, cyn ei bod hi'n flwydd yn 1895, a'r efeilliaid Barbara a Rachel cyn eu bod nhw'n ddwy oed yn 1898, ac erbyn hynny ro'dd 'da Rachel fabi arall, David Phillip, a anwyd yn 1897.

Ganwyd Jennie yn 1899. Da'th Madame Jennie Evans Jones, soprano wych, yn ail yn y Genedlaethol bum gwaith. Yn 1900 ganwyd Rhys Owen, dafad dduach nag Wncwl Jack hyd yn oed, a a'th i 'fyw mewn pechod' yn Llansawel. Dyn 'yn byw tu fas i reswm' o'dd Wncwl Rhys. Yn 1901 ganwyd William Luther ac yn 1902, Huw Gethin, a fu farw yn 1903, ac wedyn Deborah yn 1904, sef Anti Dora, mam yr actor Dafydd Hywel. Cyrhaeddodd yr ola, Tomos Ceri, yn 1906.

Mae'n debyg y ganwyd un o blant Rachel Jones pan o'dd hi ar ei phen ei hun, o fla'n y tân ym Mryncethin Bach. Torrodd y cordyn ac yna codi a chario 'mla'n 'da'i gwaith. Collodd Rachel chwech o fabanod, a thri mab yn oedolion o fewn 18 mis i'w gilydd: Joseph i'r diciâu yn saith ar hugain oed yn 1916, Dai bach o niwmonia yn ugain oed a Wil yn un ar bymtheg, wedi iddo gwympo oddi ar gefn cart ar Bontaman. Mae llun o Rachel gyda'i rhieni Joseph a Mary a gweddill y teulu ac mae'n edrych fel tase hi wedi byw ei bywyd ganwaith drosodd.

Yn *Ede Hud* dychmyges i fod y cwilt a wnaeth Rachel, hwnnw o'dd ar wely Mam-gu, wedi'i wneud o brofiade bywyd ei phlant, gan ddathlu'r adnodde gwarcheidiol ro'dd eu hangen arni i oroesi:

Wi'n pwytho profiade 'mhlant lle bo fi'n anghofio.
Prynhawn o haf fan 'yn, bore o aea draw fan'na,
nos yn y gwanwyn, nos yn yr hydref.

Sgert yn rhedeg, ffrog yn gorwedd ar y gwair yn gwynto'r grug.
Cot yn gweddïo, blows yn garddio.
Sefyll yn y fynwent, llefen yn y gwely.
Gwinio munude, gwinio orie 'da'i gilydd,
dala nhw'n sownd, teimlo nhw yn 'y mriche.

Cot Wil bach, pan gwmpodd e mas o'r cart,
ffrog briodas Annie,
trwser gwaith Jac,
y got wisgodd Jo i Madeira,
ffrog Jini, pan enillodd hi yn
steddfod Llangadog.
Crys gore Rhys, crys gwaith Dai,
blows Maggie i ddod nôl o'r ysbyty
sgert gwasnaethu Hetty,
ffrog America Mary,
ffrog bob dydd Dora,
cot fach ysgol Ceri.
Cwilt fel siôl merch fach i,
cheiff neb ddod yn agos
wi'n gofalu amdanat ti trwy'r nos 'da'n nedwydd
mae'n siarp a mae'n bigog fel fi.

Wrth feddwl am fywydau fy nghyn-neinie a'u teuluoedd anferth, dwi'n teimlo fel syrthio ar 'y ngliniau i ddiolch am y bilsen. Wrth ddod i wybod am hanes personol y menywod yn fy nheulu, dwi'n sylweddoli pa mor chwyldroadol o'dd ymdrechion Marie Stopes, sefydlydd y clinig cynta i roi gwybodaeth am ddulliau atal cenhedlu i fenywod priod, yn Llundain yn 1921. Cafodd rhai mewn cyfnod cynt eu carcharu am awgrymu'r dulliau hyn oherwydd bod y syniad o ryw fel gweithgaredd pleserus, yn hytrach na bod yn ffordd o genhedlu plant, yn ca'l ei gyfri'n rhyfygus ac yn anfoesol. Dwi'n edrych 'mla'n at y dydd pan fydd hawl gan fenywod trwy'r byd i reoli eu cyrff, a cha'l gwared ar yr ofn a'r rhagrith sy'n gysylltiedig â rhywioldeb.

Yn baradocsaidd, yn ystod y cyfnod hwn, ar droad yr ugeinfed ganrif, câi'r agwedd afiach tuag at ryw a thuag at fenywod yn gyffredinol ei hybu a'i bwydo gan yr union sefydliad a alluogodd fenywod i ymdopi â'u hamgylchiade ac i gynnal eu hysbryd. Ar ôl i Mam-gu ga'l ei bedyddio yn afon Llwchwr ar ochr y mynydd adeg y diwygiad, treiddiodd ei chred i fêr ei hesgyrn ac fe'i defnyddiodd i'w chynnal ymhob agwedd ar ei bywyd, er nad o'dd bob amser yn fanteisiol i'r bobol o'i chwmpas.

Fe gafodd y capel – ei bechod, ei uffern, ei euogrwydd a'i gondemniad o bleser – ddylanwad mawr ar y teulu ym Mryncethin Bach ac ar weddill y teulu am sawl cenhedlaeth ar ôl hynny. Am flynyddoedd lawer, o dan ddylanwad gweledigaeth gref Mam-gu, ro'n i'n credu taw dim ond seintiau o'dd yn byw yn Nyffryn Aman.

I ganol hyn da'th fy nhad cu, Frederick Nicholson, gan ddod â mytholeg ei deulu gyda fe. Cerddasai ei dad, Frederick Nicholson arall, yr holl ffordd o Birmingham i'r Garnant i chwilio am waith. Cawr o ddyn cyhyrog, cryf o'dd Grandad Brum. Llwyddodd i godi'r piano a'i gario i'r gegin unwaith, pan gwynodd un o'r plant ei bod hi'n rhy oer i ymarfer yn y parlwr. Bwriwr efydd o'dd e wrth ei grefft, ac mae gen i sawl enghraifft o'i waith – ceirw, ceffyle, plate, pen y Cadfridog Gordon o Khartoum, a'r un o'n i'n dwlu fwya arno'n ferch fach, sef canon bach efydd ar stondin haearn.

O'dd gwraig y Frederick Nicholson hwn, Catharine Nicholls, yn Iddewes o dras Rwsiaidd ac ro'n nhw'n ei galw hi'n 'The Duchess of Dudley'. Buodd ei theulu yn berchen ar ran helaeth o Birmingham, medde Mam, ond fe gollwyd y cwbwl trwy ryw anffawd – stori debyg i stori cyfres Russell T Davies, *Mine All Mine*, am deulu'r Vivaldis yn Abertawe, y bues i'n ddigon lwcus i chware rhan Stella ddrwg ynddi yn 2003. Da'th teulu cyfan y Nicholsons i'r Garnant am gyfnod, ond dychwelyd wnaeth pawb ohonyn nhw ond Tad-cu ar ddechre'r rhyfel yn 1914, pan dda'th gwaith i Birmingham yn y ffatrïoedd arfau. Cawsai Frederick ei swyno gan Mam-gu ac fe brofodd ei hiwmor a'i natur radlon e'n gynhwysion hanfodol i feirioli ei hunplygrwydd crefyddol hi. O'dd y ffaith ei fod e'n Sais yn peri gofid mawr i John Ifans, ei ddarpar dad-yng-nghyfraith, gŵr o'dd yn uniaith Gymraeg ac yn casáu Saeson, ac fe waharddwyd y cariadon rhag cyfarfod. Ac felly bu'n rhaid cyfnewid negeseuon yn gyfrinachol dros y berth ar waelod yr ardd, yn Glasfan, cartre'r teulu erbyn hynny, yn Heol Cowell yn y Garnant, a adeiladwyd gan y teulu o gerrig afon Aman. Ymhen blynyddoedd, a John Ifans yn fusgrell ac yn dost, yr unig un a wnâi'r tro i ofalu amdano o'dd y Sais, Fred Nicholson.

Ar ôl i Mam-gu roi stop ar ei arfer paganaidd o focso, priodwyd Annie Evans a Frederick Nicholson ar 6 Tachwedd 1915. Bu'r ddau yn gefn mawr i fi trwy eu hoes.

7

Glan-y-fferi

DARLUN CWBWL WYNFYDEDIG sydd 'da fi o Lan-y-fferi. Symudes i yno'n bedair oed ac aros sbo fi'n saith. Byw yno dros dro o'n ni, tan i ni allu symud i mewn i dŷ'r ysgol ym mhentre cyfagos Llandyfaelog, lle o'dd 'y nhad yn brifathro. Yn hytrach na bod yn llyfr lluniau, fel atgofion Clawddowen, mae'r atgofion hyn ar ffurf ffilm liwgar, ond niwlog, yn llawn golygfeydd pleserus a chyffrous o'r pentre bach ar lan aber afon Tywi yn wynebu traeth Llansteffan a'i gastell hardd ar draws y don. A dwi'n dwlu ar y gân sy'n disgrifio'r siwrne honno, 'Dros y dŵr i draeth Llansteffan…'

Mae'n nodedig taw carnifal yw golygfa gynta'r ffilm, carnifal yn symud trwy'r strydoedd – wel, yr unig stryd – a phobol bob ochr i'r stryd yn codi llaw. Fi, yn bedair oed, o'dd y Fairy Queen, a ro'n i'n eistedd ar y lori gyda Prince Charming. Cynhaliwyd cystadleuaeth yn neuadd y pentre a fi enillodd. Phillip Thomas o'dd Prince Charming ac ro'dd Mam-gu a'r Antis i gyd yn gwylio, yn chwerthin ac yn codi llaw a chwifio'u hancsheri wrth i fi fynd heibio'n tŷ ni ar y lori bert. O'n i'n gwisgo ffrog i'r llawr o net gwyn a phais stiff a sêr bach arian drosti hi i gyd. Fi ddewisodd y defnydd pan o'n i ar 'y ngwylie yn Birmingham gyda Mam-gu a Tad-cu. Gwaith anodd fu dewis gan fod cymaint o ddefnyddie hudolus yn y *bazaar* ar bwys tŷ Anti Gladys, chwaer Tad-cu. Adeilad pren dau lawr digon simsan o'dd y *bazaar*, yn llawn o'r pethe rhyfedda, a dewises i set pupur a halen ar hambwrdd bach aur yn anrheg i Mam. O leia ro'dd 'y mherthnasau i'n gwybod beth i'w ddisgwyl erbyn hyn. Y tro cynta a'th Mam i Birmingham o'dd ei chyfnither, Jean, yn meddwl bod pawb yng Nghymru'n byw mewn ogofeydd ac yn disgwyl iddi gyrraedd mewn pais a betgwn a het uchel!

Yr hyn wna'th 'y nharo i o'dd bod Birmingham yn lle mor fawr, y tu hwnt i 'nirnadaeth i. Ar ôl bod ar y bws am hanner awr wrth deithio i weld Anti May ro'n i'n methu credu ein bod ni'n dal yn Birmingham.

Mewn tŷ teras bach yn Anderton Road, Sparkbrook ro'dd Grandad Brum, Anti Gladys, Wncwl George Watson a'u merch, Jean, yn byw, ardal sydd erbyn hyn yn enwog am groesawu mewnfudwyr o bob hil. Rhyfeddod arall o'dd bod Anti Gladys yn mynd i'r gwaith bob dydd. Fydde neb o'r menywod gartre yng Nghymru'n gweithio heblaw yn y tŷ. Es i ymweld â'r stafell hir â ffenestri mawr lle ro'dd Anti Gladys a dege o fenywod eraill yn gwneud bagiau a phwrsys o ledr meddal, meddal ac fe ges i bwrs bach coch a gwyrdd yn anrheg. Ond er dirfawr siom i fi, ches i ddim ymweld â'r sw yn Dudley lle gwelodd 'y mrawd anifail â dwy gynffon. Digwyddes weld llun o'r anifail rhyfedd hwnnw mewn llyfr beth amser wedyn a cha'l siom wrth sylweddoli taw eliffant o'dd e.

Er gwaetha cyffro Birmingham, ro'dd Glan-y-fferi fel Mecca ac un o'r rhesymau am hyn o'dd bod yno stesion drenau. Mae golygfa yn ffilm fy atgofion lle dwi'n sefyll ar y traeth yn codi llaw ar drên sy'n taranu heibio. Bydde hi wastad yn gyffrous clywed sŵn y trên yn dod o bell ac wedyn ei weld e'n gwibio heibio craig Big Ben ym mhen pella'r traeth, a chawn i hwyl yn dymuno'n dda i'r teithwyr lwcus ar eu ffordd i rywle arall, i rywle anghyffredin a chyffrous meddyliwn. Yn *Dreaming Amelia*, drama sgrifennes i i

Theatr Hijinx yn 2000, defnyddies i'r atgofion hyn o Lan-y-fferi slawer dydd:

> I see myself on a sandy shore… walking on the dunes waving at the trains, where the sea thrift and the thistles grow. I'm standing in the sea, with the urchins and the eels, the jelly fish and cockles. I'm squeezing my toes in the wet sand, seaweed bracelets bind my ankles, I fill my lungs with saltiness and, o, how I long for home.

Mae llond ysgyfaint o awel hallt y môr yn dal i ga'l effaith wyrthiol arna i, a 'nghael i i ymlacio, fel tasen i'n anadlu llond bwced o atgofion Glan-y-fferi.

Mae yna lu o olygfeydd o'r môr yn hen ffilm fy nghof: y *regatta*, a'r môr yn llawn llongau hwylio, baneri lliwgar yn addurno cartre'r bad achub a phawb yn cymeradwyo wrth iddo lithro i'r dŵr; mynd mas yng nghwch rhwyfo Bobi, cocswain y bad achub, i bysgota am fflwcs; helpu 'Nhad i gasglu cocos ac, er na alla i ddiodde bwyd cregyn, mwynhau crafu'r tywod yn ddygn â rhaca a llanw llond bwced, ond gwingo wrth glywed sŵn y sgrechen wrth iddyn nhw ferwi'n fyw yn y sospan; rhoi 'nhraed sandalog ar bysgodyn jeli mawr porffor dychrynllyd, ei weld e'n woblo a dychmygu ei fod e'n fyw; cerdded ar hyd y cerrig mawr rhwng y rheilffordd a'r traeth gyda 'Nhad, yn herio'r tonnau gwyllt ar noson dywyll, stormus.

Bydden i'n mynd i'r ysgol gyda 'Nhad i Landyfaelog wrth gwrs, yn teithio bob dydd yn yr Hillman Minx bach glas. Wedi'r cwbwl, yn Llandyfaelog y bydden ni'n byw pan fydde Mrs Tanner, gwraig y cyn-brifathro, yn cytuno i symud mas o dŷ'r ysgol, peth o'dd hi'n gyndyn iawn o wneud. Fe wnaeth y daith honno esgor ar lawer golygfa fythgofiadwy: fy mrawd arwrol yn gafael yn 'y nghot er mwyn f'atal i rhag syrthio allan trwy ddrws y car a agorodd yn ddirybudd, gan brofi ei fod e'n haeddu ei safle ar ben pedestal. Dod o hyd i nyth o gathod bach gwyllt mewn perth a mynd ag un, a fedyddiwyd yn Spats, gartre fel anifail anwes. Bu cyfnod lled-wreichionus cyn iddi hi a Dinghy lwyddo i gyd-fyw'n heddychlon. Ond y digwyddiad rhyfedda a mwya egsotig o'dd edrych trwy ffenest gefn y car wrth fynd heibio cornel bwthyn Black Thorn a gweld dyn barfog Indiaidd yn camu i ganol yr hewl a saliwtio'r car. Rhythes i a rhythu ar y dyn o India, yn gwisgo sidan melyn, emrallt anferth a dwy bluen werdd yn addurno'r twrban ar ei ben, a *cummerbund* llydan gwyrdd o gwmpas ei ganol, tan iddo ddiflannu wrth i'r car droi'r cornel. Pwy o'dd y dyn? O'dd e'n bodoli o gwbwl? Ai ysbryd o'dd e? Ond pam Indiad? Pam saliwtio? Fe alla i ei weld e'n gwbwl glir o hyd, dros hanner canrif yn ddiweddarach. Ddwedes i ddim gair wrth 'Nhad na 'mrawd, fel tase fe'n rhy sbesial neu'n rhy anhygoel i'w rannu.

Mae'r ffilm yn cynnwys mwy o olygfeydd hudolus: wy a *chips* bob amser cinio dydd Sadwrn; coco a slipars twym ar bwys y tân ar ôl yr ysgol yn y gaeaf; gweld Sion Corn yn ei got hir goch yn fy stafell wely, a'r crud bach cerddorol ges i'n anrheg; dwy ferch fach yn cymharu eu dolis.

O'dd Fay Franklin drws nesa wedi ca'l doli anhygoel o'r enw Dinah, doli a allai ddweud 'Mama', yfed o botel a mynd i'r poti. Cyn hir ces inne un debyg a galwes i hi'n Patsy. O'dd Patsy'n gwmni cyson i fi, a gyda Patsy, mewn dillad a grosiwyd yn arbennig iddi gan Mam-gu, y gwnes i 'mherfformiad cyhoeddus cynta erio'd, mewn cyngerdd yn neuadd y pentre, yn canu, yn addas iawn, 'A welsoch chwi fy noli?' Canodd 'y mrawd 'Bonnie Dundee', wedi'i wisgo mewn cilt, a rhubanau coch a gwyrdd sgleiniog wedi'u croesi ar hyd ei sanau. Do'dd Paul ddim yn mwynhau perfformio'n gyhoeddus, er bod ganddo lais soprano gwych. Da'th yn unawdydd yng nghôr Ysgol Ramadeg y Bechgyn, o dan arweiniad Gerwyn Thomas, pan a'th i'r ysgol uwchradd ac mae e'n dal i ganu. Mae'n aelod o gorws Opera Canolbarth Cymru ac amryw o gorau yn ardal Aberystwyth, ei gartre erbyn hyn, ac yn canu weithie gyda chorws y Cwmni Opera Cenedlaethol.

Un o f'atgofion hyfryta yw gweld Mam yn ei chot hir felfed borffor, ei chlustdlyse fel blode gwyn, a gallu arogli gwynt ei sent rhamantus wrth iddi bwyso lawr i roi cusan nos da i fi. Noson o haf o'dd hi a hithe'n dal yn ole tu fas, a 'mrawd a finne yn y gwely ers hanner awr wedi chwech. O'dd hi ar ei ffordd i bractis drama, nid i actio ond i gynhyrchu, a dwi'n cofio sŵn ei pheishe'n siffrwd wrth iddi fynd lawr y stâr. O'dd rhaid iddi ga'l dimensiwn arall i fywyd ar wahân i'r domestig, meddylies, wrth sgrifennu yn *Ede Hud*:

O'dd hi'n gwisgo ffroge swishy,
o'n nhw'n siffrwd fel y llanw yn y nos.
Sane sidan emrallt sgleiniog,
sgidie emrallt swdle uchel,
ffroge haf o broderie *anglaise*,
lili'r dŵr a lili'r dyffryn,
lili biws a lili rhosyn,
blode gwyllt a blode gwaraidd,
coch a pinc a glas a melyn.
Cot hir felfed, sent a shiffon
peishe pert a sgitshe *peep-toe*,
mwclis, clustdlws, sigarét.

Gallai fod yn Bette Davis,
Marlene Dietrich, Greta Garbo,
gyda'i gwallt hi dros un llygad
ma hi'n hardd, o ma hi'n brydferth.

Gallai fod yn rhywun arall,
ond mae moyn bod yn hi 'i hunan,
jest bod ishe ysbrydoliaeth,
genol golchi, genol smwddo,
genol dwsto, genol hwfro,
i gael cario mla'n i ganu,
i gal cario mla'n i ddanso.

'Y 'nhad ga'th y gwahoddiad gwreiddiol i fod yn gynhyrchydd, ond cynigiodd e'r swydd i Mam ac ro'dd hi wrth ei bodd. Yn Saesneg ro'dd y dramâu ac, a dweud y gwir, ro'n i o dan yr argraff mai Saesneg fydde pawb yn ei siarad yng Nglan-y-fferi – fel y credwn fod pawb yn Nyffryn Aman yn seintiau. *The Late Christopher Bean* gan Sidney Howard a *The Wishing Well* gan Eynon Evans o'dd dwy o'r dramâu a gynhyrchodd Mam. Cof niwlog sydd 'da fi am y perfformiade, ond gwnaeth y golygfeydd cefn llwyfan argraff ddofn arna i. Dyma'r awyrgylch dwi wedi hen drwytho ynddo erbyn hyn: y cyffro a'r hwyl yn gymysg ag ofn ac arswyd y nerfe. Mam fydde'n coluro. O'dd llyfr bach difyr 'da hi a ddangosai ble a sut i roi'r *carmine* a'r *lake* a'r gwyn – dau smotyn coch yng nghornel pob llygad, a dau yng ngwaelod pob ffroen. O'dd y *greasepaint* – ffyn bach o golur wedi'u lapio mewn papur sgleiniog aur ne' arian – a'i wynt yn llesmeiriol yn crisialu addewid. Colur addas ar gyfer arddull goleuo'r cyfnod o'dd y *greasepaint*, ond erbyn i fi ddechre 'ngyrfa ro'dd colur y stryd yn gwneud y tro, a phrin y bydde'r dynion yn gwisgo colur o gwbwl pan na fydde angen creu effaith arbennig ne' angen heneiddio. Un tro tynnodd Mam fy sylw at set o ddannedd gwyn perffaith yng ngheg dyn golygus yn ei dridege, gan bwysleisio pa mor anhygoel o'dd y ffaith bod dal ganddo ei ddannedd ei hun, a thanlinellu pwysigrwydd gofalu am ddannedd. Yn y cyfnod cyn dyddie'r gwasanaeth iechyd câi pobol dynnu eu dannedd i gyd fel anrheg ben-blwydd. Erbyn hyn ry'n ni mewn peryg o ddychwelyd i'r cyfnod hunllefus hwnnw.

Tua'r amser hyn y dechreuodd Mam boeni 'mod i'n ormod o *tomboy*. Mae'n debyg 'mod i'n dal yn fywiog a goregnïol, a do'dd hynny ddim yn ymddygiad addas i ferch! Gofynnodd Mam i wraig y ficer yng Nglan-y-fferi, Mrs Rees, am gyngor ac fe awgrymodd y dyle Mam brynu ffrog bert i fi. A dyna sut y da'th y ffrog ffrili binc i'm meddiant. Yn siop C&A yn Abertawe brynon ni hi. Yn Dathan Davies yng Nghaerfyrddin y bydden i'n prynu 'nillad fel arfer ac o'dd ymweliad ag Abertawe'n achlysur prin ac arbennig iawn. O'n i'n dwlu ar y ffrog binc, ond er gwaetha ei rhyfeddod, newidiodd hi mo'n ymddygiad na 'mhersonoliaeth i chwaith. Mae hi'n dal 'da fi, ac mae *Ede Hud* wedi'i sgrifennu trwy lygaid merch fach mewn ffrog binc:

> Un tro, amser maith yn ôl, o'dd merch fach yn ishte yng ngardd ei mam-gu. O'dd hi'n gwisgo ffrog ffrili binc, a choler *lace* gyda bwtwne perlog a bow mowr yn y cefen...

Mae gan y lliw pinc arwyddocâd arbennig i fi oherwydd fy argyhoeddiad llwyr mai Mam ddyfeisiodd y lliw! Dois i gartre o 'ngwylie yng Nglanaman yn ferch fach tua phum mlwydd oed i ddarganfod bod y gwaith pren yn y bathrwm yn binc, a gan nad o'dd gen i gof nac ymwybyddiaeth o fodolaeth y lliw cyn hynny, yr unig gasgliad rhesymol o'dd bod Mam wedi'i ddyfeisio.

O'dd rhyw fajic yn perthyn i Mam, a byd y dychymyg yn bwysig iddi. Rhyfeddwn at y stôr o straeon a chaneuon o'dd 'da hi i'n diddanu ni pan o'n i'n fach, nodwedd etifeddodd hi oddi wrth ei thad. Bydde hi'n arfer dweud ei bod hi'n bwysig ca'l o leia un chwerthiniad da bob dydd – syniad da ar unrhyw adeg, ond arf cwbwl hanfodol i wraig tŷ yn y pumdege, ddweden i.

Yn 1956, o'r diwedd, cytunodd Mrs Tanner i symud mas o dŷ'r ysgol, ac fe dreulion ni'r gwylie haf yn teithio 'nôl a 'mla'n i Landyfaelog yn gwneud y tŷ'n ffit i fyw ynddo. Gwaith hawdd o'dd tynnu'r haenau o bapur llaith oddi ar y waliau, ond ro'dd tynnu'r papur newydd a stwffiwyd o gwmpas ffrâm pob ffenest yn waith caled. Do'dd dim stafell molchi yn y tŷ ac yn yr ardd o'dd y tŷ bach, a batho o fla'n y tân fuon ni am sbel ar ôl symud i mewn, ond diolch i'r drefn ro'dd 'na drydan. Y 'ni' o'dd Mam a fi a 'mrawd, wrth gwrs; 'sdim cof 'da fi o 'Nhad yno o gwbwl. Wncwl Vincent fydde'n ein gyrru ni 'nôl a 'mla'n. O Frynaman yn wreiddiol y deuai Wncwl Vincent a'i wraig, Nyrs Richards, ond erbyn hyn ro'n nhw'n gymdogion i ni yng Nglan-y-fferi. O'dd Nyrs Richards yn nyrs nodweddiadol – corff cyfforddus, cro'n pinc a gwyn, gwallt fel cwmwl ysgafn llwydwyn o gwmpas ei phen, a chanddi chwerthiniad parod. Bydde hi'n rhoi anrhegion hudolus i fi: sebon siâp arth, cŵn bach tsieina, jwg rhyfedd llawn twlle, cwpan a saser fach, fach, a'r gore oll, y fraint o ofalu am Sian a Jill y corgis pan fydde hi ac Wncwl Vincent ar eu gwylie.

Ar ddiwedd yr haf da'th Mam-gu a'i chwiorydd i gyd i bapuro, fel corachod bach diwyd, a Mam-gu'n troedio'r planc uchel ar draws y stâr yn hollol ddi-ofn, fel arwres, a hithe bron yn saith deg! Erbyn mis Medi o'dd School House yn barod.

8

Llandyfaelog

CWTA DAIR MILLTIR sydd rhwng Glan-y-fferi a Llandyfaelog, ond o'dd byd pentre Seisnigaidd y bwced a'r rhaw, y trenau a'r tywod yn fyd gwahanol iawn i fyd amaethyddol y pentre bach pert ar waelod tyle serth lle ro'dd pawb yn siarad Cymraeg. O'dd dwy ffarm yn y pentre ei hunan a'r rheiny hefyd yn dafarndai: y Rosan, sef y Rose and Crown, a'r Lion, y Red Lion neu y Red erbyn hyn. Mae'r ddwy ar waelod llwybrau sy'n arwain at eglwys y plwy, eglwys Sant Maelog. Buodd 'na swyddfa bost, ac ro'dd hi hefyd yn siop, sef cartre Phyllis y Post, y bostfeistres a fuodd yn cario'r post ar ei beic yn ei thrwser chwyldroadol i'r pumdege, ei mam, Mrs Davies, a Gwen Fach. Menyw fach grwn tua phedair troedfedd o daldra o'dd Gwen, yn eglwysreg bybyr yn ei chot ddu, ei hat â chantel, sbectol crwn a sgidie mawr du. Bydden ni'r plant yn mesur ein taldra yn ei herbyn hi, gan dybio ein bod ni wedi tyfu lan ar ôl i ni basio Gwen. Buodd 'na efail y gof ar dop y tyle, efail Emrys Beynon, a bydden ni'n twymo'n dwylo wrth y tân a gwylio Emrys yn pedoli. Ar wahân i'r ysgol a thŷ'r ysgol, ro'dd tuag ugain o dai yn y pentre, yn cynnwys stad fach o dai cyngor o'r enw Bro Pedr, a enwyd ar ôl Peter Williams, a gyhoeddodd argraffiadau o'r Beibl. Methodist o'dd Peter Williams a dda'th i fyw i Landyfaelog yn ddyn ifanc, gan bregethu o bwlpit a adeiladodd yn ei gartre, cyn iddo ysgogi adeiladu'r capel yng nghanol y pentre yn 1780, ond fe'i claddwyd ym mynwent yr eglwys. Ar wal yr eglwys mae plac i gofio am un arall o enwogion y plwy sef David Davies yr obstetrydd, a dda'th â'r Frenhines Victoria i'r byd, ac yng nghanol y pentre mae 'na bwmp dŵr wedi'i gysgodi mewn adeilad bach hardd i gofio am hir deyrnasiad y Victoria honno.

O'dd 'na weithgareddau di-ri yn y neuadd gan gynnwys gyrfaoedd chwist, dawnsfeydd a chyfarfodydd y ffermwyr ifanc. Deuai'r BBC â sioeau radio i'r pentre – *Pawb yn ei Dro*, a *Sêr y Siroedd* gydag Alun Williams yn cyflwyno – a bydde cwmni drama Edna a Bryn Bonnell yn ymweld, heb sôn am yr eisteddfod flynyddol, sy'n dal i fynd o nerth i nerth. Bob mis Medi cynhelir y Siew a gychwynnwyd yn 1895, 'da ceffyle gwedd enwog Richards Cilfeithy a'u rhubanau lliwgar, y moch, y defaid, y ffowls, y tent tishenod a jam, y cŵn, wrth gwrs, a'r tent cwrw. Un flwyddyn pan o'dd Nyrs ar ei gwylie enilles i a Sian fach y corgi'r wobr gynta!

Yn yr hafau cynnar hynny bydde criw o blant yn eu harddege'n cymdeithasu ar lan afon Gwendraeth Fach, yn nofio ynddi ac yn chware tennis ar iard yr ysgol. O'dd bywyd pobol yn eu harddege'n gyffrous a chyfrin ac ro'n i wrth 'y modd yn chware 'Truth, dare, kiss or promise' ac yn gwrando ar ddadleuon pobol ifanc hŷn na fi am ragoriaethe Tommy Steele a Johnnie Ray, a chlywed yr hanes am *Rock Around the Clock*, ffilm gynhyrfus a dansherus Bill Haley, a phawb yn sinema'r Capitol yng Nghaerfyrddin yn dawnsio yn yr aele. O'n i mewn cariad â Lionel Eldred a'i acen Lundeinig, fydde'n dod ar ei wylie o Lundain i ymweld â'i fam-gu a'i dad-cu. Cariad go iawn Lionel bymtheg oed o'dd merch o'r pentre o'r enw Delyth Rees, *epitome* o harddwch a soffistigeiddrwydd y pumdege i fi yn saith oed, ond wrth edrych 'nôl yn *Holl Liwie'r Enfys*, y sioe sgrifennes i am dyfu lan yn y pumdege a'r chwedege, ro'dd hi'n cynrychioli rhywioldeb goddefol y cyfnod:

Co'r miwsig 'na 'to, ma fe'n sibrwd drygioni...
a ma Delyth yn jeifo.
Ei llaw yn 'i law e
a'i thra'd jest yn symud
yn ei slip-ons glas, fflat.
A'i gwyneb yn wag,
mae'n troi a mae'n troelli,
ma 'i gwefuse fel ceirios,
ei llyged fel llynno'dd brown.

Mae'n gorwedd yn dawel,
yn dawel dan goeden
a'r haul ar ei gwyneb
trwy batrwm y dail.
Ma'i boche hi'n binc,
a'i gwefuse hi'n llawn.
Ar ei garddwrn ma breichled
o flode gwyn plastic,
rownd ei gwddwg ma locet
siâp calon ar tsiaen.

Dan 'i ffrog haf lliw melyn,
mae'i phaish net yn dangos,
mae'n troi'i phen yn araf
yn troi ac yn gwenu,
mae'n cied ei llyged.
Ma Delyth yn bymtheg,
mae'n soffistigedig.

Ma Delyth yn dawel,
dyw hi ddim yn gweud llawer,
ma tawelwch mor rhywiol,
yn hynod ddeniadol.
'I've got myself a crying, walking, sleeping, talking, living doll.'
Wi moyn bod yn Delyth.

Ysgol fach o'dd Ysgol Llandyfaelog, a niferoedd y plant yn amrywio o tua 18 i 30. Cymraeg o'dd iaith y pentre, er mai Saesneg o'dd iaith yr ysgol pan gyrhaeddodd 'Nhad yn

1951, ond fe'i newidiodd hi i fod yn ysgol Gymraeg. Dwy stafell ddosbarth, cegin a dwy lobi o'dd i'r ysgol, sydd erbyn hyn wedi cau ar ôl sawl bygythiad ar hyd y blynyddoedd. Bellach mae wedi'i haddasu'n gartre cain a modern. Yn rhyfedd iawn, wrth ymweld â hi'n ddiweddar cerddes trwy'r stafelloedd chwaethus ac ro'dd lluniau arlunwyr cyfoes ar y waliau, ond eto do'n i'n gweld dim byd ond desgiau pren, potiau inc, stôfs du llawn steiff, bwrdd du, a chofio blas arbennig pwdin reis a chyrens Mrs Jones y cwc a cha'l cansen ar fy llaw gan Mrs Temple, fydde'n dysgu'r babanod ac o'dd yn fenyw dawel, annwyl. Am ryw reswm, wrth i'r dosbarth cyfan lafarganu brawddege o lyfr darllen ces i'r ysfa ryfedda i weiddi'r gair 'gwyn' ar dop 'yn llais. Ces i'r gansen. 'Sdim syniad 'da fi pam wnes i hynny, a wnaeth yr hynaws Mrs Temple ddim gofyn. Dwi'n falch iawn fod cosb gorfforol wedi'i gwahardd bellach o'n hysgolion.

Yn y cyfnod yna ro'dd y merched i gyd yn gorffod dysgu gweu, gan ddefnyddio'r rhigwm bach 'ma wrth wthio'r gweill o gwmpas y gwlân:

> Hen wraig fach a siôl amdani,
> Phen hi mas,
> A bant â hi.

Dim ond y merched fydde'n gweu, wrth gwrs! Ond dwi'n gwbwl anobeithiol â 'nwylo, a'r unig beth weues i erio'd ar ôl gadael yr ysgol gynradd o'dd sgarff arbennig o hir mewn cais aflwyddiannus rywbryd i roi'r gore i smoco.

Saesneg o'dd iaith y gêmau ar yr iard: 'In and out the windows', 'The farmer wants a wife' – Saesneg a *sexist*! A Llundain-sentrig: 'Oranges and lemons say the bells of St Clement's...', 'L-O-N-D-O-N spells London', 'Lucy Locket' a 'The big ship sails on the alley-alley-o'. O ble da'th y rhain i ysgolion bach cefn gwlad Cymru? Adeg y Welsh Not mae'n debyg. Mae gwladychu'n ymestyn ei grafangau i'r lleoedd mwya diniwed.

O'dd ein tŷ ni'n llawn llyfrau ac ro'dd darllen yn ddihangfa a diléit i fi o oedran cynnar iawn. Llynces i nofelau Louisa M Alcott, *Little Women, Good Wives* a *Jo's Boys*, *Heidi* gan Johanna Spyri, *Anne of Green Gables* gan Lucy Maud Montgomery, *Nada the Lily* gan Rider Haggard, *Vanity Fair* gan Thackeray, *Gulliver's Travels* gan Jonathan Swift a straeon tylwyth teg y Brodyr Grimm yn awchus gan ddychmygu fy hun yn yfed lla'th gafr ar gopa mynydd yn y Swistir mor hawdd â cherdded dau led cae i lawr i afon Gwendraeth Fach. Bydden i hefyd yn derbyn comic pob wythnos. *Robin* i ddechre, yna *Swift* ac wedyn *Girl*, a bydden i'n darllen *Eagle* fy mrawd hefyd a'i straeon am Dan Dare a Digby o Wigan a'r Mekon bach gwyrdd o'r gofod. O'n i'n mwynhau darllen llyfrau 'mrawd hefyd, *Jennings and Darbishire*, a *Just William* gan Richmal Crompton. Pam mae'n rhaid gwahanu llyfrau ar sail rhyw? Mae stori dda'n fwynhad i bawb. Llyfrau Saesneg o'n nhw i gyd. Ches i ddim *Llyfr Mawr y Plant* na *Teulu Bach Nantoer*. Y llyfr Cymraeg cynta dwi'n cofio'i ddarllen o'dd *Dirgelwch Gallt y Ffrwd*, pan o'n i tua tair ar ddeg, ac fe ymddangosai mor rhyfedd o amherthnasol a hen ffasiwn. Yn wir, yr unig bleser ges i o'dd ei ddarllen e'n uchel gan ymhyfrydu yn sŵn yr iaith, yr holl gytseiniaid swnllyd yna'n craclo'n erbyn ei gilydd. Fe a'th e'n ffetish bron.

Ar y ffermydd ro'dd y rhan fwya o blant yr ysgol yn byw, a bydden nhw'n cerdded i'r ysgol bob dydd, glaw a hindda. Do'dd neb yr un oed â fi'n byw yn y pentre ac yn amal awn i gartrefi ffrindie ar ôl ysgol a cha'l croeso mawr. Bydden i'n cerdded y wlad ar fy mhen fy hun ac ro'dd y caeau, yr afon a'r perthi fel cymeriade yn 'y mywyd i. Wedi i mi dyfu'n hŷn, bydden i'n amal yn cerdded tair neu bedair milltir ar ôl ysgol gyda'r ddau labrador du, Flossie a Pudding, a gawson ni ar ôl colli Dinghy, a disgrifies i'r profiad yn *Holl Liwie'r Enfys*:

Un tro, amser maith yn ôl, ro'dd 'na ferch yn cered lawr y llwybre gwyrdd. O'dd y perthi'n llawn o flode, blode'r lla'th a blode'r menyn...
"Y't ti'n lico menyn?'
... blode fel conffeti gwyn, blode'r nidir a blode'r rhosod gwyllt. Ac mae'n popo'r blode pisho cath a byta'r shifis gwyllt sy'n steino'i gwefuse 'i'n goch. Hibo stan la'th Nantllan a dros y bont lle ma'r blode 'na'd fi'n angof' a blode 'lili'r dŵr'...
... lan trwy'r ca' a dros y sticil, lan hewl fach a miwn i'r goedwig lle ma'r garlleg gwyllt a 'clyche'r gog' a 'coc y tarw' 'n tyfu. Mae'n croesi'r clos a mynd miwn i'r gegin o'r, dywyll, lle ma'r ham yn hongan a papur melyn i ddala'r clêr, fflags ar y llawr, tegyl ar y tân a cwcan...

Tisienod a jam a butter cream,
A pice bach a scones,
Paste fale a tisien Madeira,
Choclet éclairs a cream horns.

Te a tisienod ar y ford fowr sgwâr, bren.
'Dewch mlân, un fach arall.'
'Na, na, dim diolch.'
'Jest un fach.'
'Na, na, wi'n olreit.'
'Dewch mlân, ma nhw'n ffein.'
'Na, wi'n llawn.'
'Dewch mlân.'
'Na, wi'n siŵr.'
'Chi'n siŵr bo chi'n siŵr?'
'Wi'n siŵr 'mod i'n siŵr na, na, na...'
'Dewch mlân jest un fach – ma pawb yn gwbod bo chi moyn e achos ma "Na" yn meddwl "Ie" rownd ffor 'yn. Wrth gwrs bo chi moyn e – Co chi!'

O'dd Cwmafael, cartre Jean George, ac Ystrad Fawr, cartre Millie Thomas, a Gellideg, cartre Glenda a Margaret Beynon, yn llawer mwy diddorol na'n tŷ ni. O'dd yno sguborie a tase gwair ac anifeiliaid. O'dd Gellideg yn arbennig o ddiddorol, gyda'i hen blasty adfeiliog, ei lyn rhyfeddol yn llawn madfallod bach llwyd, ac yn ei ganol, pen gwyn dyn wedi'i gerflunio, a hefyd, wrth gwrs, y Lodge lle ro'dd Mary Lodge yn byw. O'dd Mary Lodge yn ffynhonnell ddiwaelod o wybodaeth gyfrinachol, y rhan fwya ohoni'n gamarweiniol. Galwes i hi'n Annie yn *Holl Liwie'r Enfys*:

> Un tro ro'dd 'na ferch yn gryndo ar Annie Lodge. Wedodd Annie Lodge bod babis yn dod mas o'r bwtwn bola. Allai'r ferch ddim anghytuno, ro'dd rhaid iddi gredu Annie Lodge. Do'dd hi ddim yn gwbod dim byd. O'dd hi wedi gweld *The Mastery Of Sex* ar y shilff lyfre rhynt *Crwydro Sir Gâr* a *Hen Dŷ Ffarm*, ond o'dd hi'n gwbod na ddyle hi ddim 'i ddarllen e. Ro'dd hi wedi clywed Percy Gelli'n dweud 'cnycha bant' a o'dd hi'n meddwl bod hwnna'n rhywbeth i wneud â fe, a o'dd hi'n bendant yn gwbod bod 'fuck' yn rhywbeth i wneud â fe, a wedodd Annie bod Nan Llwyn Tywyll wedi geni babi mewn bwced.

O'dd 'na ffarm yr ochr draw i dŷ'r ysgol hefyd, ffarm tafarn y Lion, ac fe dreulies i orie hapus yn y beudy, sydd bellach yn fwyty, yn gwylio Sid a Nelly John yn godro ac ro'n i'n nabod pob buwch wrth ei henw.

Tu ôl i'r Lion ro'dd y fynwent. O'dd marwolaeth yn rhan o fywyd yr adeg honno. Bydde'r eirch yn ca'l eu cario trwy'r pentre, a ni'r plant yn dod mas o'n gwersi i wylio. Bydde pawb yn cau eu llenni fel arwydd o barch. Wedi'r angladd, bydden i'n mynd i edmygu'r blode a darllen y negeseuon ar y torche hardd. Yn wir, bydden i'n treulio tipyn go lew o amser yn y fynwent, yn glanhau'r bedde, yn enwedig un bedd, bedd fel gwely, a chlustog mawr marmor a ffrilen o'i gwmpas, a'r enw 'Desmond' wedi'i sgrifennu ar y cornel, fel tase rhywun wedi'i frodio'n ofalus ag edafedd sidan. Dwedodd rhywun wrtha i fod Desmond wedi marw ar ôl bwyta banana anaeddfed pan dda'th e ar ei wylie i School House. Bues i wrthi'n ddygn yn sgrwbo'r marmor fel petai hyn yn mynd i wneud iawn am ei fywyd trasig. O'dd y coed bytholwyrdd peraroglus a'u canghennau llydan yn ardderchog ar gyfer dringo, a bydde 'mrawd yn cynnig gwobr o ddou swllt i fi am gyrraedd copa un ywen dal o'dd yn cyffwrdd â'r nefoedd bron.

Wrth gwrs, ro'dd y fynwent yn llawn ysbrydion, er na weles i un erio'd. Gallech chi weld y diafol a cholomen yn ei law, medden nhw, tasech chi'n ddigon dewr i redeg o gwmpas un hen fedd o'dd wedi'i amgylchynu â *railings* haearn. Wnes i ddim, wrth gwrs, jest rhag ofn. Weles i mo Lennie chwaith, ffarmwr a thafarnwr y Rosan, yn eistedd mewn coeden wedi'i wisgo mewn gwyn, yn ysgwyd tsiain er mwyn dychryn mynychwyr hwyr y fynwent, ta pwy o'n nhw! Ond gweles i dylwythen deg yn dawnsio 'nghanol gwybed ar lan nant y llan o'dd yn rhedeg heibio'r fynwent, a heibio i'n tŷ ni ac i lawr i'r Wendraeth Fach.

Mynd i'r eglwys dair gwaith ar ddydd Sul o'dd ein bywyd cymdeithasol, a'r flwyddyn wedi'i marcio gan y calendr eglwysig: Nadolig, Pasg, Sulgwyn a Diolchgarwch. Bydde'r Sulgwyn yn achlysur dillad newydd o Dathan Davies yn y dre, yn cynnwys hat a menyg gwyn, ond Diolchgarwch ro'n i'n ei hoffi fwya, a'r eglwys yn llawn blode, ffrwythe, llysie, ŷd o'r ffermydd ac arogl hiraethus y *chrysanthemums* a'r ffarwel haf.

Chafon ni ddim teledu tan 1961, pan o'n i'n ddeuddeg oed. Bu 'nheulu i'n araf iawn i gofleidio datblygiadau technegol. Ac felly'n amal amser te ar brynhawnie Sul, bydde 'mrawd a finne'n eistedd ar y soffa yng nghegin gefn Sid a Nelly John ochr draw'r hewl yn y Lion. Gwnaeth rhai rhaglenni argraff ddofn arna i, a wna i byth anghofio rhedeg yn gyflym ar draws yr hewl wedi 'mrawychu gan y *Silver Sword*, cyfres wedi'i seilio ar nofel am blant Pwylaidd yn ffoi rhag y Natsïaid adeg yr Ail Ryfel Byd. O'dd ail-fyw'r profiad trwy fod yn rhan o gynhyrchiad ysgol haf ieuenctid Theatr y Sherman ohoni yn 1998 yn anrheg annisgwyl.

Fe ges i ambell gyfle i berfformio yn yr ysgol, unwaith fel iâr fach yr haf ac wedyn fel Elen Benfelen, ac fe gystadles i mewn eisteddfod ne' ddwy, gan ennill ambell gwpan a bag, ond yn sgil ei phrofiade hi ro'dd Mam yn argyhoeddedig bod y cystadlu yma'n beth gwael, a do'dd hi ddim yn frwdfrydig iawn ynglŷn â'r dewis o ganeuon chwaith. Emyn o'dd y gân gynta i fi erio'd ei chanu mewn eisteddfod, a'r cytgan yn mynd rwbeth fel hyn:

Cynneu yn fy nghalon dân
Gwna fy mywyd oll yn lân,
Erlid Satan o fy mlaen,
Ac arwain fi i'r nefoedd...

Fe ges i wersi piano am sbel, ond er 'mod i wedi bod yn actio chware'r piano yn egnïol a dramatig, ar ôl dyfodiad Mr Devonald dawel, ddiymhongar i'r tŷ i geisio 'nysgu i'n iawn, pallodd y brwdfrydedd rywsut wedi imi sylweddoli bod yn rhaid i fi ymarfer, a do'dd Mam yn bendant ddim am i 'mrawd na finne ail-fyw'r broses o orfodaeth ddiflas a gawsai hi.

Ar iard yr ysgol ro'n i'n perfformio fwya, gan greu dramâu wedi'u seilio ar y straeon o 'nghomics wythnosol neu o lyfrau, ac wedyn pan o'n i'n naw sgrifennes i ddrama wreiddiol. Ynddi ro'dd 'na dywysog a thywysoges a morwyn, ond er mawr siom i fi bu'n rhaid i fi fodloni ar chware'r rhan honno yn hytrach na'r brif ran – y dywysoges – er mwyn sicrhau cydweithrediad gweddill y cast. Perfformiwyd hi o fla'n yr ysgol gyfan, ond dwi'n cofio dim o gwbwl am y plot.

Saesneg o'dd iaith y ddrama, wrth gwrs. Dim ond gyda 'Nhad y bydden i'n siarad Cymraeg; Saesneg fydden i'n siarad gyda Mam, fy mrawd a'r plant eraill a gyda'r rhan fwya o bobol y pentre. Gan nad o'dd Cymraeg yn dod yn rhwydd i fi, ro'n i'n teimlo'n drwsgwl ac yn lletchwith wrth ei siarad hi ac yn ca'l anhawster gyda 'ti' a 'chi' a beth o'dd yn dod nesa. O'n i'n cymryd bodolaeth yr iaith yn gwbwl ganiataol, fel y dwedes i yn *Holl Liwie'r Enfys*:

O'dd yr iaith Gymrag
fel glaw mân ar ei phen hi,
o'dd hi'n socan i'r cro'n,
o'dd hi'n wlyb tswps potsh,
heb wbod iddi.
Cefnlen annelwig bywyd,
yn gwbod 'i fod e 'na ond byth yn cwestiynu.
Fel gwyrddni'r perthi pert
trwy feil o law llwyd,
fel y briallu yn y clawdd,
a'r dderwen yng nghenol y ca'.

Fel pwmp y pentre,
fel crawcian llais Mrs Phillips Preswylfa,
a gwên John John.
O'dd yr iaith Gymrag yn hat Gwen fach,
a phwdin reis a cyrens Mrs Jones y cwc,
o'dd e ar feic Phyllis y Post,
wrth iddi fynd yn 'i thrwser Royal Mail issue a streipen goch lawr un ochor i
Ystradfowr a Coedlline,
i'r Gelli a Llwyncrwn.
O'dd yr iaith Gymrag yn ticlo bola penbwl
yn hôl jwg o gwrw o'r gasgen yn y seler,
yn brwsho llawr yr ysgol,
yn mynd i whare whist.

O'dd fy sefyllfa ieithyddol a'r ffaith taw 'Nhad o'dd y prifathro yn gwneud bywyd yn anodd i fi o bryd i'w gilydd. Ar ben hynny, do'n i ddim yn perthyn i neb yn yr ardal ac yn y pumdege ro'dd tref Caerfyrddin ymhell, heb sôn am Lanaman. Bydde'r siwrne i'r cwm yn yr Hillman Minx yn cymryd oes. Weithie byddwn i'n teimlo'n unig ac ynysig, 'mod i'r tu fas i ffrwd naturiol cymdeithas y plant eraill – profiad sy'n rhy gyffredin o lawer heddiw i blant yng nghoridorau ac ar iardiau ein hysgolion. Mae'n rhan o dyfu, medd rhai, ond diolch i'r drefn bod y diwylliant wedi newid. Erbyn hyn mae yna gydnabyddiaeth bod yna effeithiau andwyol tymor hir. Ymestyniad o'r tueddiadau creulon yma yw hiliaeth, rhywiaeth a homoffobia. Tynnes i ar y profiad hwn yn *Holl Liwie'r Enfys*:

Mae'n oer ac mae'n cyrnu,
ma cryd ar 'i briche,
mae tu fas i'r drws,
tu fas i'r goleuni.
Ma panic yn parlysu,
dyw hi ddim yn perthyn
ond mae'n agor y drws.

Ma hi'n annerbyniol,
mae'n ca'l 'i gwrthod
ac mae ishe cwmni.
Pan mae'n mynd gytre
mae'n ofon 'i chalon.
Dyw hi ddim yn gweud dim.

A se hi'n cownto'r dyddie,
bydde popeth yn bod.
'I phlethe a'i chwrls hi,
rubane, hancsheri,
'i sgyrt hi a'i blows hi,
gwefuse a'i thrwyn hi
'i dannedd a'i chlustie,
'i llais a'i chwerthiniad,
y ffordd o'dd hi'n siarad,
y ffordd o'dd hi'n llefen.

O'dd 'Nhad, yn ôl ei arfer, yn brysur, gyda'r ffermwyr ifanc, y cyngor plwy, yr NUT a'r eglwys. O'dd Mam gartre'n 'wraig tŷ', heb beiriant golchi, heb ffrij a heb siop. Ond eto ro'dd hi'n 'wraig tŷ' egsotig, heb golli'i diddordeb ysol mewn ffasiwn a delwedd. Bydde hi'n gwisgo shorts, ffrogc heb straps a sgidie uchel coch ac yn dod i ddiwrnode gwobrwyo yn yr ysgol ramadeg pan o'n i'n hŷn mewn ffrog dynn ddu a hat wellt ddu â chantel lydan, a'r plant eraill yn gofyn 'Is that your mother?' yn anghrediniol. 'She looks like a film star!'

Yn ddiweddar dwedodd hen ffrind o'r pentre mai Mam o'dd wedi'i hysbrydoli hi i feddwl bod rhywbeth tu hwnt i'r pentre a bod modd gadael, ac nad o'dd rhaid aros i ddilyn trywydd traddodiadol y canrifoedd. O'dd Mam yn cynrychioli'r holl bosibiliade o'dd 'na i fi ac iddi hithe, wrth iddi fy sicrhau y gallen i wneud unrhyw beth yn y byd. Wnaeth hi erio'd fy annog i wneud gwaith tŷ. Yr unig fwyd o'n i'n galler 'i wneud pan es i i'r coleg o'dd tato potsh a Victoria sbynj. Dwi ddim yn cofio Mam yn gwneud gwaith tŷ, er mae'n rhaid ei bod hi. Dwi ond yn ei chofio'n gwneud y pethe diddorol a lliwgar fel peintio stafelloedd a phlannu blode.

Yn dilyn ei mwynhad a'i llwyddiant yn cynhyrchu dramâu yng Nglan-y-fferi fe a'th Mam ar gwrs drama yng Ngholeg y Drindod, gan geisio wedyn cychwyn ar gwrs hyfforddi amser llawn fel athrawes ddrama, ond fe gafodd ei gwrthod – ro'dd hi dros ei deugain, ac er ei bod hi'n anodd credu hynny heddiw, ro'dd deugain yn rhy hen yn 1959. Fe barhaodd i ddysgu, fodd bynnag, ac fe gafodd flynyddoedd o bleser yn cynnal dosbarthiadau drama i bobol ifanc gyda'r nos yng Nglan-y-fferi dan yr LEA. Erbyn hynny ro'n i yn yr ysgol fawr.

9

The Queen Elizabeth School for Girls

O'N I WEDI pasio'r *scholarship*, fel 'y mrawd cyn hynny, a cha'l lot o glod, a phen sgrifennu Parker coch tywyll gan Mam-gu a Tad-cu. O'dd yr arholiad yn rhywbeth dychrynllyd gan ei fod e'n creu trefn o apartheid cymdeithasol, a hynny ar sail gwbwl gamarweiniol. Methodd llawer o bobol ddeallus a thalentog yr arholiad dinistriol yma, gan gynnwys pobol fel Polly Toynbee, sydd â cholofn ddyddiol yn y *Guardian* erbyn hyn, a Phil Clark, cyn-gyfarwyddwr theatr y Sherman yng Nghaerdydd, person sydd wedi cyfrannu'n aruthrol i faes theatr pobol ifanc, i enwi dim ond dau.

O'n i wedi bod yn ysu am ga'l mynd i'r ysgol fawr ers i 'mrawd fynd i'r Queen Elizabeth Grammar School for Boys. O'n i eisie gwneud popeth y bydde Paul yn 'i wneud. Ac i'r perwyl hwnnw bydden i'n creu gwaith cartre hollol ffug i fi fy hunan a'i wneud yn gydwybodol – actio gwneud gwaith cartre, fel actio chware'r piano. Do'dd 'Nhad ddim yn credu mewn rhoi gwaith cartre i ni yn yr ysgol fach, gan nad o'dd e'n credu mewn gwthio plant. Credai y dyle pob plentyn ddatblygu'n naturiol ar ei gyflymder neu'i chyflymder ei hunan.

Profiad brawychus o'dd fy niwrnod cynta yn y sefydliad disgybledig Seisnig hwnnw a elwid y Queen Elizabeth Grammar School for Girls, yn yr iwnifform nefi bliw, yn cynnwys *beret* ro'dd yn rhaid ei gwisgo tu fas i'r ysgol ar bob achlysur, dan boen eich crogi. Yn wir, ro'dd yr ysgol yn ymdebygu i ysgol dosbarth canol Seisnig, ac yn ca'l ei rheoli gyda disgyblaeth haearnaidd gan y brifathrawes Miss Wooloff a'r athrawon – tu hwnt o ddawnus, dwi'n sylweddoli erbyn hyn. Ond do'n i ddim yn gwerthfawrogi hynny o gwbwl ar y pryd.

Dim ond 400 o ddisgyblion o'dd yn yr ysgol, ond o'dd hynny'n nifer anferth i fi. Dwi'n cofio edrych a rhythu ar bawb, gan ryfeddu at yr holl wahanol ferched, yn sylwi ar eu gwallt, eu hosgo, eu gwisgoedd a'r ffordd ro'n nhw'n siarad. Dwi'n dal i fwynhau edrych ar bobol – mae'n rhaid 'mod i'n berson busneslyd, sy'n beth handi iawn i actor – ac fe alla i eistedd yn hapus mewn caffi'n gwylio'r byd yn mynd heibio. Ar y diwrnod cynta hwnnw, ar ôl newid i wisgo daps, es i edrych am y stafell ddosbarth. Yn Saesneg y gwnes i arholiad y *scholarship*, ond rywsut neu'i gilydd cyrhaeddes i 1E, y dosbarth Cymraeg. Beti Hughes, y nofelydd, â'i gwên radlon a'i llygaid pert o'dd yng ngofal y dosbarth ac ro'dd hi'n fy atgoffa i o Nyrs ac Anti Dora.

Er 'mod i'n despret i ga'l aros yn yr awyrgylch cysurlon hwnnw, sylweddolodd Beti Hughes nad o'dd fy enw i ar y gofrestr, ac er i fi lechu'n obeithiol yng nghefn y dosbarth, mynd o'dd rhaid, i 1Z, at 'Squeaky' Williams, athrawes hyfryd a fedrai'r Gymraeg, fel carfan helaeth o'r staff, er na sylweddoles i hynny am flynyddoedd. Er bod mwyafrif disgyblion yr ysgol yn gallu siarad Cymraeg, eto i gyd ro'dd holl wersi'r ysgol, ar wahân i'r gwersi Cymraeg, yn y Saesneg ac ro'dd yn rhaid i rai merched ga'l gwersi Saesneg yn y labordy iaith. Mae gwyrth twf addysg Gymraeg yn dal yn syfrdanol i rywun o 'nghenhedlaeth i. Serch hynny, mor hawdd fydde hi wedi bod i droi'r ysgol hon yn ysgol cyfrwng Cymraeg dros nos yr adeg honno.

Bydden i'n ca'l gwersi gramadeg 'da 'Nhad yn yr ysgol gynradd, a dysgu 'nhreigladau, ond 'Easy Welsh' wnes i am y ddwy flynedd gynta yn yr ysgol uwchradd, sef Cymraeg ail-iaith, tan i fi a'n ffrind, Siân Morgan, o'dd hefyd yn rhugl ei Chymraeg, fynnu ca'l dilyn gwersi 'Hard Welsh' gan ein bod ni wedi diflasu cymaint ar y gwersi hawdd erbyn dosbarth tri. Ond gollwng Cymraeg wnes i wedyn, a dewis Ffrangeg. Do'n i ddim yn gallu siarad Ffrangeg ac ro'n i'n gallu siarad Cymraeg, dyna o'dd fy rhesymeg.

Ymestyn wnaeth 'y ngorwelion i; yn wir, ro'dd 'y myd i, yn sydyn, ganwaith yn fwy. Bellach ro'dd modd gwireddu breuddwydion, a'r freuddwyd gynta o'dd y freuddwyd o ga'l gwersi bale. Dwi ddim yn siŵr pryd na sut nac o ble y da'th yr ysfa. O lyfr mae'n debyg, a falle ar sail y cymeriad Belle of the Ballet yn y comic *Girl*, hi â'i gwallt gole wedi'i dynnu 'nôl yn dynn, dynn o'i hwyneb yn dawnsio yn ei sgidie sidan pinc. Llenwes i ddau lyfr sgrap â lluniau ac erthyglau am ddawnswyr bale a'u hanesion. O'dd y gwersi'n bosib am 'mod i'n gallu mynd draw am de i dŷ Anti Pat ac Wncwl Daniel, mab Anti Jini, chwaer Mam-gu, yn Nhre Ioan ger yr ysgol, cyn cerdded lan tyle Picton i'r YMCA at Miss Violet Ellis. Yr unig beth anffodus am y trefniant o'dd bod yn rhaid i fi ddiodde ca'l fy mhoenydio gan Cal, 'y nghefnder, a hwnnw wedi gwirioni ar greaduriaid o bob math. Ro'dd ganddo aderyn ysglyfaethus yn yr ardd a'r pethe rhyfedda yn y ffrij. Erbyn hyn mae'r Dr Cal Jones OBE yn fyd-enwog am ei waith ym myd adar ac fe sicrhaodd ddyfodol i'r golomen binc a chudyll Mauritius ar yr ynys honno. Ond ar y pryd, wrth iddo redeg ar 'yn ôl i gan chwifio llysywen waedlyd yn ei law, do'n i ddim yn gwybod beth fydde ei ddyfodol.

Mewn stafell lychlyd a gwichlyd y tu ôl i'r YMCA yn Stryd y Brenin o'dd Miss Violet Ellis, menyw fach dew o Ddoc Penfro, yn dysgu bale, a'i brawd tal yn chware'r piano. O'dd golwg digon hynod ar y ddau, ond wnaeth hynny na simsanrwydd yr adeilad mo 'mhoeni. Mewn tiwnic wen a gwregys glas a sgidie bale lledr du ro'n i yn fy seithfed nef.

Bydden i'n ymarfer bob nos yn ddeddfol, er bod 'y mrawd yn fy mhoenydio a dweud bod bale i *sissies* ac mai gwastraff amser o'dd e. Pan fydden i'n dadlau ag e bydde hi'n troi'n ddadl hir, athronyddol am ystyr bywyd ond Paul fydde wastad yn ennill. Wedyn 'nôl â fi at y bale ac at y symudiade gofalus ro'n i wrth fy modd yn eu gwneud drosodd a throsodd a throsodd er mwyn sicrhau rheolaeth berffaith. Disgrifies i'r wefr yn *Holl Liwie'r Enfys*:

> Pinc lliw samwn gole,
> sidan shinog y bla'n yn grwn,
> ac yn fflat, yn gwbwl fflat.
> Y dro'd yn hirgrwn perffeth,
> a'r rhubane'n shinog sidan
> wedi croesi miwn croes
> a'u clwmu'n dynn.
> Pwynto'r dro'd binc
> yn y slipyr shinog sidan.
> Pwynto'n galed.
> Co's yn syth,
> wedi mestyn.
> Co's fel ha'rn, yn gryf, mor gryf,
> mor bert yn yr esgid ballet binc.
> Ac wrth iddi symud yn bertach byth.

Fyddwn i byth wedi galler gwneud gyrfa ohoni. Dechreues i'n rhy hwyr, a ta beth, ro'dd 'yn siâp i'n rong. Ond do'dd dim ots, gan fod natur gyfyng byd bale a'i ddisgyblaeth filitaraidd yn apelio. Yn y bôn, actio bod yn ddawnswraig o'n i. Es i mor bell â gradd pedwar, a ches i hefyd gyfle i berfformio gyda Chwmni Operatig Amatur Caerfyrddin, gan dreulio wythnos nefolaidd yn Neuadd San Pedr yn dawnsio mewn gwisgoedd gwahanol a bod yn rhan o gwmni mawr o bobol o'dd yn anelu'n obsesiynol at yr un nod, sef creu sioe. *Katinka* o'dd enw'r sioe gynta ac wedyn *White Horse Inn*. Do'dd Miss Wooloff ddim yn hapus bod ei disgyblion yn cymryd rhan o gwbwl a cheisiodd 'y ngwahardd i a dwy o'r dawnswyr eraill, Deirdre Lewis a Sian Morgan, rhag mynd ar y llwyfan gan ddadlau mai gartre y dylen ni fod yn astudio ar gyfer ein Lefel 'O'. Llwyddon ni i'w pherswadio y bydden ni'n gwneud ein gwaith cartre yn y stafell wisgo rhwng y dawnsfeydd. Buodd 'na le yn yr ysgol pan ymddangosodd pennawd ar dudalen fla'n y *Carmarthen Journal* yn tynnu sylw at annhegwch ein sefyllfa! Y cwmni opera roddodd y cyfle i fi ymweld ag Iwerddon am y tro cynta, pan gystadlodd y cwmni mewn gŵyl yn Waterford.

Cynigiodd y Gram gyfleoedd cymdeithasol ehangach hefyd ac yn fuan iawn dois i'n ffrindie gore gyda merch o'r enw Rachel Thomas o Lansteffan, a dechreuon ni fynd i'r dre ar nos Sadwrn gyda'n gilydd. I'r pictiwrs y bydden ni'n mynd, a bydden i'n mynd gartre ar y bws deg muned wedi wyth, y *ten past eight*, i ddechre ac wedyn ar y *ten past nine*, ac yn y pen draw ar y bws ola, y *ten past ten*. O'n i wedi bod i'r pictiwrs gyda Mam i weld ffilmie cerddorol fel *The King and I*, *High Society* a *The Student Prince* ac a'th 'Nhad â'r ysgol gyfan i weld *The Ten Commandments*, ond nawr ro'n i'n ca'l mynd ar 'y mhen 'yn hunan, a dim un oedolyn yn agos.

O'dd dwy sinema yng Nghaerfyrddin, y Lyric a'r Capital, ond i'r Lyric y bydden ni'n mynd gan amla. Do'dd e ddim yn fater o ddewis ffilm – bydden ni'n mynd i weld popeth, y brif ffilm a'r *B movie*, ac i fwyta hufen iâ yn ystod yr egwyl. Bydde'r lle'n llawn dop, lan lofft a lawr llawr, a'r *usherette* yn nabod pawb ac yn shino'i fflachlamp yn ddidrugaredd os o'dd hi'n amau drwgweithredu, a'r geirie, 'I can see you so and so, I'll tell your mother on you', yn diasbedain trwy'r sinema. O'n i eisie bod yn Hayley Mills, yn meddwl falle 'mod i'n debyg iddi, gyda'i thrwyn smwt a'i llygaid mawr, a phan weles i hi mewn siop yn Llundain flynyddoedd yn ddiweddarach ces i fflach o gyffro rhyfedd, o adnabyddiaeth ac o agosatrwydd, fel tasen i'n ei nabod hi, fel tase hi wedi bod yn rhan o 'mhlentyndod ac wedi dylanwadu ar gwrs 'y mywyd i. Prawf o allu celfyddyd, adloniant, llun, drama, ffilm neu gân i ysbrydoli, i greu gobaith, i newid byd ac i dwyllo. Gweles i ffilmie Cliff Richard, *The Young Ones* a *Summer Holiday*, gan gofleidio optimistiaeth y caneuon heintus a'u neges am fyrhoedledd ieuenctid yn frwdfrydig. Cuddies i o dan fy sedd, yng nghanol y papur loshin, fy llygaid ar gau a 'mysedd yn fy nghlustie i osgoi gwylio ffilm Hitchcock, *The Birds*, nid yn unig am ei bod hi'n frawychus ond hefyd achos bod gen i ffobia o adar. Do'dd peidio â mynd i'r pictiwrs ar nos Sadwrn ddim yn opsiwn, ac ar ôl y ffilm bydden ni'n mynd i siop Davies i ga'l *rissole* a *chips*. O'dd Cafe Davies yn lleoliad i rai golygfeydd emosiynol, wrth i bobol ifanc gyfnewid perthynas, ac yno y bydde'r atebion i gwestiyne cymhleth ynglŷn â phwy o'dd yn mynd mas 'da pwy, a pham, gan ferwi a ffrwydro weithie ac arwain at ymladd a dagre.

Bob haf a hydref bydde'r ffair gynhyrfus, egsotig yn dod i faes y mart. O'dd chwyrlïo ar y *swirls* a gwrando ar 'You'll Never Walk Alone' Gerry & The Pacemakers, 'The Night has a Thousand Eyes' Bobby Vee, 'Walking Back to Happiness' Helen Shapiro a 'That's What Love Will Do' Joe Brown yn brofiad cwbwl ecstatig, yn enwedig pan fydde un o fechgyn dansherus y ffair yn reido gyda ni yn ei jîns tyn du.

Ond cyn hir da'th cyfle i ehangu gorwelion hyd yn oed ymhellach. Mynd ar y trên i Gaerdydd gyda chriw o fechgyn o'dd y cynllun, i weld Cymru'n chware yn erbyn Ffrainc. O'n i'n bedair ar ddeg a phoenydies i Mam am oesoedd cyn iddi gytuno. Ces i 'niod alcoholic cynta mewn tafarn o'r enw'r Marchioness of Granby, yng nghanol y rhwydwaith o strydoedd a thai o'dd yn bodoli lle mae canolfan siopa Dewi Sant erbyn hyn. Fodca a leim o'dd y ddiod. Y pellter, yr oerfel a'r dorf o'dd yn poeni Mam – dwi ddim yn meddwl bod y posibilrwydd 'mod i'n mynd i yfed alcohol wedi croesi'i meddwl hi. Do'dd 'yn rhieni i ddim yn yfed o gwbwl, yn y tŷ nac mewn tafarn, dim ond ambell i *sherry* falle. O'n i'n gwisgo digon o ddillad i wrthsefyll ias yr Arctig wrth i fi sefyll yng nghefn y North Stand yn morio canu 'Calon Lân', ond y trip o'dd yn bwysig, ca'l mynd i rywle newydd gyda chriw o ffrindie a cha'l, wrth gwrs, dawnsio ar ben fordydd ar y trên ar y ffordd gartre a gwneud lot o bethe gwirion tebyg. Dyma ddechre ar 'y nghyfnod i o ddwlu ar rygbi, neu'n hytrach dwlu ar bopeth sy'n gysylltiedig â'r gêm. Freuddwydies i ddim am funud y bydden i, ymhen rhyw ddeuddeg mlynedd, yn actio mewn ffilm o'r enw *Grand Slam* fydde'n crisialu holl hanfodion y fath achlysuron.

O'dd Ffrangeg wedi bod yn rhan o'n ymwybyddiaeth i ers pan o'n i'n fach, gan fod Mam yn dipyn o Ffrancoffeil yn ogystal ag Angloffeil, ac yn gwneud pwynt o ganu caneuon fel 'Frère Jacques' ac 'Au Clair de la Lune' i ni yn y bath, ac o'dd ca'l ymweld â'r wlad ar drip ysgol yn nosbarth pedwar yn gyffrous tu hwnt. Y pella ro'n i wedi bod ar wylie o'dd i garafán ffrindie yn Saundersfoot, neu i Lanaman at Mam-gu. Dyma beth o'dd ehangu gorwelion go iawn! Wythnos yn Llydaw, ar lan y môr yn Dinard, ac wythnos yn Paris, yn yfed Orangina a dringo i ben Tŵr Eiffel i weld y ddinas hardd yn ei chyfanrwydd, ymweld â Versailles a hwylio ar y Seine. O'n i wedi darllen am Paris ac wedi creu darlun o Paris yn fy nychymyg, wedi dabo'r sent 'na o'r enw Soir de Paris y bydden nhw'n ei werthu mewn poteli glas yn Woolworths tu ôl i 'nghlustie i ac wedi canu 'How would you like to be, down by the Seine with me...', a nawr ro'n i 'na. O'dd y profiad o fod yno, ca'l cyfle i lyncu'r lle'n fyw, y lliwiau a'r synau ac aroglau dieithr coffi a Gitanes, fel tase darn o 'nychymyg i'n dod yn fyw, fel un o lyfre *pop-up* plentyn bach. Prynes i ddwy EP o ganeuon Françoise Hardy a dysgu pob gair ar 'y nghof. Ffarwelies i â Paris ar ddiwrnod Bastille, gan ryfeddu at y tân gwyllt yn syfrdan ar risiau'r Sacre Coeur ym Montmartre.

Es i 'nôl i Ffrainc, flynyddoedd wedyn, ar drip cyfnewid dros wylie'r Pasg, at deulu Christine Morin yn Pont-l'Évêque yn Normandi. O'dd Christine yn Ffrances dal, dene, *chic* nodweddiadol, ei chro'n yn frown a'i gwallt tywyll yn hollol syth ac yn hongian fel silc ar ei hysgwyddau. O'dd hi'n bopeth do'n i ddim ac yn bopeth ro'n i eisie bod achos hwn o'dd y chwedege, a Twiggy o'dd y ddelfryd, yr eilun dene, fflat a bachgennaidd, fel y cwynes i yn *Holl Liwie'r Enfys*:

O'n i'n gyffyrddus 'da 'nghorff
sbo fi'n tyfu bronne.
Ma'n nhw'n grwn, ma'n nhw'n drwm,
ma'n nhw yn y ffordd.
Ma'n nhw'n symud lan a lawr pan wi'n rhedeg.
Wi moyn gwisgo crys-T tyn
a dim byd odano
i ga'l bod yn trendy
ond alla i ddim neud 'ny a'r rhein o 'mla'n i.

Wi ffili rheoli 'nghorff, ma fe'n wyllt,
mae'n anifel ma'n rhaid i fi 'i ddofi,
ma fe mas o reoleth, yn estron, yn ddierth –
nage hwn o'dd 'da fi o'r bla'n!
O! y mawrdra, anferthedd, eithafrwydd!
ond y bronne yw'r gwitha.
Ma'n nhw pallu sefyll lle wi'n rhoi nhw,
ma'n nhw fel peli ar elastic
wi'n goffod gwisgo BRA!
Ma 'da fi un neilon 'da rhosynne bach piws
a ma Mam wedi pyrnu fel anrheg pen-blwydd paish bert
a suspenders i fatsio,
ond ma'n sane i wastod yn sago.

Wi moyn ca'l fflat tsiest – dim bronne,
wi moyn bod yn ddirgel fel Juliette Gréco
sdim bronne 'da hi a dyw 'i gwallt hi ddim yn cwrlo.
Achos 'na chi beth arall.
Diferyn o law a
ma 'ngwallt anystywallt yn tyfu fel perth
a honno heb 'i thorri ers ache.
O, o dwi ishe
bod yn ferch y chwedege
yn syth lan a lawr a dim bronne.

Fe ddes i i garu 'nghwrls, a 'nghorff, ond ddim am rai blynyddoedd.

O'dd Christine yn byw mewn tŷ mawr gwichlyd o'r unfed ganrif ar bymtheg yn Normandi gyda'i mam, ei dau frawd a'i phedair chwaer. Athrawes Saesneg yn yr ysgol uwchradd leol o'dd Madame Morin, a bu'n rhaid i fi fynychu ei gwersi yn gyson. O'dd bywyd yn ffurfiol ac yn draddodiadol iawn a bydde'n rhaid mynd *en famille* i bobman, hyd yn oed i'r ffair. Bydde paratoi'r bwyd bob nos yn orchwyl gymhleth, a'r bwyd ei hun yn dipyn o her: y perfedd – *tripes de Caen* – yr wystrys a'r cig ceffyl. Fe ges i wersi marchogaeth, a finne erio'd wedi bod ar gefn ceffyl o'r bla'n, a hynny'n gyfan gwbwl trwy gyfrwng y Ffrangeg, a'r *famille* yn gwylio. Ond o'dd y bara hyfryd a'r fowlen fawr o *cafe au lait* y bydden i'n ei cha'l yn 'y ngwely bob bore'n gysur mawr, yn ogystal â'r gwin ddeuai gyda phob pryd bwyd. Un o'r atgofion hyfryta o'dd ca'l 'y ngyrru 'nôl a 'mla'n i'r gwersi marchogaeth trwy berllannau o goed ceirios pinc, mewn ceffyl a chart, yr awyr yn las, yr haul yn disgleirio a'r gwanwyn yn pingo o'n cwmpas ni.

O'dd bywyd yn wahanol iawn i Christine pan dda'th hi i Landyfaelog. Fe aethon ni i ddawnsfeydd, ac a'th hi hyd yn oed mas 'da bachgen, ar ei phen ei hun – yr egsotig Jeff Diamond, yr actor erbyn hyn, o Lansaint, yn ei Fini bach gwyrdd a gwyn. O'dd hi'n dwlu crasu tost ar fforc o fla'n y tân, a bwyta cocos amrwd ar draeth Glan-y-fferi, gan agor y cregyn â'i chyllell boced. O'dd Andrew Burgess, ffrind i fi o Lan-y-fferi, yn berchen ar ganŵ ac un diwrnod gwasgodd y tri ohonon ni i mewn i'r canŵ bach ysgafn a phadlo draw 'dros y dŵr i draeth Llansteffan...' Crynes i yr holl ffordd yno, gan ochneidio'n hapus ac yn llawn gollyngdod ar ôl cyrraedd, cyn i 'nghalon i suddo wrth sylweddoli y bydde'n rhaid i ni badlo 'nôl. Croeson ni'r aber dwyllodrus yn saff ond dwi wedi osgoi canŵs byth ers hynny. Dringon ni walydd peryglus adfeilion hen blasdy Iscoed, gan lwyddo rywsut i osgoi torri'n gyddfau. Rhwng popeth, mwynhaodd Christine, er gwaetha'r ffaith bod yn rhaid iddi fynychu ysgol y Gram – do'dd naws tra gormesol, ffurfiol Pont-l'Évêque yn ddim o'i gymharu â theyrnas frawychus, unbeniaethol Miss Wooloff.

10

Gwylie yng Nglanaman

O'DD Y CYSYLLTIAD Ffrengig yn brofiad cwbwl amheuthun. Erbyn heddiw, a phawb yn hedfan i leoedd egsotig yn gyson, mae'n od meddwl bod y syniad o wylie tramor yn ddieithr. O'dd y syniad o fynd ar wylie o unrhyw fath yn bendant yn ddieithr yn ein tŷ ni. Gan fod 'Nhad, fel prifathro, yn ca'l yr un faint o wylie â ni, bydde modd i ni i gyd fynd i ffwrdd gyda'n gilydd, ond do'dd e'n sicr ddim eisie mynd i rywle arall i fwynhau ei hun. Yn wir, ro'dd yr holl syniad yn anathema iddo fe. Bydde'n well 'da fe aros gartre a gwrando ar y criced ar y radio. Hyd yn oed ar ôl ymddeol bydde fe'n mynd i westy'r Mount Sorrel yn y Barri, gwesty ei gefnder, Wncwl Denzil, nid i fwynhau ond i weithio fel porthor nos. Dwi'n tybio ei fod e wedi ca'l ei holl ddogn o antur yn y Navy ac yn y rhyfel. Felly, fel llawer o blant yr oes honno, gyda Mam-gu a Tad-cu yng Nglanaman y treuliai 'y mrawd a finne'n gwylie Pasg, Nadolig a haf am flynyddoedd.

O'dd ethos tŷ Mam-gu a Tad-cu'n wahanol iawn i ethos ein tŷ ni. Un fach benderfynol o'dd Mam-gu, a'i gwallt hir gwyn wedi'i rolio o gwmpas ei phen. Ar y llaw arall, ro'dd Tad-cu'n ddyn tal, cryf o'dd wedi hen gyfarwyddo â natur ddigyfaddawd ei wraig, yn canu a dawnsio a chware tricie'n ddi-ben-draw ac yn meddu ar gryfder tawel o dan yr wyneb.

Ar ôl tawelwch y wlad bydde bwrlwm y cwm diwydiannol yn gyffrous tu hwnt, a ninne yng nghanol y siope, y traffig a'r llu o berthnasau, a sŵn y sgitshe gwaith yn y bore. Bwthyn bach o'dd Glanllyn a'i ragoriaeth o'dd yr ardd, hanner erw'n llawn blode, coed a llysie. Bydde pobol yn dod o bell i weld blode Mam-gu, y liloc piws a phinc, yr ardd rosod, y *dahlias* a'r *gypsophila*. Cofiai Mam fel y bydde hi'n llanw ffurflenni i'w hanfon i siop flode Treseder yng Nghaerdydd pan o'dd hi'n ferch ysgol, i ordro hade. Gallai Mam-gu sgrifennu, wrth gwrs, er iddi adael ysgol yn un ar ddeg, ond o'dd hi'n meddwl bod sgrifen Mam yn fwy twt a theimlai ei bod hi'n bwysig gwneud yr argraff ore bosib ar bobol siop Treseder. O'dd safon yn bwysig iawn i Mam-gu. Pan fydde Mam-gu'n ymweld â rhywun bydde hi'n mynd â bwnshed o flode o'r ardd. Fe roddodd harddwch gardd Mam-gu bleser i amryw o gleifion a galarwyr Dyffryn Aman, gan ddiwallu llawer o'i hanghenion hi ei hun, yn ysbrydol ac yn ymarferol. Fydde hi byth angen prynu llysie na ffrwythe a bydde Mam-gu'n gwneud jam a tharten o'r afans, y mefus, y riwbob, y cyrens duon, y cyrens cochion a'r plwms, a *chutney* o'r bwmpen. Bydde hi'n crasu'i bara'i hunan hefyd. O'n i'n dwlu rhedeg lawr i siop Rose i 'nôl y burum ffres mewn bag bach papur tri chornel. O'dd majic yn y clai llwyd, di-nod yr olwg, yn galler gwneud i does godi i deirgwaith ei seis, a rhoi'r *fizz* yn y ddiod fain, y pop fydde Mam-gu yn 'i baratoi o ddanadl poethion o'r perthi! Pop hud o'dd hwn i fi, ac yn *Ede Hud* disgrifies i fe fel 'costrel anian Cwmaman':

> 'Co hi'n mynd, wi'n gweld hi, ei gwallt yn wyn yn ei ffedog fawr lawr y llwybre gwyrdd a'r haul fel menyn y prynhawne joglyd a amser ar stop yn hafe'r pellteroedd.

Mae hi wedi crwydro o wareidd-dra'i gardd liwgar, ffrwythlon,
flodeuog i 'wilo yn y cloddie am blanhigion gwylltion pigog.
Mae'n mynd 'nôl i gyfrinach ei chegin, yn nhw'llwch ei phantri,
yn nyfnder ei sosban, mae'n creu deinameit.

Blas hen fynyddoedd,
blas y canrifoedd,
llyncu pridd,
a llyncu perth,
sugno rhinwedd,
sugno nerth.
Gwynt yr haul
ar ddiwedd prynhawn,
gwynt y nant a gwynt y mawn.
Diod fain,
diod hud,
y ddiod gryfa yn y byd.
Diferyn bach, chi'n dechrau codi,
diferyn bach chi'n gallu hedfan,
wi'n mynd lan a lan a lan,
uwchben Pentyrcarn, uwchben Mynydd Llysu.
Wi'n llyncu'r awyr las
wi'n 'whare yn y sêr.

O'dd Mam-gu'n ymhyfrydu yn ei rheolaeth ar ei theyrnas ddomestig, tra bod Mam yn dirmygu'r domestig ac yn ei weld fel gwastraff ar amser pan allai rhywun fod yn gwneud rhywbeth llawer mwy diddorol, a dwi wedi cofleidio'i hathroniaeth hi'n frwdfrydig. Fel dwedodd Simone de Beauvoir yn ei llyfr *The Second Sex*:

> Few tasks are more like the torture of Sisyphus than housework, with its endless repetition: the clean becomes soiled, the soiled is made clean, over and over, day after day… Washing, ironing, sweeping, ferreting fluff from under wardrobes – all this halting of decay is also the denial of life; for time simultaneously creates and destroys, and only its negative aspect concerns the housekeeper.

Mae'n gwbwl anhygoel bod y slafdod 'ma'n dal i ga'l ei gyfri'n 'waith menywod', a menywod erbyn hyn yn dilyn gyrfaoedd yn ogystal â chymryd y cyfrifoldeb dros fagu'r plant. O'dd Mam-gu'n cofleidio'r domestig o anghenraid gan mai ychydig iawn o waith arall o'dd i fenywod yng nghymoedd diwydiannol de Cymru ar ôl i'r gwaith tun gau, ac ro'dd yn rhaid bod yn ddyfeisgar yn ogystal â chynnil i fyw ar gyflog glöwr.

O'n nhw'n ca'l eu glo am ddim, wrth gwrs – llwyth anferth yn cyrraedd tu fas i'r tŷ, ac wedyn bydde Tad-cu'n ei gario i'r sied lo mewn whilber. Bydde Tad-cu, fel 'Nhad, yn gwneud pele mond, i wneud yn siŵr bod y glo yn mynd ymhellach. Bricie crwn i'w rhoi ar y tân o'dd y rhain, wedi'u gwneud drwy gymysgu glo mân a chlai â'i gilydd a'i roi mewn rhyw fath o fowld i'w siapio'n beli. Do'dd dim mochyn 'da nhw, fel y bydde pan o'dd Mam yn fach, ond o'dd sied ffowls reit ar waelod yr ardd ar bwys coeden ffigys ac wrth ymyl hen sied dywyll lle bydde Tad-cu'n cadw bwyd y ffowls a'i dŵls. Bydde fe hefyd yn tapo sgitshe, sef eu gwadnu nhw, a'u swdlu nhw, fel bydde 'Nhad hefyd yn gwneud, ac yn smoco'i bib yno, gan fod hynny wedi'i wahardd yn y tŷ. Yn y sied ro'dd hen fasg nwy brawychus, a'i ddwy lygad wag, anferth a'i drwyn hir yn atgof parhaus o'r rhyfel. O'n i'n dwlu ca'l gwasgaru'r india corn melyn llachar i'r ieir a cha'l casglu'r wyau, yn enwedig yr wyau bach bantam. Weithie bydde Tad-cu yn dodi iâr glwc o dan fwced er mwyn ei hannog i ddodwy. Bydde presenoldeb Tad-cu yn cadw fy ffobia adar dan reolaeth, er do'dd ca'l 'y neffro un Pasg a gweld llond hambwrdd o gywion bach fflwffiog ddim yn brofiad pleserus. Dim ond adeg y Pasg a'r Nadolig y bydden ni'n ca'l bwyta ffowlyn Glanllyn, danteithfwyd o'dd yn blasu fel petai'r creadur wedi enjoio'i fywyd.

Gwelye plu o'dd yng Nglanllyn, wedi'u gwneud o blu ffowls Glanllyn, a bydde 'mrawd yn cysgu 'da Tad-cu a finne 'da Mam-gu. Bydde Mam-gu'n twymo brics yn y ffwrn wrth ochr y tân glo a'u lapio nhw mewn darn o garthen i'n twymo ni pan fydde'r stafelloedd yn ddigon oer i rewi'r anadl. Bydde hi hefyd yn darllen pennod o'r Beibl i fi bob nos ar ôl iddi weddïo'n hirfaith ar ei phengliniau. Bydden i'n gweddïo hefyd, ond yn y gwely er mwyn bod yn dwymach! Y weddi ffurfiol gynta o'dd

> Rhoi fy mhen bach lawr i gysgu
> Rhoi fy ngofal bach i'r Iesu
> Os byddaf farw cyn y bore
> Iesu cymer f'enaid inne. Amen.

Ac wedyn, 'Plis Duw 'nei di (o'n i wastad yn galw Duw'n "ti") garco Mam a Dad, a Paul, a Mam-gu a Tad-cu, a plis ga i baso'r prawf Maths,' neu beth bynnag o'dd yn 'y mhoeni i fwya ar y pryd. Dwi'n dal i weddïo weithie, er 'mod i'n anffyddwraig lwyr erbyn hyn, ac ar hyd y blynyddoedd dwi wedi gweddïo am nifer o bethe pwysicach na phasio prawf Maths. Mae arferion plentyndod wedi'u gwreiddio'n ddwfn, a gwnaeth Mam-gu ei gore i'w gwreiddio nhw cyn ddyfned â phosib. Fel dwedes i yn *Ede Hud*, ro'dd Mam-gu yn

> Ymhyfrydu yn y culni, dwlu ar y dogma, caru condemnio lipstic, locsyn a Catholics.
>
> Dim wislo ar ddydd Sul, dim gwau, dim bownso pêl, dim pilo tato dim ond neud pwdin reis ac ishte mewn sane American Tan a siwt anghyffyrddus a hat ar elastig.

Bydden i'n mynd i'r cwrdd deirgwaith ar ddydd Sul, i eglwys St Margaret's 'da Tad-cu ac i gapel Bryn Seion 'da Mam-gu. O'dd yn well 'da fi'r capel na'r eglwys, am ei fod e'n ymddangos yn llai ffurfiol ac felly'n fwy diffuant. Gan nad o'dd yno lyfr i orchymyn i bawb ddweud a gwneud pethe ro'dd 'na deimlad anarchaidd braf, fel petai neb yn gwybod beth fydde'n digwydd nesa. O'dd yn well 'da fi'r emynau hefyd, y gair a'r dôn yn plethu'n berffaith mewn hiraeth a gorfoledd sy'n ymylu ar yr erotig. Mae'n wir mai mewn tafarne y dysges i'r rhan fwya o emynau mawr Cymru, pan o'dd yfed a chanu yn mynd law yn llaw, a chyn bod unrhyw ganeuon gwerin na chaneuon poblogaidd eraill yn wybyddus i ddigon o'r mynychwyr, er i fi ddysgu ambell un ym Mryn Seion. Wna i byth anghofio 'mrawd yn canu 'Mi glywaf dyner lais' yn ei lais soprano swynol o'r galeri mewn cymanfa, a David Davies, y pêl-droediwr, yn canu 'Yng nghysgod y gorlan' ar ei ôl e. Bydde ysgol Sul Bryn Seion yn ca'l ei chynnal hanner ffordd i fyny'r mynydd yn ysgoldy'r Mynydd Du, a bydde tair chwaer, Martha, Bertha a Lucy, fel cymeriade mewn stori dylwyth teg, yn ein dysgu ni ar y ffwrwme pren caled, a llais mawr cryf Ifor Roberts, wncwl Ryan, yn diasbedain trwy'r ffenestri.

O'dd pawb yn 'y nabod i yng Nglanaman gan fod 'wech o frodyr a chwiorydd Mam-gu yn dal i fyw yno, eu cartrefi'n cwmpasu daearyddiaeth y cwm cyfan, ac yn ogystal ro'dd 'na gefndryd a chydnabod di-ri. Bydden i'n ymweld â nhw i gyd, a bydden nhw'n ymweld â Mam-gu. O'n i wrth 'y modd yn gwrando ar Mam-gu yn siarad 'da'i ffrindie a'i pherthnasau. Testun eu sgwrs o'dd pobol – eu hanes, y geni a'r marw, llwyddiant ac anffawd, a'r cwbwl yn Gymraeg wrth gwrs, a bydden i'n eu dynwared nhw am orie wedyn, yn creu sgyrsie dychmygol am 'Mrs Jones druan' a 'Glywoch chi am Beti Roberts?' ac yn y bla'n. Gan fod yr iaith a'r cynnwys yn ddieithr i fi, ro'dd e felly'n ddiddorol. Ym mhobman y bydden ni'n mynd o'dd disgwyl i 'mrawd a finne berfformio – sefyll yng nghornel y stafell a chanu. Bydden ni'n ca'l pishyn 'wech yr un am wneud. Felly bydde tipyn go lew o arian poced 'da ni erbyn diwedd y gwylie, a mwy byth erbyn diwedd gwylie'r Nadolig, gan y bydde hwnnw'n cynnwys Calennig. O'dd canu 'Blwyddyn Newydd Dda' yn arferiad cyffredin yn ystod y pumdege a'r chwedege, a dyma'r gân y bydden ni'n ei chanu:

Blwyddyn Newydd Dda i chi,
ac i bawb sydd yn y tŷ,
dyna yw 'nymuniad i,
canu Blwyddyn Newydd Dda.

Blwyddyn Newydd Dda i chi,
gwylie llawen.
Dyma'r flwyddyn wedi dod
y flwyddyn ore fu erio'd,
wel dyma'r hyfryd flwyddyn,
wel dyma'r hyfryd flwyddyn,
wel dyma'r hyfryd flwyddyn,
y flwyddyn newydd dda.

Ac ar ôl canu bydden ni'n gweiddi 'Blwyddyn Newydd Dda!' yn uchel a llawen ac yna'n cnocio'n egnïol ar y drws. Bydden ni'n mynd i ganu yn Llandyfaelog hefyd, ac er gwaetha'r ffaith mai bachgen pryd tywyll o'dd i fod i ddod â lwc ar fore cynta'r flwyddyn, bydde pawb yn hael iawn wrth y bachgen a'r ferch pryd gole.

Y peth gore am Lanaman o'dd y cwmni. Fy ffrind gore i yno o'dd Olwen Jenkins. O'dd hi a'i brawd, Alun, yn byw drws nesa 'da'u rhieni, Wncwl Brynmor ac Anti Mair, er nad o'n nhw ddim yn perthyn i fi o gwbwl. Bydden ni'n treulio orie'n siglo ar y siglen ar y goeden fawr ar bwys y garej, lle, heb yn wybod i fi, ro'dd 'y mrawd bach wedi'i gladdu. Wrth wthio'n uwch ac yn uwch i'r awyr ro'n ni'n canu 'I'm forever blowing bubbles' neu 'Red sails in the sunset' a 'Lady of Spain I adore you'. Bydden ni'n chware yn afon Berach ac yn gwneud potie a jwge o'r clai coch ar bwys, neu'n bwyta'r plwms a'r damsons tew, llawn sudd o'r ardd, ar ôl eu casglu mewn basgedi bach o'n ni wedi'u gwneud o frwyn. Bydden ni'n eistedd yn y berth ochr draw i'r tŷ am orie'n siarad a siarad ac yn dal i siarad yn y tywyllwch o dan ole oren egsotig lamp y stryd.

Wrth gwrs, ro'dd lot o blant eraill yn byw yng Nglanaman ac erbyn i ni gyrraedd yr oedran cyfrin hwnnw rhwng diniweidrwydd ac ymwybyddiaeth, bydden i ac Olwen yn treulio'n hamser mewn gang mawr o blant. Bydde ambell i ymwelydd fel fi'n rhan o gang pobol ifanc y cwm. Yn ogystal â fi ro'dd Tony Sluman o Gaerlŷr a Joyce Morgan o Surrey. Eto i gyd, crowd o fechgyn anystywallt o Heol Tircoed o'dd y rhan fwya: David Jones, Ryan James, Mike Llywelyn, Eric Preston, Martin Rogers ac Alan Pearce. Mair Jones o ffarm Abernant Glas ac Olwen o'dd y ddwy ferch leol. Bydden ni'n treulio diwrnode cyfan ar y mynydd yn rhedeg ar ôl ceffyle gwyllt ac yn chware cuddio yn y rhedyn tal, yn chwilio am gariadon, neu'n smalio'n bod ni'n speis wrth ddilyn dieithryn diniwed o bell, a chysgodi mewn hen adfeilion neu mewn tŷ mewn coeden pan fydde hi'n bwrw glaw.

Bydden ni'n poenydio hen ddyn o'r enw Dai John o'dd yn byw ar ei ben ei hun yn ffarm Cwmffrwd gyda'i gi, yn cnoco ar ei ddrws ac yna'n rhedeg bant, neu'n dringo i ben ei do a thaflu cerrig i lawr y simdde. Un tro fe yrron ni un ar hugain o geffyle gwyllt heibio i ffenest ffrynt ei dŷ. Bydde hyn yn creu mwy o gynnwrf na chynnwrf y ffair hyd yn oed, yn goctel llesmeiriol o awyr iach a danjer a gwrthryfel. Rhaid cyfadde bod 'na islais o gyffro rhywiol wrth i ni rolio yn y rhedyn a gorwedd yn y grug ar ben y mynydd yng nghanol Awst. Eto i gyd, ro'n ni'n dal yn saff, yn mwynhau rhyddid plentyndod, er bod dychymyg anghydffurfiol Mam-gu yn rhedeg yn rhemp a finne o dan orchymyn llym i fod gartre cyn iddi dywyllu. Er rhedeg bob cam gartre, bydden i wastad yn hwyr.

Un tro daliodd Mam-gu ni'n dod trwy gât y mynydd bum munud cyn y bois ac fe garcharwyd fi y diwrnod wedyn yn yr ardd, i dorri teim a phigo afans, a finne'n ysu am ga'l bod yn rhydd ar ben y mynydd gyda'r lleill. Jîns fydden i'n eu gwisgo i redeg yn rhydd, jîns denim glas. Ces i 'mhâr cynta'n dair ar ddeg ac eisteddes yn y bath i'w shrinco nhw nes eu bod yn ffitio fy siâp i. O'dd gwisgo jîns yn anarferol ar y pryd ac ro'n nhw'n gymaint o symbol o ryddid i fi ag o'dd gwisgo'r trowser *aubergine* cynta i Mam ryw ugain mlynedd ynghynt. Gallwn i ddringo, twmblo a rolio mewn jîns, jest fel y bechgyn. Arweinydd y gang o'dd Alan Pearce, tair ar ddeg, eofn a mentrus, yn fachgen ond heb droi'n ddyn, fel Peter Pan, ei wallt brown gole, ei lygaid glas a'i gro'n brown a'i ddannedd gwyn. Rai blynyddoedd wedyn sgrifennes i gerdd am Alan, a'i darllen hi ar raglen *Hobby Horse*, rhaglen am ddiddordebe plant ar y BBC a gâi ei chyflwyno gan Cliff Morgan!

Wrth dyfu'n hŷn, yn enwedig yn y gaea, bydde Olwen a finne'n eistedd uwchben gramoffon Wncwl Brynmor, athro Cerdd yn Ysgol Ramadeg Rhydaman, yn gwrando ar recordie Cymraeg a rhyfeddu ar bob cân newydd, gan Y Triban, Y Diliau, Tony ac Aloma a Dafydd Iwan. Yn Saesneg ro'dd y gerdd am Alan – Saesneg fydde'r gang yn 'i siarad â'i gilydd a Saesneg ro'n i'n siarad 'da Olwen, am flynyddoedd, ond erbyn cyfnod y recordie bydden ni'n siarad Cymraeg. Erbyn hynny ro'dd y chwyldro wedi digwydd.

11

Cenedlaetholdeb

DA'TH SIAN EDWARDS i Gram Caerfyrddin o'r Barri. Ro'dd ei thad, T Raymond Edwards, yn un o sefydlwyr yr ysgol gynradd Gymraeg gynta i groesawu plant o gartrefi cwbwl Saesneg eu hiaith, sef Ysgol Sant Ffransis. Er bod Ysgol Gymraeg Aberystwyth wedi'i sefydlu ers amser, a hefyd Ysgol Dewi Sant yn Llanelli, eto i gyd dim ond plant o'dd â'u rhieni'n siarad Cymraeg gâi fynediad i'r ysgolion hynny. Cafodd y penderfyniad i ymestyn addysg Gymraeg i gartrefi di-Gymraeg effaith ysgubol ar Gymru ac fe gafodd dyfodiad Sian i Form Three effaith ysgubol arna i hefyd. Mae'n anodd credu nawr, yng ngwyneb twf yr iaith Gymraeg, bod cymaint yn gwrthwynebu'r syniad o ddysgu Cymraeg i blant hollol ddi-Gymraeg, am eu bod nhw'n credu y bydde hynny'n dasg amhosib. Anodd iawn dychmygu hefyd pa mor wahanol fydde cwrs 'y mywyd i tase Sian ddim wedi llwyddo i fy argyhoeddi bod Cymru'n genedl a 'mod i'n Gymraes ac felly bod yr iaith Gymraeg yn perthyn i fi.

Ar y dechre ro'n i'n gwrthod yn lân â siarad Cymraeg â Sian. I fi câi'r diwylliant hwnnw ei gynrychioli gan agweddau hen-ffasiwn, cul ac amherthnasol. I berson o'dd yn ceisio ehangu ei gorwelion ym mhob ffordd bosib ro'dd hyn yn ymddangos yn gam am yn ôl. Ac, fel y rhesymes i yn *Holl Liwie'r Enfys*, o'dd pawb yn ei siarad hi ta beth:

Joseph Jones a'r teulu. John Morgan Jones yw'r cyntaf ar y dde yn y rhes gefn a Rachel ei chwaer, fy hen fam-gu ar ochr fy mam, yw'r gyntaf ar y chwith yn yr ail res.

Tolldy Bryn-lloi, sgwâr Glanaman. Elinor, fy hen fam-gu ar ochr fy nhad, yw'r bumed o'r chwith.

Frederick a Catharine Nicholson, Birmingham, fy hen fam-gu a'm hen dad-cu ar ochr fy mam, a'u teulu. Roedd fy nhad-cu wedi setlo yng Nghymru erbyn hyn.

John a Rachel Evans, fy hen fam-gu a'm hen dad-cu ar ochr fy mam, a'r 12 o'u plant a oroesodd, yn y Garnant. Fy mam-gu, Annie, yw'r ail o'r dde yn yr ail res a Dora, mam yr actor Dafydd Hywel, sydd ar ei thraed yn y drydedd res, cyntaf ar y chwith.

Pwyllgor y cleifion, sanatoriwm Allt-y-mynydd: Benjamin Morgan, fy nhad-cu ar ochr fy nhad, yw'r ail o'r chwith ar ei eistedd.

Morfydd Morgan, fy mam-gu, a 'Nhad, Bernard, ar ei chôl, a Maud y forwyn yn sefyll tu fas i Bryngwyn, Heol Tircoed, Glanaman.

Frederick ac Annie Nicholson, Mam-gu a Tad-cu, a fy mam, Rachel (Ray).

Fy nhad, Bernard Llywelyn Morgan, ar gefn ei geffyl.

Fy mam, Ray Nicholson, yn ei chot ffyr swllt yr wythnos.

Fy nhad ar ei ffordd i'r llynges.

Fy mam yn *Y Blodyn Glas*.

Fy nhad yn ei ddillad criced.

Fy mam yn edrych fel *film star*.

Priodas fy mam a 'nhad.

Fy nhad yn yr awyrlu,
yn y canol gyda'i bib.

Annie a Fred Nicholson, rhieni fy mam, ar achlysur eu priodas aur.

Morfydd Morgan (Granma Morgan), mam fy nhad.

Fi mewn siol 'da Mam a Paul fy mrawd yng Nghlawddowen.

Ysgol Clawddowen
a thŷ'r ysgol, yng nghanol
unman, lle ces i 'ngeni.

Fi a 'mrawd yng ngardd
anhygoel Mam-gu, ar dop
Heol Tircoed, Glanaman.

Fi yn ymyl afon Berach,
Glanaman.

Fi a 'mrawd yn yr ardd yng Nglan-y-fferi.

Ysgol gyfan Llandyfaelog. Fy nhad, y prifathro, yw'r cyntaf ar y chwith yn y rhes gefn, fy mrawd hardd yng nghanol yr ail res, a finne yng nghanol y rhes flaen.

Gyda Patsy, fy nghyd-berfformwraig.

Trip ysgol Sul i Aberafan, gyda Glenda Beynon gain o Gellideg.

Rhan o Ddosbarth 3A tu fas i'r Medway yn y Gram, y gyntaf ar y chwith yn yr ail res.

Eto, pedwaredd o'r chwith yn y drydedd res.

Gwneud y *splits* ar gyfer y *can-can* mewn cyngerdd yn yr ysgol.

Trip ysgol i Ffrainc: fi yw'r bedwaredd o'r dde yn y rhes flaen, yn ceisio edrych yn cŵl yn ein streipiau a'n sbectols tywyll.

Mr Elton wedi ei siomi yn *Emma*, yr ail o'r dde yn y rhes gefn.

Yng ngŵyl Waterford yn dawnsio gyda chwmni opera amatur Caerfyrddin, y drydedd ddawnswraig o'r chwith.

Dafydd ap Gwilym yn *Pan Ddêl Mai*: Eluned Williams, fi, Janet Griffiths a Rhinedd Llywelyn.

Fi a 'mrawd wedi graddio.

Dim ond ffordd o siarad o'dd e.
Iaith lletchwith ac amherthnasol yw'r Gymraeg.
Sdim Cymraeg ar Radio Luxembourg,
na ar *Emergency Ward 10*,
sdim Cymraeg ar *Wagon Train* 'da Robert Horton.
sdim llyfre diddorol,
sdim canu pop,
dim ond Steddfod Llanelli yn y glaw.

Ma fe'n rhwbeth sy'n perthyn i'r o's o'r bla'n,
fel codi lludu, a'r wermwd lwyd, a sa'm gŵydd ar y tsiest.

Cyn Sian.

Da'th Sian o'r Barri o'dd hi'n whare'r banjo.
o'dd hi'n siarad funny Welsh.
O'dd hi'n torri'r rheole,
yn siarad cyfrole.
Dansherus, annisgw'l,
a cwbwl wahanol,
yn gweud
neidio, a dringo,
nage jwmpo a cleimo,
a cychwyn, a gwthio,
nage pwsho a starto – o'n i'n ffili diall hi,
'I'm not talking to you, you talk funny Welsh.'

Ond ar ôl sbel,
na'th yr hanes a'r chwedle,
a'r holl draddodiade
o'dd jest dan yr wyneb, cyn Sian,
neud sens.
Da'th gwridde ac ystyr,
da'th llygedyn o obeth,
da'th yr holl hen wybodeth
yn glir, ar ôl Sian.

O'dd e'n fwy na gire,
o'dd e'n sownd wrth wlad!
O'dd e'n sownd i fi!
Ar ôl Sian.

O'dd ei syniadaeth, ei diddordebe cerddorol a llenyddol, yn cofleidio'r byd. Da'th Cymru a'r iaith Gymraeg yn rhan gydradd o'r byd mawr cyffrous hwnnw, yn hytrach nag yn rhywbeth cyfyngedig, yn rhywbeth i'w roi mewn bocs a'i labelu mewn ffordd o'dd yn ei gwneud hi'n amhosib i fi ddychmygu bod yn rhan ohono. Gwnaeth ceinder a huotledd Cymraeg tad Sian, T Raymond Edwards, o'dd hefyd yn rhugl ei Ffrangeg, argraff ar fy mam. Cawson ni drafodaethe angerddol di-ri, a chyflawnodd hithe hefyd ei naid seicolegol-ddiwylliannol ei hun, a dechreuon ni siarad Cymraeg â'n gilydd. Ymddangosodd iaith liwgar Dyffryn Aman ei hieuenctid fel olion hen ddinas goll wedi'i chladdu dan y tywod. Ry'n ni'n dal yng nghanol bwrlwm y drafodaeth anodd yma am hunaniaeth ac mae'n debyg na ddaw hi byth i ben. Ry'n ni wedi treulio gormod o amser o dan ormes yn ca'l ein gorfodi i gydgynllwynio ein difodiant ni ein hunain. O'dd y gyfundrefn addysg yn rhan hollbwysig o'r broses honno, a wnaeth neb ymdrechu'n fwy i Seisnigeiddio'i disgyblion na'r Queen Elizabeth Grammar School for Girls, Carmarthen.

Bydden i'n casáu ymarfer corff, hoci yn arbennig am ei fod e mas yn yr oerfel, ond o'dd y rhaffau a'r *wallbars* a'r holl geriach eraill yn y gampfa hefyd yn artaith lwyr i fi. Bydden i'n fforjo nodyn yn amal yn gofyn i ga'l fy esgusodi rhag y dioddefaint. Ond ro'n i'n gallu dawnsio ac felly cawn faddeuant gan yr hyfryd Fay Brian, yr athrawes addysg gorfforol. Dawnsies i ddawns Eidaleg, yn dambwrîn ac yn rhubanau i gyd, mewn *conversazione* yn yr ysgol oleuedig hon, ac fe wnes i hefyd ddawnsio'r *cancan*. Do'dd yr ysgol ddim yn wych am weithgareddau allgyrsiol: o'n i'n canu yn y côr dan arweiniad medrus Margaret Daniels ac yna Alan Fewster, yn canu'r *Creation* a'r *Messiah*, ac yn cystadlu yn Eisteddfod Pontrhydfendigaid, ond dim ond bob yn ail flwyddyn y cynhelid eisteddfod, a dau gynhyrchiad dramatig fu yn ystod 'y nghyfnod i. Rhoddwyd y pwysles yn gyfan gwbwl ar waith academaidd a'r ddisgyblaeth yr o'dd yn rhaid wrthi er mwyn cyrraedd y safonau aruchel. Fe lwyddon nhw'n ardderchog i wneud hynny. Ro'dd y disgwyliadau'n uchel a fiw i ni beidio â'u cyrraedd na pheidio gweithio hyd eitha ein gallu. Ac wrth ddarllen fy hen ddyddiaduron, dwi'n meddwl mai dyna achubodd fi rhag gorfod mynd i weithio yn Woolworths. Hynny, a'r ffaith ei bod hi'n ysgol i ferched yn unig, achos erbyn i fi gyrraedd dosbarth chwech ro'dd 'y mywyd cymdeithasol i'n syfrdanol o fywiog.

Bydde'r bywyd cymdeithasol yn cwmpasu ystod eang iawn o weithgareddau amrywiol a dansherus, yng nghwmni criw o ffrindie lliwgar. Heblaw am Sian, ro'dd Dorothy 'Dos' Reynolds, o bentre bach Llanybri, a'i dillad hynod, a'i hoffter o glustdlyse dramatig a phorffor. Christine Webber wedyn, o'dd erbyn hynny'n dilyn cwrs sylfaen yn y coleg celf, a Sian Morgan sydd nawr yn seicotherapydd yng Nghaergrawnt. O ffarm Nantybwla, sy'n enwog am ei chaws erbyn hyn, ro'dd Margaret Morgan, yn ferch athletaidd, a bu'n athrawes ymarfer corff yn Ysgol Bro Myrddin ond erbyn hyn mae'n diodde o salwch creulon MS ers blynyddoedd. A'th Jane Phillips, o westy'r Queen's, yn nyrs ac wedyn ymunodd â British Airways, tan ei hymddeoliad yn ddiweddar. Deirdre Lewis fydde'n dawnsio 'da fi yn yr opera a bydde hi'n chware sawl offeryn; ro'dd hi hefyd yn un o'r criw. Ac yn ola, yr amldalentog Beverley Jones, o stad tai cyngor Park Hall, o'dd yn chwaraewraig hoci wych ac yn meddu ar lais soprano anhygoel – actores a bardd talentog, yn ardderchog yn ei gwaith academaidd ac a fydde hefyd, o bryd i'w gilydd, yn bwyta sialc ac yn yfed inc. O'dd Rachel Thomas, fy ffrind ers y blynyddoedd cynnar, yn dal yn yr ysgol, ond ro'dd hi'n gymeriad llawer llai beiddgar ac eofn na'r gweddill ac yn raddol fe wnaethon ni dreulio llai a llai o amser yng nghwmni'n gilydd. O'dd y merched yn y criw yn gymeriade cryf tu hwnt, a'r cyfan ohonon ni yn yr un dosbarth, yn gorlifo o egni corfforol a deallusol, heb bresenoldeb beirniadol bechgyn i'n ffrwyno – dyna beth o'dd risêt am hwyl ac anarchiaeth.

Bydden ni'n mynd i lot o bartis, rhai'n wylltach na'i gilydd. Cofiaf am un cofiadwy iawn yn nhŷ Sian pan o'dd ei rhieni hi bant dros nos, a phobol yn taflu i fyny yn yr ornaments, ac un arall mwy cofiadwy byth yn ystod gwylie'r Nadolig yn yr ysgol yn Llandyfaelog. Duw a ŵyr pam y cytunodd 'Nhad i ni ga'l parti yno – mae'n debyg ei fod e'n meddwl ein bod ni'n griw tawel, parchus. Fe addurnwyd yr ysgol â chanhwylle, a gan ei bod hi'n adeg y Nadolig ro'dd y trimins yno'n barod. Yn anffodus gorchuddiwyd fy hoff recordie Beatles â dafnau o gŵyr, ond yn waeth na hynny, a'th y trimins ar dân wrth i ychydig o frandi landio arnyn nhw'n ddamweiniol. Llwyddon ni i osgoi llosgi'r lle i'r llawr, ond ro'dd yn rhaid gweithio'n galed iawn y bore wedyn i dacluso a glanhau ar ôl y gyflafan. Cerddoriaeth y Beatles o'dd trac sain y blynyddoedd gwyllt hyn ac mae caneuon fel 'Things We Said Today' a 'Michelle' yn dal i'n llenwi i â hiraeth melys. Cofio am y barbeciws ar draeth Scott's Bay yn Llansteffan, lle cysges i o dan y sêr unwaith gan godi a gwisgo'n iwnifform i fynd i'r ysgol y diwrnod wedyn. Y partis gwyllt wedyn yn nhŷ Christine Webber, drws nesa i'r ysgol, yng nghwmni myfyrwyr o'r Art School, y bobol fwya trendi a cŵl yn y bydysawd.

Câi dawnsfeydd eu cynnal yn Neuadd San Pedr, lle bydden ni'n dawnsio'r 'Hippy Hippy Shake' a'r 'Loco-motion', a'r smwtsh wrth gwrs, ar ôl bod yn y Coffee Pot neu'r Blue Boar. Yn un o'r dansys hyn gwmpes i mewn cariad â Roger Mansel o Gydweli, un o fyfyrwyr cŵl yr Art School, ac fe gwympodd Jimmy Rimmer mewn cariad 'da fi. O'n i'n dawnsio i sŵn bandiau lleol fel The Eyes of Blue a The Blues Organisation, The Jets a'r Mojos, a da'th The Who i Aberdaugleddau, er na ches i fynd mor bell â hynny gan Mam. Ond bydden i'n mynd i Lanelli i bartis ac i'r Glen Ballroom enwog, lle na'th y Walker Brothers a'r Kinks ymddangos. O'dd y grwpie byd-enwog yma'n teithio'n ddi-stop am flynyddoedd bwygilydd, i'r neuadde mwya di-nod. *One night stands* rhan fwya, felly do's dim rhyfedd eu bod nhw mor dda, na'u bod nhw weithie'n ildio i'w hysfa i falu ambell gitâr.

Pan dda'th y Four Pennies i Goleg y Drindod ro'n nhw ar frig y siartie gyda'r gân swynol ramantus 'Juliet', ac fe gwympodd Dos mewn cariad 'da'r prif leisydd gwallt gole, Fritz Fryer. Penderfynodd y ddwy ohonon ni fodio i ymweld ag e, yn Blackburn. O'dd ffrind ysgol i ni, Jennifer Amos, wedi symud i fyw i Preston, a'i chartre ddim ymhell o Blackburn, medde Dos, felly'r nod o'dd mynd i aros 'da hi. Dwi ddim yn cofio i ble dwedes i ro'n i'n mynd; mae'n rhaid bod Mam yn meddwl 'mod i'n aros yn Llanybri! Y noson gynta, er mawr syndod i ni, ro'dd hi'n nosi a ninne ddim ond wedi llwyddo i gyrraedd Wolverhampton. Ble o'n ni'n mynd i gysgu? Do'dd dim toiledau addas, na meysydd parcio, do'dd dim YMCA na Byddin yr Iachawdwriaeth. Trwy garedigrwydd rhyfeddol barmed y dafarn ro'n ni'n digwydd bod ynddi pan alwyd *last orders*, llwyddon ni i osgoi cysgu ar y stryd. A'th hi â ni gartre i'w fflat ar ôl gorffen clirio a glanhau ac fe gysgon ni ar lawr y stafell fyw ac fe gafon ni bobo gwpaned o goco cyn mynd i gysgu. Y bore wedyn cyrhaeddon ni dŷ Jennifer yn Preston a mynd am drip i ardal y Llynnoedd a'r coed yn eu lifrai hydrefol syfrdanol. Y diwrnod wedyn, bodion ni i Blackburn i chwilio am Fritz. Cafon ni groeso twymgalon 'da fe, a buon ni'n yfed coffi a siarad wrth y bwrdd mawr pren yn ei gegin am orie cyn troi 'nôl am gartre.

Bodion ni 'nôl yn gyflym, gan gyrraedd cyffinie Merthyr tua wyth y nos, a cha'l ein codi gan yrrwr caredig arall. Sylwes i fod pâr o welingtons a rhaw fawr ar lawr y car, ac wrth iddo adrodd yr hanes edryches i trwy'r ffenest a gweld llifoleuade anferth a dege o bobol yn palu mewn cae yn llawn o fwd. Y dyddiad o'dd 25 Hydref 1966. O'dd y gyrrwr wedi bod yn helpu i chwilio am gyrff y plant yn Aberfan. Pan es i 'nôl i'r pentre flynyddoedd wedyn i berfformio sioe i blant yn yr ysgol newydd sbon, ro'dd y noson dywyll honno yn dal i fod wedi'i serio ar fy nghof.

Tra o'n i'n mwynhau bywyd cymdeithasol cyffrous gyda'r 'Townies', byddwn i hefyd yn mwynhau'r cymdeithasu mwy traddodiadol gyda'r 'Boskins', neu'r 'Hambones' fel y gelwid hwy gan y 'Townies'. O'dd yr elyniaeth rhwng y ddwy garfan yn chwedlonol a'r ymladd rhyngddyn nhw'n ddigwyddiad cyffredin, un garfan yn Blue Street a'r garfan arall yn Red Street. Bydden i'n mynd gyda Millie Thomas o ffarm Ystradfawr a chriw o ffermwyr ifanc o Landyfaelog i yfed yn y Polyn, y Stag and Pheasant a'r Halfway ar Heol Llandeilo, ac weithie i gaffi o'r enw'r Alamo. Fodca a leim neu jin ac oren fydden i'n ei yfed fel arfer – diodydd benywaidd, addas – cyn mynd i ddawnsio yn y Drill Hall yng Nghaerfyrddin neu ymhellach, lle ro'n nhw'n chware 'God Save the Queen' ar y diwedd. O'dd y dawnsfeydd hyn yn fwy ffurfiol, y dynion yn hŷn, yn eu siwtiau a'u teis, a'r menywod mewn ffroge neis a'u gwallt wedi seto. Ar ddiwedd y noson bydden i'n mynd gartre mewn car ne' fan achos ro'dd wastad trafnidiaeth gan ffarmwr.

Ac ar drafnidiaeth ffarmwr arall y bydden i'n dibynnu wrth fynychu dawnsfeydd mwy traddodiadol fyth, sef y twmpathe dawns. Car ffermwr o'r enw Dai Lloyd o'dd yn mynd â ni ar hyd a lled y sir, ac yng nghefn ei gar e bydden ni'n rhannu fflagon neu ddwy o seidr. Dawns y fasged o'dd uchafbwynt y noson, pan fydde'r bechgyn yn tynnu eu cotie a rholio'u llewys i swingo'r merched rownd. Bydden i'n ceisio osgoi dawns y fasged, nid yn unig achos ei fod e'n ddansherus a merched weithie'n hedfan ar draws y stafell, ond ro'n i hefyd wedi sylwi ei fod e'n esgus da i bawb ga'l gweld *suspenders* a dillad isa'r merched. Do'dd merched ddim yn gwisgo trwseri'r amser hynny, a do'dd dim lot yn gwisgo *tights*. O'dd bachgen o'r criw o'r enw Mike Jones hefyd yn berchen ar gar, a bydden ni'n mynd i'r Square and Compass ym Mhontantwn ac i dafarne yn Llandeilo. Wedyn pasiodd Sian ei phrawf, a do's unman yn debyg i Lyn y Fan ar noson loergan yn yr haf.

O'n i fel tasen i mewn rhyw iwfforia parhaus, yn mynnu byw bywyd i'r eitha, yn rhedeg, yn brasgamu, yn neidio o un digwyddiad cynhyrfus i'r llall, rhag ofn i fywyd fynd heibio a minne ddim wedi manteisio arno gymaint ag y gallwn. Mae'n rhyfeddol faint o wahanol ddiodydd alcoholic ro'n i'n eu hyfed: fodca a leim, jin ac oren, fflagonau o seidr, Ponys, Babychams a'r Snowballs. O'dd Black Velvet yn ffefryn hefyd, er mai fersiwn merch dlawd, sef Guinness a seidr yn hytrach na siampên, fydden i'n ei yfed. Un nos Sadwrn gofiadwy, wireddon ni'r freuddwyd o ymweld â phob tafarn yng Nghaerfyrddin, 43 ar y pryd. Wnaethon ni ddim yfed ym mhob un wrth gwrs, ond o'dd e'n lot o hwyl.

Er gwaetha'r ffaith ein bod ni'n yfed y diodydd rhyfedda, yn bodio i leoedd neu'n trafaelu mewn ceir o'dd â'u gyrwyr weithie o dan ddylanwad, ddigwyddodd dim byd drwg i'r un ohonon ni. O'n ni'n gwbwl ddiniwed yn y bôn, yn chwilio am gyffro a hwyl, a do'dd pethe byth yn mynd ymhellach na chusanu ac ychydig o gyffwrdd trwy'r dillad. Pan na'th un o'n plith ni gyfadde ei bod hi wedi mentro ymhellach, lot ymhellach, fe alwon ni gyfarfod arbennig yn y llyfrgell i drafod y mater.

Gyda chriw o Gymry Cymraeg y bydden i'n mynd i'r twmpathe – Dai Lloyd, Mike Jones, Margaret Morgan a Sian – ac ymunes i ag Aelwyd yr Urdd yng Nghaerfyrddin. T James Jones, neu'r Parchedig T James Jones ar y pryd, Jim Parc Nest yr Archdderwydd erbyn hyn, â'i lais melfedaidd a'i hiwmor unigryw o'dd yn rhedeg yr Aelwyd ac ro'n i'n dwlu arno fe. Do'dd e ddim fel pregethwr o gwbwl, ac i ni o'dd ar dân eisie cwestiynu a herio'r *status quo*, ro'dd ei agwedd wahanol at Dduw a'i alwedigaeth, a'i barodrwydd i drafod ystyr bywyd gyda ni, yn ennyn ein parch. Bydde Sulwyn Thomas hefyd yn mynychu'r Aelwyd ac un noson fe dda'th Sulwyn â darn o hanes i ni ar ffurf recordiad ar beiriant tâp anferth hen-ffasiwn o Dafydd Iwan yn canu 'Wrth Feddwl am Fy Nghymru'. Canu pop yn Gymraeg! Anhygoel. Mae'r ffaith bod y gân araf, werinol ei naws, i gyfeiliant gitâr acwstig, yn haeddu'r label 'cân bop' yn crynhoi naws cerddoriaeth boblogaidd y cyfnod, ond cyffyrddodd y gân ynddo i am ei bod hi'n lleisio 'nheimlade a 'ngobeithion. Dyma beth o'dd adloniant cyffrous a pherthnasol yn Gymraeg. Dwi'n ein cofio ni i gyd yn sefyll yn dawel yn gwrando, yn gwylio'r tâp yn troelli ac yn clywed y llais yn darogan y dyfodol.

Yn yr Aelwyd y ces i 'nghyfle i actio yn Gymraeg am y tro cynta, mewn drama o'r enw *Hollti Blew*, addasiad o ddrama abswrd N F Simpson, *A Resounding Tinkle*, er mwyn cystadlu yn yr Urdd a'r Genedlaethol. Do'n i ddim yn actio ynddi o gwbwl ar y dechre. Sian a Sulwyn o'dd yn chware'r prif ranne, sef Mabli a Iori, a Margaret Morgan o'dd yn chware rhan Wncwl Ben, dyn o'dd wedi troi'n fenyw ac yn hoff o fwyta geirie. Wel, ddwedes i ei bod hi'n abswrd! Fi a Dai Lloyd o'dd tu cefn i'r llwyfan; Dai o'dd y rheolwr llwyfan a finne ar y tâp sain. Wnaethon ni'n dda iawn, gan gyrraedd Eisteddfod yr Urdd yng Nghaergybi. Ar y noson dyngedfennol wnes i fethu ciw sain gan orfodi Sulwyn druan i ad-libio'n despret am oesoedd a gwneud i Dai Lloyd ruthro mewn panig o ochr arall y llwyfan, a Mr Jones yn ei ddilyn i geisio sorto'r broblem. Er gwaetha 'nghawlach i enillon ni'r wobr gynta ac yfon ni siampên o'r cwpan mawr arian i ddathlu. Prawf cynnar o'dd hwn na wnelen i byth reolydd llwyfan llwyddiannus. Dwi'n ddyledus iawn i'r myrdd ohonyn nhw sydd wedi gweithio'n drefnus, cyfrifol a digynnwrf y tu cefn i'r llenni. Dwi ddim yn gwybod ai fy ymges druenus i i fod yn dechnegydd neu'r ffaith bod Margaret ddim ar ga'l o'dd y rheswm, ond fe ges i chware rhan Wncwl Ben yn Eisteddfod Aberafan. Enillon ni'r tro hwnnw hefyd ac, yn nes 'mla'n, mewn perfformiad yng Nghaerfyrddin, fe ymddangosodd dau Wncwl ar y llwyfan!

O'n i wedi clywed darne o'r hudolus *Dan y Wenallt* gan

Mr Jones yn ystod ymarferion *Hollti Blew* wrth iddo weithio arno, ac ro'n i'n gyffro i gyd pan ges i gynnig rhan. O'n i, yn ogystal â Margaret, yn mynd i ymddangos yn y perfformiad Cymraeg cynta erio'd o'r ddrama – y *premiere* byd – yn ogystal â'r fersiwn Saesneg, a hyn i gyd yn Nhalacharn ei hunan. O'dd hyn fel gwireddu breuddwyd. Weles i'r telediad â Donald Houston yn chware'r prif lais yn y Lion yn ferch fach a phan ddarllenes i'r ddrama am y tro cynta yn fy arddege ces i 'nghyfareddu gan *Under Milk Wood*. O'n i'n gallu uniaethu'n llwyr â'r gymuned o'dd yn byw mewn pentre bach glan y môr.

Rhan Mae Rose Cottage o'n i'n 'i chware, rhan a chwaraes i'n llythrennol gannoedd o weithie wedyn yng nghynhyrchiad Cwmni Theatr Cymru ar daith yng Nghymru a Lloegr, yn Norwy, Sweden a'r Ffindir ac ar ôl hynny yn y West End yn Llundain yn theatr y Mayfair am wyth mis. Yn Nhalacharn yr haf hwnnw o'n i'n ddwy ar bymtheg go iawn, yr un oed â Mae, ac wrth fy modd yn dweud 'mod i'n mynd i 'bechu sbo fi'n bosto' ac yn edrych 'mla'n at 'fynd i uffern'. Gwynne D Evans o'dd yn cynhyrchu (fe drosodd *Grand Slam* i'r Saesneg flynyddoedd wedyn), a chriw o actorion talentog tu hwnt yn perfformio. O'dd y cast yn cynnwys Glyn a Wendy Elis (rhieni Steffan Rhodri), Dulcie Plucknett a'i merch Victoria Plucknett (Diane yn *Pobol y Cwm*), Anti Marian yn yr un gyfres, Buddug James, Lyn Ebenezer, Ernest Cross Evans, Alun Lloyd, Peter John o Grymych, a Bryn ac Edna Bonnell. Anita Williams o Drimsaran o'dd yn chware rhan Poli Gardis, rhan arall a chwaraes i yng nghynhyrchiad Cwmni Theatr Cymru, a bob tro bydden i'n canu cân hiraethus Poli o'n i'n cofio am Anita. Wna i byth anghofio'i chlywed hi'n canu 'Ar Lan y Môr' yn y parti ar y diwedd chwaith. Do'n i erio'd wedi clywed canu gwerin fel'na o'r bla'n, yn gerddorol, yn ystyrlon ac yn dod yn syth o'r galon. Ro'dd hi'n canu'n rhydd, yn chware â'r node, fel tase hi'n canu jazz bron, ac yn actio'r gân â'i thechneg ddi-fai wedi'i chuddio'n gelfydd. Llwyddai i ga'l ei chynulleidfa i ymgolli'n llwyr yng nghyfaredd y gân.

Ychydig iawn o gyfle gawson ni i actio yn yr ysgol, er gwaetha ymdrechion ein hathrawes Saesneg ysbrydoledig, Vera Thomas. Trawsnewidiodd Vera ein hagwedd tuag at addysg a bywyd a llwyddodd i'n ca'l i anghofio am holl ddiffygion eraill yr ysgol bron. Fe dales deyrnged iddi yn *Holl Liwie'r Enfys*:

Vera, Vera, mae hi'n gwisgo *mules*,
ma'n nhw'n wyn, ma'n nhw'n sofft, ma'n nhw'n *suede*.
Mae'n symud yn dawel,
yn llyfn a diymdrech,
mae fel bod arallfydol.
Ma'i gwallt hi yn wynlas,
wedi steilo yn berffeth,
mae'n berle, mae'n silc,
ma 'i chro'n hi mor frown.
Mae'n aristocratic,
mae'n hollol ddramatic.
yn ofnadw o gain.
Mae'n codi ei haelie,
yn syth ni'n tawelu.
Ni'n addoli 'i hysbryd,
'i meddwl disgybledig,
ffraethineb do's mo'i debyg,
ni'n moyn bod fel hi.
'Oh, girls, look at the sky!'

Ni'n edrych ar yr awyr bob dydd.
A rhyfeddu.

Perfformies i'r darn yna yn Llandyfaelog, yn nhafarn y Lion, yn yr adeilad sydd wedi'i godi yn gwmws yn y man lle bues i'n eistedd yn gwylio Sid a Nelly John yn godro'u gwartheg. O'dd criw o gyn-ddisgyblion y Gram yn y gynulleidfa, ac fe'u clywyd yn ochneidio fel un mewn addoliad a chydnabyddiaeth pan glywon nhw enw Vera. O'dd arnon ni ofn Vera, wrth gwrs, fel o'dd arnon ni ofn pob athrawes arall yn yr ysgol bron, fel Nellie May o'dd yn dysgu Biol:

> Yn y labordy ma jare pob seis
> yn llawn formaldehyde,
> a pethe 'di piclo
> yn oefad miwn stwff cymylog
> fel jeli brown.
> Cyrff wedi'u rhewi,
> brogaid wedi'u stretsio,
> llyged seis peli yn woblo.
> cro'n plu a gwinedd,
> tra'd, coese, crafange,
> ac ambell i bawen.
> O! o le mae'n 'u ca'l nhw?
> A babi cyfan miwn potel.
> O le gath hi hwnna?
> Yn genol y nos,
> Mae mas yn y goedwig,
> gyda'i fflachlamp a'i rhwyd yn ei chlogyn hir, du.
> Mae'n cered yn dawel trw'r brwyn a trw'r gwair,
> rhaff drwchus a cylleth, a chlorofform.
> Arsenic a bwyell,
> a bwceded o ddŵr.
> Mae'n gwisgo ei waders i fynd miwn i'r afon.
> Sdim sgrech na ochenaid,
> sdim edifarhau.
> Dod nôl i'r labordy yn cario hen sach.
> Mae'n cysgu dan ddesg sbo'r haul yn codi...

Dwy ddrama ysgol fuodd tra o'n i yn y Gram, a'r ddwy yn Saesneg wrth gwrs. *Our Town* gan Thornton Wilder, pan o'n i yn Form Two, a Patricia Davies ddeallus a thalentog, sy'n chwaer-yng-nghyfraith i fi erbyn hyn, yn chware rhan y traethydd; ac *Emma*, addasiad o nofel Jane Austen, pan o'n i yn y chweched isa. Ches i ddim rhan yn *Our Town*, ond fe ges i ran yn *Emma*, yn chware rhan y ffeirad ffyslyd, Mr Elton. Yn absenoldeb bechgyn ro'dd yn rhaid i ni ferched chware rhanne'r dynion. O'n i wrth 'y modd. Wnes i ymroi i'r pleser o greu am y tro cynta symudiade corfforol a nodweddion lleisiol person a chymeriad cwbwl wahanol i fi fy hunan. Beverley Jones bengoch o'dd Emma ac ro'dd hi'n wych. A dyma'r tro cynta hefyd i fi brofi'r pleser amheuthun o wneud i gynulleidfa chwerthin a cha'l ymateb. Y fath bŵer! Y fath gymeradwyaeth! Dyma ddechre'r siwrne ddiddiwedd o geisio ail-greu'r teimlad cynnes yna drosodd a throsodd.

Dim ond unwaith y ces i gyfle i actio yn Gymraeg yn yr ysgol, a hynny yn nosbarth chwech, pan chwaraes i ran dyn unwaith eto, sef Dafydd ap Gwilym yn y ddramodig *Pan Ddêl Mai* gan Gwilym T Hughes. O'dd Cissie Jones, mam Dafydd Iwan, wedi ymuno â'r staff a hi o'dd y cynhyrchydd. Trwy ryw gyd-ddigwyddiad rhyfeddol fe ymddangoses i yn y ddramodig fach hon gyda Chwmni Theatr Cymru hefyd. Rhan y forwyn o'n i'n ei chware y tro hwnnw, mewn noson o adloniant o'r enw *Ar Fai*, a phwy o'dd yn chware rhan Dafydd ap Gwilym ond Dafydd Iwan!

Yn ystod y cyfnod yma, yn sgil f'ymddangosiad yn *Hollti Blew*, ar sgwâr Aberafan adeg Eisteddfod Genedlaethol 1966 ges i 'mlas cynta ar ochr wahanol steddfota, pan o'dd hi'n arferiad i orffen pob noson gyda môr o ganu cynulleidfaol yn yr awyr agored. Hon o'dd y Steddfod gynta i fi ei mynychu ers i fi ymweld ag Eisteddfod Genedlaethol Llanelli yn 1962 gyda 'Nhad ar ddiwrnod gwyntog a glawog diflas, ac yn llawn brwdfrydedd yn 1967 a'th criw ohonon ni i'r Bala i archwilio posibiliade pleserus amgen ein sefydliad cenedlaethol clodwiw. Fi, Sian, ei chwaer Catrin a'i ffrindie Menna, Elinor, Olwen a'i ffrindie hithe Violet a Delyth, a Mike Jones, ffrind i ni i gyd. O'n ni'n aros mewn carafán yn Llandderfel am yr wythnos, er mai dim ond unwaith dwi'n cofio mynd i mewn i'r maes – yn sicr aethon ni ddim yn agos at y pafiliwn. Er ein bod ni'n falch o glywed mai merch, Eluned Phillips, enillodd y Goron, do'n ni ddim eisie ymuno â Merched y Wawr ga'th ei sefydlu'r wythnos honno!

O'dd pum tafarn yn y Bala, a hen ddigon i ddisychedu holl Eisteddfotwyr Cymru ar y pryd, ac fe dreulion ni lot o amser ynddyn nhw i gyd. Un noson a'th deg ohonon ni mewn ysbryd heriol i Drywer yn i gynnal Noson Lawen, credwch neu beidio. Fe ddringon ni dros ffens weiren bigog, mynd drwy gwter fawr ac wedyn dros ffens drydan yn y glaw, cyn i Olwen ga'l ei dal gan un o'r gwarchodwyr. Cafon ni'n hebrwng i'w stafell i ga'l sgwrs ddigon cyfeillgar gydag e a'i gyd-weithiwr wrth aros i'r heddlu gyrraedd i'n bwcio ni. Chlywon ni ddim rhagor am y peth ac fe dreulies i'r noson yn yr enwog Maes 'B', a anfarwolwyd gan Y Blew, y grŵp trydanol cynta i ganu yn Gymraeg. 'Sdim rhyfedd 'mod i wedi dal annwyd trwm a gafodd effaith ddigon rhyfedd ac unigryw ar fy llais. Dreulion ni'r noson ola ar ffarm deuluol Rhiannon Gwynfor ac fe greais i adloniant swreal trwy gynhyrchu dau lais ar yr un pryd wrth ganu harmoni 'da fi'n hunan yng nghân enwog Tom Jones, 'The Green Green Grass of Home'.

Ond fe gafon ni'n siâr o ddiwylliant hefyd. Gwelon ni gynyrchiadau o *Y Sw* gan Edward Albee, *Amlyn ac Amig* gan Saunders Lewis, *Y Fam Gwroldeb* gan Brecht, *Cymru Fydd* gan Saunders Lewis a *Rifiw* gyda Ryan a Ronnie, y ddau ola'n gynyrchiadau gan y newydd-anedig Cwmni Theatr Cymru. O'n i wedi bod yn aelod o Gymdeithas Cwmni Theatr Cymru ers i fi weld *Saer Doliau* gan Gwenlyn Parry yng Ngholeg y Drindod y flwyddyn flaenorol. Actorion gwych a sgript wych – drama fodern berthnasol! Yn Gymraeg! O'dd Gaynor Morgan Rees yn rhywiol a hardd yn ei dillad ffasiynol a'i gwallt melyn syth; o'dd Owen Garmon â'i wallt hir du yn rhywiol mewn siwt dynn ddu, ledr un darn ac o'dd David Lyn yn cymeriadu'n wych fel yr hen saer ei hun. Galle hwn herio unrhyw gynhyrchiad unrhywle yn y byd, meddylies. *Epiphany* arall!

Er gwaetha'r holl rialtwch gwallgo, rhaid pwysleisio 'mod i'n gweithio'n galed ac yn gyson yn yr ysgol. O'dd trefn lem y

Gram yn ein gorfodi i gadw'n trwynau ar y maen ac yn ein hysgogi i gwestiynu a dadansoddi, i ddarganfod ac i drafod. O'n i o ddifri am lenyddiaeth a hanes ac wrth fy modd yn darllen *La Tête sur les Epaules* gan Henri Troyat, yn dysgu am hanes Pedr Fawr o Rwsia, yn darllen *Paradise Lost* gan Milton ac yn y bla'n. O'r diwedd, yn nosbarth chwech, o'dd y gwaith yn wirioneddol ddiddorol. Ar fore'r canlyniadau Lefel 'A' yn y Bala, da'th Catrin chwaer Sian 'nôl gyda'r cartons lla'th boreol o ffarm Bryn Melyn yn Llandderfel yn chwerthin cymaint nes i'r lla'th ddechre arllwys dros ei dillad. O'dd Mr Edwards, ei thad, wedi ffono i ddweud bod Sian a finne wedi ca'l tair 'A'. O'n i'n disgwyl i Sian ga'l tair 'A', ond yn fy achos i gredes i falle fod Raymond wedi ynganu'r 'E' yn y dull Cymreig. Ond na, tair 'A' o'dd e. Ar ôl i'r newyddion suddo, tua diwedd y prynhawn, dwi'n cofio meddwl, 'Pam wnes i weithio mor galed? Bydde tair "B" wedi gwneud y tro'n iawn.'

Hanes, Saesneg a Ffrangeg o'dd 'y mhynciau i ac i Goleg y Brifysgol, Caerdydd ro'n i wedi penderfynu mynd, i astudio Hanes, Saesneg ac Archaeoleg. O'dd dim modd gwneud iaith fodern yr adeg honno heb ennill Lefel 'A' Lladin, ac er i Miss Wooloff geisio'i gore i 'mherswadio i, ro'n i'n methu wynebu dwy flynedd arall o'r frawychus Ma Morris, yr athrawes Lladin! O'n i wedi trafod gwneud cwrs Drama, ond dwedodd Miss Wooloff ei fod e'n rhy anodd. Do'n i ddim yn siŵr ai cyfeirio at yrfa fel actores o'dd hi, neu'r cwrs, ond dwi'n meddwl mai eisie 'ngweld i'n dilyn gyrfa academaidd o'dd hi – o'dd Drama'n bwnc rhy *frivolous* i Miss Wooloff. Wrth gwrs, o'dd y syniad o ga'l gyrfa fel actores yn ymddangos ymhell iawn o 'ngafael i gan na fydde pobol yn gwneud pethe fel'na yn niwedd y chwedege yng Nghymru.

Bydde'n rhaid mynd i Loegr i goleg Drama, a chan y bydde hi'n anodd iawn gwneud bywoliaeth drwy actio, bydde'n ormod o fenter o lawer. O'dd 'yn rhieni'n awyddus i fi fynd i'r Brifysgol ac ro'dd pawb wedi cymryd yn ganiataol mai dyna beth wnelen i. Beth bynnag, ro'dd hi'n bwysig ca'l gradd wrth gefn, tasen i'n penderfynu 'mod i'n dal eisie actio ar ôl cwblhau'r cwrs gradd. Felly, dim dadl, ro'dd yn rhaid i fi fynd i'r Brifysgol.

Gan fod rhywun wedi dweud y dylwn i, es i am gyfweliad i Brifysgol Bryste, ar 'y mhen fy hun ar y trên, mewn siwt werdd â sgert fer iawn, a *beret* felen wedi'i chrosio gan Mam-gu. Wrth weld fy mab, Steffan, yn graddio o'r adran Hanes yno gan dderbyn BA ac yna MA, yn adeilad Wills, o'n i'n cofio'r ferch ifanc nerfus ar fore o wanwyn, dri deg o flynyddoedd ynghynt.

I Gaerdydd es i yn y diwedd. Do'n i ddim eisie mynd i Abertawe gan ei fod e'n rhy agos ac ro'dd Bangor ac Aberystwyth yn rhy fach, yn rhy debyg i Gaerfyrddin. Holl bwrpas prifysgol o'dd ymchwilio i'r posibiliade newydd a cha'l anturiaethe ac felly'r unig ddewis o'dd Caerdydd. O'dd y syniad o adael Cymru yn anathema i fi, ar drothwy cyfnod mwya cynhyrfus ein hanes. Wedi'r cwbwl, o'n i wedi bod yn dyst i ddechre'r chwyldro'n barod, ar sgwâr Caerfyrddin yng Ngorffennaf '66, wrth i Gwynfor ennill sedd seneddol gynta Plaid Cymru.

Trwy ddylanwad Sian, fel nifer fawr o bobol eraill, yr ymunes i â'r Blaid. Ar ôl derbyn y gosodiad cychwynnol fod Cymru'n genedl, dyna'r unig gam rhesymegol. Yn sgil y trafod a'r cwestiynu llenyddol a hanesyddol yn yr ysgol, tyfodd y diddordeb naturiol mewn gwleidyddiaeth. Beth o'dd y ffordd ore o drefnu pethe? Achos dyna yw gwleidyddiaeth, nid rhywbeth mawr cymhleth sydd tu hwnt i afael y rhan fwya o bobol, fel y ceisiodd Mrs Thatcher ein perswadio ni wrth iddi yrru'r wlad dros ddibyn hunanoldeb. Mae'r hawl i gyfrannu at y drafodaeth ynghylch sut mae trefnu'n bywydau yn hawl sifil. A gwae ni os anghofiwn ni hynny. Faint o hawl o'dd gyda ni dros ein bywydau? Yr ateb ar y pryd yng Nghymru o'dd 'dim'. A'r elfen gyffrous o'dd teimlo ein bod ni'n gallu newid ein byd er gwell, ein bod yn gallu newid cwrs hanes.

Plaid fach ymylol iawn o'dd Plaid Cymru yn y pumdege a'r chwedege cynnar. Er iddo geisio am swydd pennaeth mewn amryw o ysgolion yn ystod y cyfnod, gan fod 'Nhad yn cefnogi'r Blaid chafodd e 'run o'r swyddi. O'dd Sir Gaerfyrddin yn ca'l ei rhedeg gan y Blaid Lafur, trwy ei harweinwyr Lottie Rees Hughes a'i gŵr Douglas, ac ro'dd eu rheolaeth ar apwyntiadau cyhoeddus yn chwedlonol o haearnaidd. Gwynfor o'dd unig gynghorydd Plaid Cymru ar Gyngor Sir Caerfyrddin, a bodolai teimlade o gasineb ffyrnig tuag at y Blaid – ro'dd sôn bod brics yn ca'l eu taflu trwy ffenestri cefnogwyr hyd yn oed. Ddeugain mlynedd yn ôl ro'dd y syniad o genedligrwydd gweithredol yn ddieithr i drwch y boblogaeth a'r rhan fwya ddim yn ymwybodol o'u Cymreictod. Erbyn hyn mae pob plaid yn y Senedd ym Mae Caerdydd yn cofleidio'r Cymreictod a fu'n destun sbort a dirmyg ddeugain mlynedd ynghynt.

Yn sgil marwolaeth Megan Lloyd George y cynhaliwyd yr isetholiad yng Nghaerfyrddin, ac am un o'r gloch y bore ar 15 Gorffennaf 1966 enillodd Gwynfor Evans sedd gynta Plaid Cymru yn San Steffan. Ysgytiwyd Caerfyrddin a Chymru i'w seiliau. Tair wythnos o rybudd yn unig a gafwyd, ond ro'dd Plaid Cymru'n barod. O'dd cangen ieuenctid y Blaid yng Nghaerfyrddin yn effeithiol tu hwnt, gyda Sian a Geraint Thomas – 'Prof' fel o'n ni'n ei alw fe – Tony Jenkins, David Rees ac amryw o rai eraill yn weithgar iawn. O'n i'n helpu 'da'r canfaso yn ystod y dydd, yn teithio'r sir gydag Alun Rees a Dyfrig Jenkins, yn annog pobol i bleidleisio i Gwynfor ar uchelseinydd, yn codi posteri yng nghanol y nos ac yn mynychu'r cyfarfodydd cyhoeddus i heclo neu gefnogi, gan gynnwys y cyfarfod cyhoeddus trydanol hwnnw yn sinema'r Lyric noson cyn yr etholiad. Yn hytrach na gwylio *B movie* a dodjo fflachlamp yr *usherette*, ro'n i'n gwrando ar Gwynfor yn ein hargyhoeddi bod unrhyw beth yn bosib ac yn gwrando ar Dafydd Iwan yn canu am ryddid. Un o ddywediadau Gwynfor o'dd, 'Os y'ch chi am fod yn rhydd, mae'n rhaid ymddwyn fel tasech chi'n rhydd yn barod.' Dyna allwedd y llwyddiant ry'n ni'n dal i ymbalfalu amdano fel cenedl mewn amryw o feysydd.

Y diwrnod canlynol, diwrnod yr etholiad, fodd bynnag, llwyddodd digon o bobol i ddod o hyd i'w Cymreictod nes rocio'r dre. Gellid clywed sŵn y dorf yn glir uwchben Cwmoernant, lle ro'n i a deg o ffrindie wedi stwffo i mewn i fan ffrind o'r enw Graham ac yn yfed seidr yn y goedwig tra bod y pleidleisiau'n ca'l eu cyfri. Aethon ni lawr i'r sgwâr erbyn hanner nos, i ymuno yn y canu, y clapio dwylo a'r llafarganu 'Gwynfor, cha cha cha' ac i fod yn rhan o'r fonllef o orfoledd ar ôl clywed y geirie 'Gwynfor Richard Evans, un fil ar bymtheg, cant saith deg naw'. O'dd Gwynfor wedi ennill, a chanddo fwyafrif o bron i dair mil, er boddhad i'r ddwy fil o bobol o'dd wedi'u gwasgu yn y sgwâr a'r rheiny'n hongian o byst lamp ac o gwmpas y cerflun yn y canol – gallech chi dyngu eu bod nhw i gyd yn Bleidwyr. O'dd pobol yn rhedeg, yn cofleidio, yn gweiddi ac yn llefen mewn hapusrwydd, yn gwbwl anghrediniol bod y wyrth wedi digwydd, ac fel o'dd yn arferol yn y dyddie hynny, fe barodd y canu bendigedig am orie wrth i ni i gyd ddathlu cyflawni dyhead a ymddangosai'n chwerthinllyd o amhosib i'w wireddu dri mis ynghynt.

O'dd lot o ffactore, mae'n debyg, yn gyfrifol am lwyddiant Gwynfor y noson honno. Ar noson canlyniadau'r etholiad cyffredinol, ar 1 Ebrill, dri mis ynghynt, ro'n i wedi bod yn sefyll yn yr union fan yn dathlu'r ffaith bod pleidles Gwynfor wedi cynyddu o ddwy fil. O'dd pleidles Megan Lloyd George wedi codi'n sylweddol hefyd. Gwnaethpwyd Cledwyn Hughes yn Ysgrifennydd Cymru ac fe addawodd Llafur gyngor etholedig a chynllun economaidd i Gymru. Mae'n anhygoel fod Syr Ifan ab Owen Edwards wedi sgrifennu geirie tebyg i hyn i longyfarch Cledwyn Hughes ar ei apwyntiad,

> Ymhlith y gwersi ry'n ni wedi'u dysgu yn yr etholiad diwetha yma mae'r un na all y Blaid Genedlaethol, o dan yr amgylchiadau presennol, fyth lwyddo fel plaid wleidyddol ac mai'r Blaid Lafur yw Plaid Genedlaethol Cymru erbyn hyn. Fe fydde'n wych petai modd i Gwynfor ac un neu ddau tebyg iddo ddod atoch chi i chwyddo'ch rhengoedd.

Bydde'n ddiddorol gwybod beth o'dd ei ymateb i'r noson hanesyddol honno ar sgwâr Caerfyrddin dri mis yn ddiweddarach. Os yw diwrnod yn hir mewn gwleidyddiaeth, yn yr achos yma ro'dd tri mis a hanner yn ddigon hir i greu chwyldro. O'dd marwolaeth y garismataidd Megan Lloyd George a'i thras gwleidyddol yn ffactor pwysig, ac amhoblogrwydd y llywodraeth Lafur o dan arweiniad Harold Wilson yn un arall. Eto i gyd, tyfodd hyder ymhlith y cefnogwyr wrth ymgyrchu'n galed ac egnïol o dan arweiniad y dewiniaid Cyril Jones, asiant Gwynfor, ac Islwyn Ffowc Elis y nofelydd.

Ar 15 Gorffennaf ymunes i â'r *motorcade* buddugoliaethus o gwmpas y sir. Yna, ar y dydd Iau canlynol, o'n i'n un o fil yn sefyll tu fas i balas Westminster, a'r wythnos ganlynol o'n i yng nghynhadledd y Blaid ym Maesteg. O'dd 'na deimlad bod unrhyw beth yn bosib, teimlad bod hwn yn well nag alcohol, yn well nag unrhyw gyffur yn y byd.

Cenedlaetholdeb du a gwyn o'dd hwn, wrth gwrs, ac mae rhai'n dadlau bod gwleidyddiaeth Gwynfor wedi'n dal ni 'nôl, ei fod e'n rhy geidwadol, yn rhy hen-ffasiwn. Ond yn 'y nhyb i, dim ond hyn o'dd yn bosib ar y pryd, y cam cynta tuag at y *broses* o ddatganoli, chwedl Ron Davies. Ro'dd rhai'n dal yn ofn cydnabod bod Cymru'n genedl wrth i ni ymladd ac ennill y refferendwm ar bwerau llawn i'r Cynulliad. 'We are walking backwards to independence', i ddyfynnu'r bardd Harri Webb.

Trwy'r holl flynyddoedd hyn o'dd 'y mherthynas i â Sian fel islais yn rhedeg drwy'r holl weithgareddau amrywiol. O'dd hi'n llawer mwy diddorol nag unrhyw un o'r bechgyn, ac yn wir nag unrhyw un o'r merched, ro'n i wedi cwrdd â nhw cyn hynny. Yn ddeallus, yn wreiddiol, yn tu hwnt o hyderus a flwyddyn yn hŷn na fi, yn ca'l ei phen-blwydd ar 30 Awst a finne ar y 29ain, ond flwyddyn yn iau. Yn lwcus i fi ro'dd ei thad wedi teimlo ei fod e'n annheg ei bod hi mor ifanc yn ei blwyddyn ac felly cafodd hi ei chadw yn ôl am flwyddyn. O'n i'n meddwl ei bod hi'n anhygoel. Bydden ni'n gwrando ar Chopin, yn sgrifennu barddoniaeth ac un prynhawn ar ôl ysgol dorron ni'n garddyrnau a chymysgu'n gwaed yn stop bysys Eynons yn Heol Awst.

Pan fydde'r gweithgareddau'n gorffen lot rhy hwyr i ddala'r *ten past ten*, bydden i'n mynd i dŷ Sian a cha'l ŵy wedi'i ferwi a thost brown i frecwast yn y gwely, cyn i 'Nhad ddod i 'nôl i tua deuddeg ar fore dydd Sul, wedi iddo fod yn pregethu yn yr eglwys. Yn y Ceffyl Du y bydden ni'r cenedlaetholwyr yn yfed fel arfer. The Black Horse o'dd ar yr arwydd tu fas pan ddechreuon ni fynychu'r lle'n rheolaidd, a tad Ronnie Williams, sef Iori Williams, o'dd yn cadw'r dafarn, felly cyn hir newidiwyd yr enw. O'dd Iori'n dafarnwr hynaws, mor hynaws nes y bydde fe'n amal yn diweddu'r noson ar ben ryw ford yn canu nerth ei ben.

Yn y Ceffyl Du, tua thair wythnos cyn Eisteddfod y Bala, y cwrddes i â Guto. O'dd Guto'n fab i Gwynfor Evans, yn lot o hwyl, yn ddifyr a deallus, mop o wallt euraid cwrlog ganddo a gwên fel yr haul. Un nos Sadwrn tua diwedd Awst, penderfynodd criw ohonon ni fynd o'r Ceffyl Du i ddawns Y Blew yng Nghwm Rhyd y Saeson ar bwys Llangadog a dwedodd Guto, 'Aros tu fas i fi, fe dala i ti miwn.' O'r dechre anrhamantus hwnnw datblygodd y noson yn stori dylwyth teg. Ar ôl dawnsio am sbel, aethon ni mas i'r noson loergan ac wrth i ni gusanu o dan y lleuad ar lannau afon Tywi, gofynnodd Guto i fi ei briodi fe. O'n i wedi darllen am bethe fel hyn a do'n i ddim yn gwybod beth i'w ddweud. O'dd 'na elfen o banig, gan ei fod e 'mhen pedwar diwrnod yn hedfan i ben draw'r byd. Ar y dydd Iau canlynol bydde fe'n gadael am ynysoedd pellennig y Falklands, oddi ar arfordir yr Ariannin, i wneud gwaith gwirfoddol am flwyddyn, yng nghanol y defaid. Er gwaetha'r holl gymdeithasu a chwmnïa, yr holl amseroedd hapus yng nghwmni bechgyn, do'dd dim un bachgen wedi'n ysbrydoli i i fod eisie mwy ac i feddwl am berthynas o ddifri. O'dd y berthynas hon yn wahanol. Penderfynon ni lythyru'n gyson.

Yn ystod yr haf euraid ola 'na, rhwng ysgol a choleg, haf 'All You Need Is Love' a 'If you're going to San Francisco, be sure to wear flowers in your hair', haf cariad, mae amser fel petai e'n rhewi am sbel. Do'n i ddim yn blentyn bellach ond eto, yn sicr, do'n i ddim yn oedolyn. Ro'dd ysgol, rhieni a chartre yn perthyn i'r gorffennol a'r dyfodol yn gyfrinach lwyr.

Yn niwedd Awst, a'th Sian a finne a ffrind i ni o'r enw Pat Evans am wylie gwallgo yn Llydaw, i wersylla yng nghar bregus Pat, hen Ford Popular *three-speed* a'r *wipers* 'mond yn gweithio wrth roi'r droed ar y sbardun. O'dd hynny'n anffodus gan ei bod hi'n dywydd ofnadwy, yn oer a glawog – ces i ffliw a chafodd Pat haint ar ei harennau ar ôl bod yn nofio yn y môr. O'dd Pat yn yrwraig ofnadwy, byth heb sigarét wrth yr olwyn, yn siarad yn ddi-baid a'i meddwl ymhell. Bydde'r car yn torri lawr yn gyson ac fe drwsion ni fe unwaith 'da pâr o deits, ond fe geson ni gyfle i fwynhau golygfeydd hyfryd yn gwbwl anfwriadol wrth aros i'r enjin oeri. Cwrddon ni ag aelode mudiad cenedlaethol Llydaw, gan gynnwys Pêr Denez yn ei felin wlân, a Roger Magwer, ac fe yfon ni fedd ym mhentre hyfryd Locronan. Torrodd y car lawr unwaith eto ar y ffordd gartre a ninne ym Mhort Talbot, a bu'n rhaid i dad Sian ddod i'n hachub ni. 'Mhen wythnos o'dd Sian ar ei ffordd i Aberystwyth, a minne ar fy ffordd i Gaerdydd i ddechre bywyd newydd.

12

Prifysgol Caerdydd

YN 1967 O'DD y siwrne o Landyfaelog i Gaerdydd yn cymryd tair awr o leia, yn dibynnu ar y traffig ym Mhort Talbot. Do'dd dim traffordd, wrth gwrs, ac ro'dd mynd i Gaerdydd fel mynd ar drip i'r lleuad. Digon cymysg o'dd 'y nhcimlade i gan fod hwn yn wahanol i drip rygbi achos bydden i'n ca'l dod gartre o fan'ny, meddylies wrth i fi eistedd yng nghefn y car gyda 'mrawd a dau drync. Yn *Holl Liwie'r Enfys* fe sonies i am bacio i adael:

> Merch yn paco ces. Yn garcus yn dewish yn plygu a dodi, y pethe o'dd raid iddi ga'l. Cloc a hancsheri a gwn-nos bach ffrili, bag bach o golur a sent. Radio, dyddiadur, a lot o ddillad newydd. Hanner coron lwcus, a gobeth, a hireth, a chyffro ac ofn. Dŵr glan yr afon a blode o'r berth, bwced Nan Llwyn Tywyll, beic Phyllis y Post, bedd Desmond, a gwallt Black Bess. Mae'n ffindo lle iddyn nhw i gyd, mae'n llanw bob twll a chornel, mae'n ca'l popeth miwn ac mae'n barod. Mae'n edrych ar yr awyr, '*Oh girls, look at the sky*!' A mae'n mynd wrth 'i hunan, yn betrus yn syfrdan, i dorri'i llwybr ar fynydd breuddwydion.

O'i gymharu â'r hyn y bydd plant yn mynd gyda nhw heddiw, ychydig o stwff o'dd 'da fi. O'dd Mam wedi prynu dillad newydd hyfryd i fi ac es i â'r jîns glas wrth gwrs, er i 'mrawd bwysleisio, 'Nice girls don't wear trousers to lectures'. O'dd Paul yn ei drydedd flwyddyn yng Nghaerdydd. Ei ddewis gwreiddiol, ar ôl ymchwil manwl o'dd yn cynnwys dadansoddi prospectws pob prifysgol ym Mhrydain, o'dd Coleg y Drindod yn Nulyn. Seiliodd ei ddewis, fel finne mae'n debyg, ar ystyriaethau cwbwl bragmatig a phersonol, yn ogystal â rhai academaidd – y ffaith bod gwylie'r Drindod yn hirach nag yn unman arall, a bod môr rhyngddo fe a gartre. Derbyniwn lythyre hirfaith o Ddulyn yn ystod y cyfnod ar ffurf cartwnau a barddoniaeth am anturiaethe cymeriade swreal y Gerrout a'r Milderfella, a chyfarwyddiade manwl ar sut i lanhau ei ddryll dwy faril yn drylwyr, yn barod iddo fynd i saethu hwyaid ym Mhenbre 'da'i ffrind FR ar ôl dod gartre. Sylweddolodd ar ôl blwyddyn nad o'dd athronyddu'n mynd i gynnal wyth o blant, y nifer ro'dd e a'i ddarpar wraig, Pat, yn anelu i'w ca'l, ac felly newidiodd Paul ei fyd a dod yn fyfyriwr yn Ysgol Pensaernïaeth Cymru, o dan arweiniad yr Athro Dewi Prys Thomas. Dwedodd hwnnw wrth Paul, ac ynte heb gymwysterau Celf, 'If you can think, we can teach you to draw.' Profodd y penderfyniad yn un llwyddiannus, a chafodd Paul radd dosbarth cynta.

O'dd ca'l cwmni brawd mawr yng Nghaerdydd yn amheuthun, yn enwedig ar y dechre, ac un o'r pethe cynta wnaeth e o'dd mynd â fi i'r Sarsparilla Bar yn y Morgan Arcade.

I Benarth yr es i ar y diwrnod cynta hwnnw pan es i'r coleg, i Llandaff House, cyn-gwfaint o'dd yn hostel i ferched. Cymraes arall yn yr hostel o'dd Susan Dobbs o Drawsfynydd. O'dd Susan yn aelod o grŵp llwyddiannus Y Pelydrau ac am wn i mai hi o'dd yr unig ferch lwyddodd i smyglo'r gwaharddedig, sef dyn, i mewn i'r hostel dros nos, ym mherson y bardd Gerallt Lloyd Owen. Criw o Gymry di-Gymraeg a Saeson o'dd ar 'y nghoridor i a nhw dda'th yn ffrindie i fi. Lindsay Allison a Judith Rees o Aberhonddu, Susan Swain o Landinam, Linda Fox o Weymouth, Olive Stubbs o Lundain a Margaret Greenwood a Katie Iddon o

Leeds, yn benna, a llwyth o ferched eraill hefyd. O'dd ca'l bod yn rhan o gymuned barod barhaol yn bleser ac yn gysur. Ymestynnes fy sgilie coginio trwy ddysgu sut i wneud omlet caws mewn ffrimpan *non-stick,* a llwyddes i olchi a sychu 'nillad, a dysgu sut i fyw ar 'y ngrant, er i fi deimlo bod rhain i gyd, a phob tasg arall ddyddiol gyffelyb, yn fwrn dianghenraid.

Ar gyfer blwyddyn gynta cwrs gradd ym Mhrifysgol Cymru ro'dd yn rhaid astudio tri phwnc, a Saesneg, Hanes ac Archaeoleg o'dd 'y mhynciau dewisol i. Dewises i Archaeoleg fel trydydd pwnc am fy mod i wedi fy nghyfareddu gan wareiddiad Groeg a Rhufain, yr Incas a'r Aztecs, ac fe fues i a Sian ar 'dig' yn Llandegai ger Bangor (ar safle Hi-speed Plastics erbyn hyn) – profiad tu hwnt o ddifyr. Serch hynny, darganfyddes i mai pwnc lled-wyddonol o'dd hwn yn y Brifysgol, a'r unig ran ohono wnes i ei fwynhau o'dd adloniant pur darlithoedd ym mhresenoldeb y rhywiol a'r deinamig Dr Keith Jarrett, wrth iddo frasgamu ar draws y stafell ddarlithio yn ei ledr du. Katie Iddon o'dd 'y mhartner yn y rhain yn ogystal ag yn y darlithoedd Hanes, fy mhwnc gradd dewisedig yn yr ail flwyddyn, wrth inni wibio trwy hanes Lloegr o 400 OC i'r Ail Ryfel Byd. Bydden ni'n gyson yn hwyr yn cyrraedd y darlithoedd ac weithie'n eu methu'n gyfan gwbwl. Yr unig ran o 'nghwrs academaidd wnes i wirioneddol ei fwynhau o'dd y ddau opsiwn Hanes Cymru a astudies i yn fy nhrydedd flwyddyn – cyfnod y Tuduriaid gyda Gwynedd Pierce ac Oes y Tywysogion gyda Gwynfor Jones, y ddau trwy gyfrwng y Saesneg wrth gwrs. Erbyn hyn dwi'n gwerthfawrogi'n fawr y ddisgyblaeth ddeallusol a dadansoddiadol ges i, ond o'dd y cwrs yn gyfyng ar sawl ystyr. Do'dd dim adran Hanes Cymru i ddechre, ac er mawr gywilydd i ni do's 'na ddim un yno heddiw chwaith, ac wrth gwrs, do'dd dim modd gwneud unrhyw bwnc ond Cymraeg trwy gyfrwng y Gymraeg. Ar ben hynny, do'dd dim sôn am hanes y dosbarth gweithiol, na hanes menywod, ac o ganlyniad do'dd dim ymwybyddiaeth o gwbwl o rôl hanes llafar. Des i i'r casgliad mai yn 'y nhridege, neu'n hŷn, y dylwn i fod wedi mynd i'r Brifysgol, nid yn unig am fod y cyrsiau a'r ffordd o ddysgu'n ddifyrrach ac yn fwy perthnasol, ond oherwydd y bydden inne mewn llawer gwell sefyllfa i'w gwerthfawrogi.

O'dd 'y nhymor cynta i yng Nghaerdydd yn artaith a hiraeth yn fy llethu. O'n i'n rhoi croes trwy bob diwrnod ar ddiwedd y dydd ac yn sgrifennu llythyre gartre'n wythnosol. Canran isel iawn o'r boblogaeth o'dd yn mynychu prifysgol yr adeg honno, a chanran lai fyth o fenywod, ac felly ro'n i'n ymwybodol ei bod hi'n fraint ac yn anrhydedd. Ond o'n i'n disgwyl profiade syfrdanol, diddorol a heriol, ac ar ôl chweched dosbarth y Queen Elizabeth a bywyd cymdeithasol amrywiol Caerfyrddin ro'dd bywyd coleg yn ymddangos yn ddof a di-fflach. Yn wir, eisie canolbwyntio ar weithio'n galed a sgrifennu traethodau da ro'dd mwyafrif helaeth y myfyrwyr, er mawr syndod i fi.

O'dd Caerdydd yn 1967 yn ymddangos yn ddinas gwbwl Seisnigaidd ac o'dd e'n brofiad rhyfedd i beidio â chlywed Cymraeg yn unman; wedi'r cyfan, o'dd y Gymraeg wastad

> wedi bod fel glaw mân ar 'y mhen i,
> o'n i'n socan i'r cro'n,
> yn wlyb tswps potsh...
> Fel cefnlen,
> fel gweld y tirwedd trwy haenen o law...

O'dd Saesneg yn boddi'r coleg, ac o'n i'n teimlo fel tasen i mewn gwlad arall. Nid yn unig do'dd dim Cymraeg i'w glywed ar y strydoedd o 'nghwmpas i, do'dd hi ddim, chwaith, yr adeg honno, i'w gweld ar unrhyw arwydd. Do'dd dim llawer o gymeriad i'r lle gan mai dinas lwydaidd a digymeriad o'dd Caerdydd yn y chwedege i fi, a do'dd dim cymhariaeth rhyngddi a phrifddinasoedd bywiog a hyderus Ewropeaidd heddiw. Ond dewises i Gaerdydd achos 'mod i eisie her, achos 'mod i eisie bodoli tu fas i 'nghynefin cyfforddus. Ro'dd rhaid i hynny olygu bod yn anghyfforddus am dipyn, ond ddim am hir. Wedi'r cwbwl, o'dd Cymru ar dân, gan mai dyma'r dyddie pan o'dd y chwyldro gwyrdd yn ei anterth.

O'dd Kathleen Davies o Drelech, merch arall o'r Gram, yn dilyn cwrs gwyddoniaeth ac yn byw yn Aberdare Hall, neuadd i ferched reit drws nesa i'r Brifysgol, a gyda Kathleen ymunes i â'r GymGym – y Gymdeithas Gymraeg. Ymunes i hefyd â Chymdeithas yr Iaith Gymraeg a changen Plaid Cymru y coleg, ac yng nghanol bwrlwm y gwrthdystio, y gorymdeithio a'r canfasio y treulies i ganran helaeth o 'nhair blynedd yng Nghaerdydd. Yn ystod 'y mlwyddyn gynta yn y coleg, 1967, y pasiwyd y Ddeddf Iaith gynta. Llywiwyd y ddeddf gan Syr David Hughes Parry, hen ffrind i 'Nhad o Kingston cyn y rhyfel, a gŵr i'r Haf honno roddodd fy ail enw i fi. Am y tro cynta ers canrifoedd, câi'r iaith Gymraeg ei chydnabod fel iaith swyddogol, er ei bod hi'n Ddeddf gwbwl annigonol. Fel y dwedodd Dafydd Elis-Thomas ar y pryd, 'Nid buddugoliaeth i bobol Cymru yw Mesur yr Iaith Gymraeg, ond galwad arnynt i gymryd yr awenau yn eu dwylo hwy eu hunain.' Yn 1967 hefyd, gydag amseru perffaith, gan fod ymgyrchoedd treth car, trwyddedau car a theledu, a'r ymgyrch arwyddion yn eu hanterth, cyhoeddwyd y bydde Arwisgo yng Nghastell Caernarfon yn 1969. Da'th holl arwyddocâd hanesyddol a diwylliannol y digwyddiad yn ffocws tanllyd i wleidyddiaeth cenedlaetholdeb yng Nghymru am y ddwy flynedd nesa. O'dd caneuon Dafydd Iwan, ac ynte erbyn hyn yn fyfyriwr gyda 'mrawd yn Ysgol Pensaernïaeth Cymru, yn anthemau ysbrydoledig, fel y gân gynta honno glywes i ar beiriant tâp Sulwyn, ac yn croniclo'r cyfnod.

Fy mhrotest gynta ar ôl cyrraedd Caerdydd o'dd honno y tu allan i'r Deml Heddwch nid nepell o gampws y Brifysgol, lle datgelodd Cledwyn Hughes gynlluniau'r llywodraeth ar gyfer yr Arwisgo. Yn ystod y nos ffrwydrwyd bom yn y Deml Heddwch gan MAC, sef Mudiad Amddiffyn Cymru, ac fe barhaodd yr ymgyrch fomio tan fis Tachwedd 1969. O'dd yr awyrgylch yn danllyd. Wrth i fi sefyll yno'n protestio da'th 'y mrawd allan o adeilad UWIST yn gwbwl anghrediniol wrth weld ei chwaer fach yn rhan o'r gweithgaredd. Arestiwyd 13 gan gynnwys Huw Llywelyn Davies, Llinos Jenkins a Geraint Jones o'r GymGym. Parhaodd y gwrthdystio ffyrnig ar hyd y cyfnod, a da'th llu o heddlu cudd – hawdd eu sbotio yn eu dillad ffurfiol, eu gwallt byr ac yn benna eu sgidie shinog du – i eistedd mewn tafarndai gan geisio'n aflwyddiannus i ymdoddi yn y dorf, a cheisio edrych yn ddiniwed wrth sipian eu cwrw.

Bues i'n protestio yn Eisteddfod yr Urdd yn Aberystwyth, yn noswylio yng Nghilmeri ac o'n i yn y rali fawr tu fas i furiau trwchus Castell Caernarfon ar y dydd Iau cyn yr Arwisgo. Erbyn hynny o'dd y Prif Weinidog, Harold Wilson, wedi cynhyrfu'n lân ac ro'dd 2,500 o filwyr Prydeinig ar ddyletswydd yn Eryri.

Mae'n anodd credu erbyn hyn bod yr ymgyrch i sicrhau sianel Gymraeg wedi cychwyn mor bell 'nôl ag 1968, ac mae'n bwysicach nag erio'd cofio mai trwy ymgyrchu dygn o'dd yn cynnwys cyfnodau yn y carchar i lawer am flynyddoedd yr enillwyd S4C, a ninne mewn perygl o'i cholli. Gorymdeithies i bencadlys y BBC yn Llandaf, a threulies i noson yn stiwdio'r BBC yn Stacey Road, lle cwrddes i â Ffred Ffransis am y tro cynta, yn llythrennol yn dringo'r waliau tu mewn i focs gwydr y stafell gynhyrchu, fel rhyw bry rhyfeddol.

Carcharwyd Ffred droeon am gyfnodau hir, fel llu o rai eraill. Myfyrwyr Prifysgol Cymru o'dd y mwyafrif helaeth, a phawb yn nabod rhywun o'dd wedi treulio cyfnod yn y carchar. Sian o'dd y person agosa ro'n i'n ei nabod. Cafodd ei charcharu yn Holloway yn 1970, lle dechreuodd hi smoco'r *roll-ups*. Torrodd hi, yng nghwmni 14 o fyfyrwyr eraill o Aberystwyth, ar draws gweithgareddau'r Uchel Lys yn Llundain er mwyn tynnu sylw at anghyfiawnder y gyfraith parthed yr iaith. Y myfyrwyr eraill o'dd Meinir

Evans, Dyfan Roberts, Nan Jones, Nest Tudur, Mair Owen, Griffith Wyn Morris, Hefin Elis, Alwyn Elis, Arfon Gwilym, Ffred Ffransis, Rhodri Morgan a'r diweddar Dafydd Meirion Jones ac Emrys Jones. Un achos mewn cannoedd o'dd hwn, ond dwi'n eu henwi er mwyn tanlinellu pwysigrwydd y cofio ac am fod safiad dewr fel hyn yn dyngedfennol. A fydde'r chwyldro wedi digwydd pe na bai rhai wedi aberthu? Un o'r dorf o'n i, *foot soldier*, gan na allwn i byth wynebu carchar – fyddwn i ddim yn ddigon dewr – ond gwae ni os aiff aberth y rhai hyn yn angof. Mae'r dywediad sy'n nodi bod gwlad sy'n anghofio'i hanes wedi'i thynghedu i'w ailadrodd yn frawychus.

Ro'dd mynd o ddrws i ddrws yn ceisio perswadio pobol bod dyfodol Cymru yn eu dwylo nhw yn weithgaredd o'n i'n ei fwynhau gymaint â'r protestio. Ym mis Mawrth 1967 rhyfeddes wrth weld mawredd tirwedd y Rhondda am y tro cynta pan o'n i'n canfasio dros Vic Davies, a lwyddodd i dorri mwyafrif Llafur i 2,300 yn y cadarnle hwnnw. Cwrddes â gwleidyddion dawnus fel Dafydd Wigley a Phil Williams am y tro cynta, a'r flwyddyn wedyn bues i'n canfasio dros Phil yng Nghaerffili, a bu bron iddo ynte gipio'r sedd, gan dorri mwyafrif Llafur i 1,874 yn 1968.

Fe wnes i ddwyn i gof y dyddie hyn yn *Holl Liwie'r Enfys*:

> Un tro amser maith yn ôl o'dd 'na ferch ifanc yn cerdded a cherdded yn cerdded a chanu. 'Fe orchfygwn ni, y'n ni ar ein ffordd i ryddid, fe orchfygwn ni.'
>
> Yn cerdded a chanu,
> Tu fas i garchardai,
> canolfannau dinesig,
> pencadlysoedd teledu,
> a chestyll.
> Mae'n cerdded a cherdded,
> yn cerdded a chanu.

Dyw hi ddim wrth 'i hunan,
mae hi gyda'i holl ffrindie,
yn chwifio baneri,
yn cario placarde,
yn gweiddi slogane,
a chanu.
Ma'n nhw'n llifo fel afon,
yn llifo fel môr,
yn don ar ôl ton.

Ma'n nhw'n dal ati i gerdded,
a ma'n nhw'n gadel eu hôl
ar bob pafin,
pob hewl.

Fel Olwen a'i blode
ma nhw'n harddu eu llwybre.
Mae olion eu tra'd
yn creu siâp llythrenne,
sy'n ffurfio patryme,
patryme o eirie,
a wedyn brawddege.

Wrth iddyn nhw gerdded,
cerdded a cherdded,
ma nhw'n ailsgwennu hanes.

'Who put the Phil in Caerphilly?' o'n ni'n ei ganu wrth ymgyrchu dros Phil Williams. O'dd canu'n arf naturiol a ddefnyddiwyd wrth ymgyrchu gan fudiadau hawliau sifil America, gan gynnwys caneuon fel 'Fe Orchfygwn Ni' a 'Kumbaya', yn ogystal â'r emynau nerthol. Ro'dd hyn yn fodd i godi'r ysbryd yn wyrthiol. Yn y New Ely yn Cathays, tafarn fabwysiedig y myfyrwyr Cymraeg a ailfedyddiwyd, am ryw reswm cudd, yn The End erbyn hyn, y clywyd sŵn caneuon gwladgarol ein heilunod Gwyddelig fel Kevin Barry a 'The Patriot Game', a chaneuon gwladgarol Cymreig fel 'A Nation Once Again' a 'The Boys from the Valleys of Gwent', yn ogystal â chaneuon doniol fel 'In Rhosllanerchrugog we drank the pub dry', a sgrifennwyd gan y bardd o Ferthyr Tudful, Harri Webb. Ro'dd Y Dyniadon Ynfyd Hirfelyn Tesog, sef Billy Evans, Cenfyn Evans, Eric Dafis, Dai Michael, Dewi Peregrine Tomos, Gareth 'Nehru' Jones a Gruffydd Miles, yn gerddorion gwych, pob un, yn gyfoedion i fi yng Nghaerdydd ac yn ffrindie mawr. Ffurfiwyd y Dyniadon i gystadlu yn yr Eisteddfod Ryng-golegol, a dyfeisiwyd yr enw gan yr athrylithgar Gruffydd Miles. Ro'dd eu clywed nhw'n canu 'Cân y Medd' Dafydd Iwan yn fêl i'r glust. Gruffydd sgrifennodd 'Dicsi'r Clustie', teyrnged i'r Uwch-arolygydd George Dixon a'i heddlu cudd hollbresennol, a gan Gruffydd y dysges i'r gân werin hyfryd 'Rwy'n caru merch o blwy' Penderyn' ar y noson pan feddiannon ni stiwdio Stacey Road.

O'dd gen i *repertoire* eang o ganeuon gwerin traddodiadol erbyn hyn. Tra o'n i yn yr ysgol, gan ddefnyddio llyfr Bert Weedon, *Play in a Day*, dysges i fy hunan i chware'r gitâr yn araf a phoenus yn fy stafell wely, gyda'r ymroddiad y methes i'n llwyr â'i ddarganfod wrth i Mr Devonald ymdrechu i ennyn fy niddordeb yn y piano. Unig bwrpas yr ymarfer o'dd cyfeilio i fi fy hun wrth i fi leisio'r stôr cwbwl newydd o f'etifeddiaeth o'n i newydd eu darganfod. Treulies orie'n canu a chware yn fy stafell yn Nhŷ Llandaf, fel Linda Fox drws nesa, a ddysgodd amryw o ganeuon gwerin Saesneg i fi. Er i fi ganu'n anffurfiol mewn ambell dafarn gartre, y tro cynta i fi ganu'n gyhoeddus o fla'n cynulleidfa o'dd yn y GymGym. 'Ar Lan y Môr' o'dd y gân, a honno yn ogystal â 'Hiraeth' a 'Lisa Lân' o'dd y ffefrynne. Mentres i hyd yn oed ganu cerdd dant unwaith, mewn deuawd gyda Gwenda Jones (Roberts bellach) yn yr Eisteddfod Ryng-golegol. Wnaethon ni'n iawn yn y rhagbrofion ar y prynhawn dydd Gwener, ond erbyn i ni gyrraedd y llwyfan ar y dydd Sadwrn, yn anffodus, ro'dd 'ôl diffyg cwsg a gorffwys ar y lleisie', yn ôl tad Aled Samuel, a daethon ni'n drydydd. Ar ôl ca'l fy amddifadu yn y Gram, o'n i wrth fy modd yn ca'l bod yng nghanol holl weithgareddau'r Steddfod, yn gydadrodd, côr cerdd dant a'r côr cymysg, yng nghwmni'r delynores Meinir Heulyn a'r cantorion gwych Carol Jones (Davies bellach) a Llinos Jenkins (Swain bellach).

Yn ystod y cyfnod yma ar ddiwedd y chwedege ro'dd y byd mawr tu fas i Gymru'n wenfflam hefyd. Rhan o ryw symudiad byd-eang o'n ni, wrth i bobol ifanc fynnu herio'r *status quo*: myfyrwyr Paris ar y *barricades*; sawl campws yn America'n protestio'n groch yn erbyn y rhyfel yn Fietnam, a gwrthdystio yng ngholegau Lloegr. Ymgyrchu dros ein bodolaeth fel cenedl o'n ni. Mater cwbwl elfennol o'dd sylwedd y gweithgarwch: ein hawl i fodoli. Mater du a gwyn, syml, clir, hawdd i'w gefnogi, ond o'dd gafael Prydeindod ar y sefydliadau a'r awdurdodau yn dynn iawn ar y pryd ac ro'dd yr her elfennol yma'n ymddangos iddyn nhw'n gwbwl annealladwy a hyd yn oed yn beryglus. Am fod yr hawl mor elfennol, gallen ni, o'i ennill, drawsnewid Cymru, medden nhw. A dyna o'dd y pwynt, dadleuen ni. Trawsnewidiwyd Cymru, yn ieithyddol ac o ran hunaniaeth genedlaethol, ond ro'dd hunaniaeth rywiol yn fater arall.

Yn 1963 cyhoeddwyd *The Feminine Mystique*, llyfr dylanwadol y newyddiadurwraig brofiadol Betty Friedan. 'Yn 1960, ffrwydrodd y broblem heb enw fel cornwyd trwy ddelwedd y wraig tŷ hapus Americanaidd,' sgrifennodd Ms Friedan. Chwalwyd y ffiniau rhwng diwylliant a gwleidyddiaeth gan y mudiad ffeministaidd, yn union fel y gwnaeth y mudiad cenedlaethol yng Nghymru, ond yng Nghymru'r chwedege ro'dd sicrhau ein parhad fel cenedl yn uwch ar yr agenda. Yn ychwanegol, cynrychiolai ffeministiaeth lawer o werthoedd a o'dd nid yn unig yn ddieithr ond yn fygythiad i'r meddylfryd anghydffurfiol, gwledig Cymreig. Mae arna i ofn fod y cysyniad o fagu llond tŷ o blant er mwyn achub Cymru yn fyw ac yn iach hyd yn oed heddiw, a gellir dadlau bod y darlun o Gymreictod crefyddol o'dd yn cynnwys y wraig a'r fam hardd a pherffaith, nodwedd mor bwerus yn y cyfnod, yn dal i afael yn nychymyg y genedl.

Yn sicr, os o'dd fy ngwleidyddiaeth i yn 1967 yn cynnwys ymwybyddiaeth o safle anghyfartal menywod, wel, digon niwlog o'dd e. Fyddwn i ddim yn cwestiynu fy rôl fel menyw ar y pryd – do'dd dim rheswm gen i dros wneud. Wedi'r cwbwl, o'n i'n rhydd, yn annibynnol, yn gwneud yr union beth ro'n i eisie ei wneud – pryd bynnag, sut bynnag a ble bynnag. Felly treulies i ran helaeth o 'nghyfnod yn y coleg yn gwylio rygbi.

Cyd-fyfyriwr i fi yn yr adran Hanes a Saesneg o'dd Wyn Lewis o Sir Benfro, ac fe gwrddes i â fe gynta yn y *coming-up ball* yn y Top Rank yng nghanol y dre. Swynwr o'dd yn smoco sigârs ac yn modelu ei hun ar James Garner o'dd Wyn, a chanddo bwll diwaelod o straeon a jôcs. Dwedodd wrtha i pan ethon ni mas 'da'n gilydd, 'I didn't know there were any girls like you left, Carwen' – ac ynte wedi anghofio'n enw i ar y noson gynta hyd yn oed! Falle dylwn i fod wedi sylweddoli pryd hynny nad o'dd hyn yn syniad da. Bydde Wyn yn chware rygbi i dîm cynta Coleg Caerdydd, yn safle'r bachwr, ac yna yn yr un safle i dîm Cwmgors. Treulies i orie'n cefnogi ar yr ystlys ym mhob tywydd, a chryn dipyn o amser yn adran frys y CRI (Cardiff Royal Infirmary) ar Newport Road, lle bues i'n ffilmio *Yr Heliwr* flynyddoedd wedyn, gan chware rhan y patholegydd fforensig. Ro'dd anafiadau i'r pen, y llygaid a'r clustie'n rhan o'r ddêl am wn i, ac mae cofio arogl cryf y Wintergreen ar ddechre'r tymor yn yr hydref yn fy nghario 'nôl i'r cyfnod mewn amrantiad. Sgrifennes i deyrnged led-ddychanol iddo fe yn *Holl Liwie'r Enfys*:

> Un tro o'dd 'na ferch ifanc yn sefyll miwn ca. Mae'n genol gia a mae'r gwynt yn hwthu, mae'n bwrw eira. Mae'n gwisgo cot, sgarff a menyg, hat a bwts, ond mae'n dal yn sythu ond sdim ots 'da hi. Mae'n werthin a gweiddi, a rhedeg 'nôl a mla'n, yn jwmpo lan a

lawr, a codi 'i briche yn yr awyr, a gweiddi 'Hwre'. Mae'n dilyn bob symudiad, ma'i chalon yn 'i cheg. Mae'n dwlu watsho rygbi.

Pan ma'n nhw'n ennill wi'n falch.
Pan ma'n nhw'n colli wi'n drist.
Wi'n timlo pob tacl, pob cic.
Wi'n lico gweld y bêl yn symud drw'r awyr
a gweld hi'n lando rhwng y pyst!
Hwre! Hwre! Hwre!

A wedyn wi'n aros i weld nhw'n dod mas
i ga'l mynd 'nôl i'r clwb,
i ga'l ffagots a pys.
Ne' falle i fynd i'r ysbyty,
i ga'l eli a plastyrs,
a bandej a chwistrell,
a falle bydd stitshys.
Ma'r cwte a'r clishe
yn rhan o'r holl whare,
yn rhwbeth naturiol.

So wedyn rhaid carco,
maldodi a nyrso,
cusanu a cwtsho,
a ca'l peint o gwrw,
a trafod y gêm.

Wi'n ishte a gryndo,
ond sdim byd 'da fi weud.
Dwi ddim yn diall,
ond ma'r bechgyn yn arwyr.

Trafaelies i i ugeinie o drefi bach ar hyd a lled de Cymru gyda Wyn ac o'dd y cymdeithasu wedyn cyn bwysiced â'r gêm wrth gwrs. Huw Llywelyn Davies, mab Eic Davies, o'dd capten y tîm cynta. Ga'th Huw ei fagu drws nesa i Anti Hetty grefyddol, chwaer Mam-gu, er nad o'n i'n gwybod hynny nac yn ei nabod e tan i fi gyrraedd y Brifysgol. O'dd Huw ar ei bumed flwyddyn. Wedi cwblhau ymarfer dysgu, o'dd e erbyn hyn yn fyfyriwr ymchwil yn yr adran Gymraeg ac yn dipyn o arweinydd. Mae e wastad yn f'atgoffa i o'r tro canes i 'Hiraeth' o'r llwyfan yng nghlwb rygbi'r Pîl. Un o'n atgofion cynta i o Huw Bach, fel ro'n ni'n ei alw yr adeg honno, yw gweld llun ohono ym mhapur y coleg, yn arddangos llygad ddu erchyll gafodd e ar ôl i ryw elyn ar y cae rygbi ddemshil arno fe. Mae rygbi yn gêm ddansherus ac yn ei hanfod yn *macho* iawn. Yr hyn o'n i'n llwyddo i'w anwybyddu yng nghyffro diwylliant y gêm a'r pleser o gefnogi'r coleg a 'ngHariad o'dd *misogyny* cynhenid y diwylliant hwnnw. Bydden nhw'n canu caneuon hwyliog fel 'You Are My Sunshine', ond hefyd 'We were sailing along on Moonlight Bay', o'dd yn cynnwys y frawddeg frawychus 'You could hear the Darkies singing'. Nid yn unig emynau fel 'Gwaed y Groes' fydden nhw'n eu canu ond hefyd 'And the hairs on her dicky-dido hung down to her knees', ac o'n i'n meddwl bod hyn yn ddoniol, yn hwyl, ac yn derbyn y cymysgedd rhyfedd o hiliaeth a rhywiaeth fel y norm. Ydi diwylliant y byd rygbi wedi esblygu erbyn hyn? Gobeithio ei fod e.

Mab ffarm o'dd Wyn, a phob gwylie fe dreuliwn i wythnose yn Upper North Hill, yn Nhrefgarn, y pentre lle ganwyd Owain Glyndwr gyda llaw, hanner ffordd rhwng Hwlffordd ac Abergwaun. O'dd Mr a Mrs Lewis yn bobol hyfryd a pheth braf o'dd ca'l tri brawd newydd – Gerwyn, Eurig a Geraint, yr un bach. O'n i wrth fy modd yn bwyta bwyd hyfryd Mrs Lewis, yn helpu ar y gwair, yn yfed cwrw cartre Mr Lewis a hefyd yn torri gwallt y bechgyn. Mae'n rhyfedd i feddwl 'mod i'n arfer torri gwallt 'y mrawd hefyd, er nad o's gen i unrhyw gymhwyster o gwbwl yn y maes. Des i nabod Sir Benfro yn hen Ford Anglia glas Wyn – goleudy Strumble Head, traeth Niwgwl a'r Carmarthen Arms yn Hwlffordd. O'dd fwy na twtsh o Walter Mitty yn Wyn, yn arwr yn antur ffantasïol ei fywyd ei hun, a hoffai gellwair mai fe o'dd Arglwydd Trefgarn.

Cymry glân gloyw o'dd rhieni Wyn ac ro'n nhw'n siarad

tafodiaith bert Sir Benfro gyda'u meibion, ond yn Saesneg y bydde'r plant yn eu hateb. O'n nhw'n deall y cwbwl, ond do'dd ganddyn nhw mo'r hyder ne' falle'r awydd i siarad Cymraeg. Saesneg o'dd iaith addysg Sir Benfro ar y pryd, a chafon nhw ddim Cymraeg yn yr ysgol. O'dd Trefgarn reit ar ganol llinell y Landsker sy'n rhannu Sir Benfro'n ddwy. Bydde Wyn yn hoff o ganu, ar y dôn 'Ar Lan y Môr', y geirie

> Mae dwy ochr i Sir Benfro,
> Un i'r Sais a'r llall i'r Cymro,
> Melltith Babel wedi'i rhannu,
> Mae'r hen Sir yn bentigili.

Dechreues i siarad Cymraeg 'da Wyn ac yn raddol dechreuodd e siarad yn rhwyddach ac yn rhwyddach, a dyna waddol Sian yn ca'l ei drosglwyddo.

Wedi fy rhyddhau o hualau'r Gram a goruchwyliaeth y cartre, a'th fy mywyd cymdeithasol yn llwyr oddi ar y Richter. Bydden i'n mynd i ddawnsfeydd ac yn aros allan yn hwyr ar nosweithie cyn arholiadau hyd yn oed, rhywbeth na fydde erio'd wedi croesi'n meddwl i cyn hynny.

Ac yna un bore derbynies i lythyr arbennig. O'n i ar fy ffordd i sefyll arholiad Hanes ola'r ffeinals, arholiad diflas ar hanes damcaniaeth wleidyddol. Wrth i fi gerdded yn yr heulwen trwy'r cennin Pedr yng Ngerddi Soffia yn yr haul, o'n i'n wên o glust i glust ac yn hidio 'run ffeuen am Aristotle na Nietzsche gan 'mod i wedi ca'l fy nerbyn i hyfforddi fel actores gyda Chwmni Theatr Cymru. O'dd dim byd arall yn bwysig; o'dd fy nyfodol yn pefrio o 'mla'n i.

13

Dyfodol

O'N I WEDI gweld hysbyseb yn y *Western Mail* yn gwahodd rhai i geisio am le ar gynllun hyfforddi i actorion gyda Chwmni Theatr Cymru ym Mangor. Contract blwyddyn a gynigiwyd a'r cyflog o'dd deg punt yr wythnos. O'dd 'y nghefnder, Dafydd Hywel, yno'n barod ac o'dd Mam, wrth gwrs, yn gefnogol iawn i'r syniad, a hynny'n ddealladwy o gofio iddi gynhyrchu dramâu a'i gyflwyno fel pwnc i'w gwaith dysgu. Da'th hi draw gyda fi ar y bws i Adamsdown, ac mewn uwchystafell yn theatr fach y Casson, cartre'r Welsh Theatre Company, chwaer sefydliad Cwmni Theatr Cymru, ym mhen pella Ruby Street y ces i 'nghyfweliad tyngedfennol cynta. Mewn amgylchiade o emosiwn dirfawr mae'r manylion lleia fel petaen nhw'n ca'l eu gwasgu a'u cadw yn y cof. Dwi'n cofio'n glir iawn 'mod i'n gwisgo sgert las tywyll fer iawn, a siwmper polo wen â rib. O'dd 'y ngwallt i'n hir, at f'ysgwyddau. Cyflwynes araith Blodeuwedd, a finne wedi'i hymarfer hi'n drylwyr ar 'y mhen fy hunan yn fy stafell. Gorffennai gyda'r geirie, 'Yf, Ronw, mae fy insel ar y min...' Gofynnwyd i fi lefaru'r araith yr eilwaith ac yna i ganu 'Lisa Lân'. Dau o aelode gwreiddiol y cwmni, sef yr actorion amryddawn Beryl Williams a Gaynor Morgan Rees, yn ogystal â Wilbert Lloyd Roberts ei hun, sefydlydd y cwmni, o'dd yn bresennol. Do'dd dim syniad 'da fi sut y gwnes i, ond o'n nhw'n neis iawn.

Do'n i ddim fel petawn i wedi 'nhrwytho mewn theatr. Er bod yr ysfa i berfformio wedi bod yn ffrwtian o dan yr wyneb yn barhaus, ar wahân i ymddangos yn *Dan y Wenallt* 'nôl gartre, unwaith yn unig wnes i actio yn y coleg, a hynny mewn drama ar gyfer cystadleuaeth yn yr Eisteddfod Ryng-golegol. Ac ro'dd hwnnw'n brofiad digon swreal. Fi, Llinos Jenkins (Swain nawr) a Huw Llywelyn Davies o'dd yr actorion, ac Ifan Gwyn o'dd y cyfarwyddydd. Ro'dd Ifan yn ffrind i 'mrawd ac yn nai i Wil Sam, a fe hefyd o'dd awdur y ddrama. Lled-fympwyol o'dd y broses yn hen adeiladau'r Urdd yn Heol Conwy, wrth i Ifan ddod â thudalennau'r sgript yn ysbeidiol i ni. Chafon ni mo'r ddrama gyfan tan ddiwedd y cyfnod ymarfer.

Ar y pryd do'dd actio yn Saesneg ddim yn cyd-fynd â 'ngwleidyddiaeth a'r syniadaeth o hunaniaeth genedlaethol. Wedi'r cwbwl, nid dim ond actio yn Saesneg fyddwn i, ond rhoi mynegiant i ddiwylliant Seisnig, yr hwn o'dd wedi'n boddi ni a'n coloneiddio. Ac felly bodlones ar ddefnyddio 'ngwleidyddiaeth fel mynegiant – wedi'r cyfan, o'dd y martsio a'r protestio'n ddigwyddiadau theatrig torfol o'r radd flaena.

Ro'dd fy nghynlluniau ar gyfer y dyfodol yn gwbwl annelwig cyn gweld yr hysbyseb honno. Un peth o'dd yn bendant, do'n i ddim eisie bod yn athrawes ac felly fe wnes i osgoi dilyn y cwrs ymarfer dysgu, jest rhag ofn i fi ga'l fy nhemtio rywbryd i 'gwympo 'nôl arno fe' a diflannu i bwll diwaelod addysg. A'th rhai i wneud cwrs busnes – teipio a llaw fer – a rhai i chwilio am swyddi ym myd rheoli mewn siopau fel Marks and Spencer. O'dd yr opsiynau hynny i gyd yn anathema i fi.

Yn absenoldeb unrhyw syniad pendant ynglŷn â swydd, derbynies le ar gynllun a drefnwyd gan y Brifysgol i ehangu gorwelion trwy fynd i America am yr haf i fyw gyda theulu a gweithio yno. O'dd rhaid codi arian ar gyfer y cynllun, a gwerthes i gannoedd o gopïau o'r *Western Mail*, 'Llais y

Sais' fel o'n i'n ei alw ar y pryd, tu fas i Woolworths yn y dre ar foreau rhynllyd, a gwneud llawer mwy na'n siâr o ofalu am stafell fagiau'r myfyrwyr y tu allan i ddrysau llyfrgell y coleg. Bydde America yn hwyl, rhesymes, yn brofiad newydd cyffrous, ond yn bwysicach o lawer, bydde'n fodd i osgoi gwneud penderfyniad.

Wrth gwrs, ro'dd yna ddewis arall gan fenyw yn y cyfnod, sef priodi a cha'l plant, a bod yn ddibynnol yn economaidd ar ddyn. Dyna o'dd y llwybr disgwyliedig, hyd yn oed ar ôl ca'l swydd, ac er nad o'dd sail wleidyddol nac ideolegol i 'nheimlade anesmwyth wrth bwyso a mesur yr opsiwn hwnnw, do'dd hynny ddim yn cynnig dyfodol i fi. Y geirie 'setlo lawr' o'dd yn peri gofid i fi. Er gwaetha'r dystiolaeth mewn traethawd Ffrangeg o'm heiddo yn yr ysgol y dois o hyd iddo flynyddoedd yn ddiweddarach, yn dadlau'n glir ac yn groyw taw gartre o'dd lle menywod, waeth beth am briodas na phlant, bydde rhyw lais bach tu fewn i fi'n datgan yn glir bod rhaid i fi warchod fy annibyniaeth. O'n i'n gwbwl benderfynol o beidio â bod yn ddibynnol ar unrhyw ddyn yn ariannol, am fod oblygiadau difrifol hynny i'w gweld o 'nghwmpas i ym mhobman, a do'dd e ddim yn gliriach yn unman nag yn fy nghartre fy hunan.

O'dd gweld Mam, yn fenyw amldalentog, yn byw bywyd llawer rhy gyfyngedig i'w gallu, fel llu o rai eraill yn y pumdege, yn wers bwysig wrth i ddelfryd ddomestig y ffroge ffrili a'r jam sbynj ga'l ei gyflwyno fel pinacl uchelges benywaidd, a'r rhwystredigaeth fydde hyn yn ei greu. O'dd fy nhad fel petai'n gwneud fel y mynnai, yn byw bywyd llawn o ran gyrfa a gweithgareddau cymdeithasol, ac yn bwysicach byth fe o'dd yn berchen ar yr arian. Do'dd 'Nhad ddim wedi ceisio atal Mam rhag gweithio; yn wir, ro'dd e wedi'i hannog i fynd i ddysgu yn y dyddie cynnar. Ei phenderfyniad hi o'dd aros gartre a rhoi cymaint ag y gallai i fi a 'mrawd gan wneud, wrth gwrs, yr holl waith domestig hefyd. Ond wedyn, ymhen blynyddoedd, fel llu o fenywod eraill, hyd yn oed heddiw, wrth i'r plant dyfu'n hŷn ac yn fwy annibynnol, fe'i cafodd hi'n anodd torri'n rhydd a dilyn ei chŵys ei hun, gan fod y ddelfryd wedi troi'n gaethiwed.

Rhyw fath o brotoffeministiaeth a amsugnes i gan fy mam, nid dogma nac ideoleg ond ymwybyddiaeth o annhegwch. O'r dechre bydden i'n cystadlu'n ffyrnig gyda 'mrawd wrth ddringo coed, wrth chware gwyddbwyll ac wrth fwyta, wrth gwrs. Hyd yn oed ar ôl iddo fod yn gweithio yn yr *open-cast* trwy'r dydd yn ystod y gwylie ac wedyn yn helpu ar y gwair, ro'n i eisie 'run faint o fwyd! Pan fydde Mam-gu yn gofyn i fi fynd i 'nôl glasied o ddŵr i 'mrawd a fynte'n bymtheg a finne'n dair ar ddeg, 'Na' clir o'dd yr ateb, wedi'i ddilyn yn gyflym gan y cwestiwn, 'Pam fi?' Tase fe'n gweithio o dan ddaear bydde hi'n wahanol, ond ddim a fynte'n lolian o gwmpas yn mwynhau ei wylie haf fel fi. O'n i'n ymwybodol bod bechgyn yn fwy rhydd ac o'dd hynny'n mynd o dan 'y nghro'n i. Ar y mynydd yng Nglanaman gyda'r bois ac yn gwisgo'r jîns denim glas o'dd yn symbol o ryddid, o'n i'n gallu smalio bod yn fachgen, heb yr hualau cudd nad o'dd wedi'u diffinio mewn geirie, yr hualau o'dd yn fy ngwneud i'n llai dewr, yn llai o hwyl ac yn llai o berson.

O'n i yn y lleiafrif, wrth gwrs, neu dyna o'dd fy nghanfyddiad yng Nghaerdydd, a dyddie merched gwyllt Caerfyrddin ymhell i ffwrdd.

Gwahanol iawn o'dd canfyddiad fy mrawd o briodas, wrth gwrs, fel pob dyn arall, ac un prynhawn yn 1968, wrth i fi ddigwydd bod yn Park Place ar fy ffordd i ddarlith, fe glywes sŵn chwibanu ac yna lais cyfarwydd yn galw o ochr arall y stryd. Edryches draw a gweld mai 'mrawd o'dd yno'n sefyll yn ymyl y swyddfa gofrestru. Dwedodd ei fod e a Pat, ei gariad ers blynyddoedd, yn priodi a holodd a licen i ymuno â nhw. Do'dd neb o'r teulu yno, dim ond fi, a hynny trwy hap a damwain. Dau ffrind i 'mrawd o'dd y tystion, sef Ifan Gwyn, y dramodydd ysbeidiol, ac Arnott Hughes, cyd-fyfyriwr arall yn yr ysgol bensaernïol. Wedi'r briodas aethon ni i gyd am bryd o fwyd Tsieineaidd. Ar ôl graddio cafodd Paul swydd yn uwch-adran bensaernïol Cyngor Sir Caerfyrddin ac a'th e a Pat, o'dd wedi rhoi'r gore i'w swydd ddysgu yn yr adran Saesneg yn Ysgol St Joseph yng Nghasnewydd, i ymgartrefu ym mhentre Llansaint, nid nepell o Landyfaelog, i fagu llond tŷ o blant. Pedwar gafon nhw yn y diwedd, nid yr wyth a fwriadwyd, ond o'dd eu dewis yn glir a threfnus. Dyna o'dd y norm.

Er bod dyfodiad y bilsen yn golygu difodiant y perygl o feichiogi ac felly, mewn theori, yn cynnig rheolaeth dros eu cyrff ac felly gydraddoldeb rhywiol i fenywod, y nod o'dd priodas, a hynny hyd yn oed ar ôl ennill gradd. Dadleuai rhai hyd yn oed mai gwastraff o'dd cynnig addysg academaidd i fenywod gan mai'r domestig o'dd eu dyfodol. Do'dd Mam na Mam-gu yn sicr ddim yn cytuno â'r ddadl honno, ond serch hynny, bob Nadolig yn y parlwr yng Nglanaman ar ôl cinio, bydden nhw'n holi am fy nghynlluniau i. O'dd Mam yn fwy rhyddfrydol na Mam-gu, wrth gwrs, gan ddweud yn ysgafn un tro, a hithe'n brysur yn canolbwyntio ar rywbeth arall, fod Mam-gu'n poeni amdana i ac yn gobeithio 'mod i'n 'ferch dda'. Dwedodd ei bod hithe wedi ateb gan ddweud nad o'dd angen poeni, gan ei bod hi'n eitha siŵr 'mod i'n ddigon call i fynd ar y bilsen. Ches i ddim gwybod beth o'dd ymateb Mam-gu, os digwyddodd y sgwrs honno o gwbwl, ond gallwn ddychmygu ei phleser wrth wylio Mam-gu'n troi'n *apoplectic*!

Welodd Mam mohona i'n cochi mewn embaras chwaith, ond ro'n i ar y bilsen, ac mae'n debyg mai ei rhyddfrydiaeth hi o'dd yn gyfrifol. Hynny a synnwyr cyffredin. Caniataodd y ddeddf atal cenhedlu yn 1968 sefydlu clinigau ar gyfer dosbarthu offer atal cenhedlu i bawb o'dd yn dymuno eu ca'l, ond o'dd y ffaith nad o'n i'n briod wedi fy nadu i rhag ymweld. Yn hytrach, yn 1969, es i at fy meddyg teulu yng Nghaerdydd – fyddwn i byth wedi gallu wynebu mynd at Dr Jenkins gartre. Do'dd hi ddim yn hawdd, yn yr hinsawdd o'dd ohoni, a bues i bron â llewygu o dan y straen a'r ymdrech. Ond ces i 'mhaced bach porffor, fy nghwrs cyffrous cynta o'r pils newidiodd y berthynas rhwng y rhywiau yn syfrdanol. O, mor braf o'dd ca'l eich geni yn y ffenest fach honno o ryddid rhywiol a ddigwyddodd rhwng cyfnod y gwarth a'r cywilydd, y pechod o feichiogi, a pheryglon cyfnod AIDS a'r holl glefydau eraill y mae modd eu trosglwyddo trwy gyfathrach rywiol. Ro'dd yr holl hen syniadaeth biwritanaidd am ryw yn dal i fod yn fyw ac yn iach, wrth gwrs, ond canlyniad hynny fu dyfnhau'r hwyl wrth i ni dorri'r rheole a herio'r *status quo*.

Parodd 'mherthynas i a Wyn dros gyfnod y tair blynedd yn y coleg fwy neu lai, ac am y tro cynta teimles 'mod i'n sownd wrth rywun yn reddfol ac yn gorfforol. O'dd e fel brawd i fi bron, ond bod y dyfodol yn cynnwys priodas iddo fe. Tua un ar ddeg ar noson y brotest yn Stacey Road, da'th un o'r plismyn o'dd yn gwarchod y tu allan i ofyn a o'dd Sharon Morgan yno, a bod rhywun am ei gweld hi wrth y drws. Wyn o'dd 'na, wedi dod i'n 'nôl i ac yn disgwyl i fi ddod mas. Dwi'n meddwl mai'r frawddeg o'dd, 'No wife of mine is going to jail, come out at once.' Chwerthin wnes i a mynd 'nôl i mewn, ond fel yna ro'dd e'n gweld pethe. Aros yno wnes i gyda bois y Dyniadon, a gyda nhw wnes i noswylio yng Nghilmeri, yn hen gar bach Gruff Miles. Do'dd Wyn ddim yn rhan o'r chwyldro.

O'dd hyd yn oed bod mewn perthynas gyda dyn am gyfnod hir yn teimlo'n glawstroffobig, a finne'n ffendio ar ôl i'r cyfnod euraid cynnar basio bod disgwyl i fi wneud bwyd a gofalu amdano ac, wrth gwrs, yn achos Wyn, i sefyll ar ochr y pitsh yn gweiddi cefnogaeth, heb sôn am fynd i'r ysbyty yn ôl yr angen. Ond lle o'dd fy safle i yn hyn i gyd? Cawn hi'n anodd i gynnal fy hunaniaeth o fewn perthynas. Yr hen *catch-22*. Eisie ymdoddi ac wedyn diflannu. Erbyn fy nhrydedd flwyddyn o'dd Wyn wedi gadael y Brifysgol a mynd i weithio i gwmni John Williams, Jon Windows, fel rheolwr trafnidiaeth, ac yn raddol ac yn boenus fe lithron ni ar wahân. 'No wife of his' fues i, ac ar y pryd o'n i'n meddwl taw Wyn o'dd y broblem ac nid priodas. Pan na'th Guto a finne ailafael yn ein perthynas, fe lenwes i â gobaith unwaith eto a da'th sêr i'r llygaid. Cytunes i ac fe ddyweddïon ni'n llawen. Dwedodd 'y mrawd wrth 'y ngweld i'n pacio ar gyfer y daith i'r gogledd pell i ymuno â Chwmni Theatr Cymru ac yn gwisgo modrwy ar fy mys nad o'dd e erio'd wedi 'ngweld i'n hapusach.

Fe ges i radd 2:2, a 2:1 yn y papurau Cymraeg, yr unig rai o'dd 'da fi ddiddordeb ynddyn nhw. Wnes i ddigon o waith i raddio. Wedi'r cwbwl, ro'dd yn rhaid graddio ar ôl treulio tair blynedd mewn coleg achos bydden i wedi gwastraffu'r blynyddoedd fel arall, hyd yn oed os na chefes fy argyhoeddi o werth y cwrs. Ond rhyw ugain mlynedd yn ddiweddarach y sylweddoles i hynny.

Cyn dechre ar fy antur fawr, fodd bynnag, ro'dd yn rhaid ca'l gwaith dros wylie'r haf. O'n i wedi bod yn gweithio dros y gwylie yn gyson ers blynyddoedd a cha'l lot o hwyl wrth wneud. Yn y llythyrdy yng Nghaerfyrddin, yn didoli cardie Nadolig a chwerthin nes 'mod i'n wan am bythefnos, yn y swyddfa yng ngarej Oscar Chess ym Mhensarn yn yr haf ac yn garej Jeffreys yn Nhreforys yr haf canlynol yn glanhau ceir. Prynes i babell gyda chyflog Jeffreys i fynd i wersylla yn Eisteddfod y Fflint, ond yr haf ola hwnnw es i weithio i'r BBC yn y cantîn yn Broadway, yn Adamsdown. Dyna ble o'dd y stiwdios yr adeg honno. Treulies i dipyn o amser yn y stiwdios hynny yn ystod fy ngyrfa a des i nabod yn dda y rhai fuodd unwaith yn gwsmeriaid i fi. O'dd Rhydderch Jones yn un o'r rhai fydde bob amser yn glên ac yn gwrtes, ond fydde rhai o'r lleill prin yn edrych arna i ac yn fy nhrin i fel pâr o ddwylo i'w gwasanaethu. Ces i lot o hwyl yng nghwmni Mary, Betty a Lyn, y fyfyrwraig arlwyo, gan edrych 'mla'n at y darten fale a'r hufen iâ ar ôl gorffen y glanhau a golchi'r gegin bob prynhawn. O'n i'n dal i fod yn folgi.

14

Cwmni Theatr Cymru

RO'DD CA'L FY nerbyn fel myfyrwraig ar gynllun hyfforddi Cwmni Theatr Cymru yn brofiad cwbwl iwfforig. Da'th fy mreuddwyd yn wir! O'n i'n mynd i fod yn actores, yn berfformwraig, yn mynd i fodloni'r ysfa a'r reddf o'dd wedi bod yn rhan annatod ohono i erio'd, ac yn mynd i wneud hynny fel aelod o gwmni cenedlaethol (er nad o'dd modd ei alw'n hynny, am ryw reswm astrus). Dyma o'dd y cyfle i fynegi fy ngobeithion dyfnaf a chyplysu uchelges bersonol ag uchelges wleidyddol a diwylliannol.

O'dd e'n gam anhygoel i'r tywyllwch. Prin iawn o'dd 'y mhrofiad o berfformio – un ddrama ysgol fel dyn, dwy *operetta* fel dawnswraig, ychydig o berfformiade fel Wncwl Ben yn *Hollti Blew*, rhan fach iawn, iawn yn *Dan y Wenallt* a rhan ychydig yn fwy mewn drama bytiog ga'th ei thaflu at ei gilydd ar frys gwyllt gan Ifan Gwyn yn y Brifysgol. Ar wahân, wrth gwrs, i chware rhan y forwyn yn y ddrama sgrifennes i pan o'n i'n naw mlwydd oed! O ie, a'r orie dreulies i'n canu caneuon gwerin i gyfeiliant gitâr yn fy stafell.

O'n i'n camu i ganol pennod bwysig yn hanes diwylliannol y genedl. Do'dd dim theatr broffesiynol yng Nghymru cyn 1965, pan sefydlwyd Cwmni Theatr Cymru gan Wilbert Lloyd Roberts. Da'th teledu i Gymru fel cyfrwng adloniant proffesiynol cyn y theatr. O'dd yr ysfa i greu theatr genedlaethol broffesiynol wedi bod yn cyniwair ers dechre'r ugeinfed ganrif. Breuddwyd yr Arglwydd Howard de Walden, neu Thomas Evelyn Scott-Ellis, a addysgwyd yn Cheam, Eton a Sandhurst, o'dd y theatr genedlaethol Gymraeg gynta, a bu ei weithgarwch yn rhyfeddol. Mae Hazel Walford Davies yn ei fedyddio yn 'Cyngor Celfyddydau ei gyfnod' yn ei chyfrol ddifyr a phwysig, *Y Theatr Genedlaethol yng Nghymru*. Ond er gwaetha ei ymdrechion, ni fu parhad i'r cwmni a sefydlodd cyn y Rhyfel Byd Cyntaf, nac i'r un a sefydlwyd yn 1933 ym Mhlas Newydd yn Llangollen. Chwaraedy Cenedlaethol Cymru o'dd enw'r cwmni hwnnw, a dwy fenyw egnïol, Evelyn Bowen a Meriel Williams, yn ei arwain yn eu tro, a Meredith Edwards yn un o ddarpar actorion y cwmni.

Noddwyd ambell i gynhyrchiad gan Bwyllgor Cymreig Cyngor Celfyddydau Prydain Fawr yn y pumdege, gan gynnwys *Brad* a *Gymerwch Chi Sigaret*, ac actorion sy'n adnabyddus iawn i ni erbyn hyn, fel Siân Phillips a'r diweddar Margaret John ac Islwyn Morris, yn perfformio ynddyn nhw, ond do'dd dim digon o arian i gyllido popeth, a cherddoriaeth enillodd y dydd yma yng Nghymru. 'Gwlad y gân' ar ffurf yr opera sicrhaodd yr arian, ac mae llwyddiant ysgubol y WNO yn wybyddus i bawb, gan ei fod yn gwmni sy'n enwog trwy'r byd i gyd erbyn hyn.

Yn 1959 sefydlwyd Ymddiriedolaeth Dewi Sant, a breuddwyd y pedwar sylfaenydd, sef Arglwydd Aberdâr, y Cyrnol Cennydd G Traherne, Saunders Lewis a'r actor Clifford Evan, o'dd adeiladu theatr wych ar dir y castell yng nghanol Caerdydd, fel cartre i theatr genedlaethol, ond wireddwyd mo'u breuddwyd hwythe chwaith. Wrth gwrs, do'n i'n gwybod dim am yr hanes yma pan gychwynnes i ar fy nhaith fel actores. Ymhle bydden i'n debygol o ga'l gafael ar y fath wybodaeth? Mewn stafell ddosbarth? Papur newydd neu gylchgrawn?

Â grym anghydffurfiaeth yn gryf ar y *psyche* cenedlaethol, hyd yn oed ar ddiwedd y chwedege, ro'dd y theatr broffesiynol ymhell o fod yn rhan dderbyniol gynhenid o'r diwylliant Cymreig. Hyd yn oed heddiw mae 'na ysfa i barchuso'r theatr rywsut, naill ai trwy ei chyfyngu i adeiladau moethus, neu i rôl gymdeithasol neu addysgiadol mewn cwmnïe cymuned ac addysg. Mae hi'n saff yn y lleoedd hynny ac yn glodwiw, ond gwae iddi ddechre herio'r *status quo*, bydde hynny'n rhy ddansherus o lawer ac yn anghymreig. Dim ond iddi weithredu fel *surrogate* capelyddol, yna bydd pawb yn hapus, gan ddathlu bod 'da ni, fel pob cenedl arall, fynegiant dosbarth canol, canol-y-ffordd i gadarnhau ein rhagdybiaethau. Ac felly, er bod 'na draddodiad amatur tu hwnt o gyfoethog a ffyniannus yn bodoli, am flynyddoedd mater arall ar sawl ystyr o'dd bod yn actor proffesiynol.

Gwelid actio proffesiynol fel rhywbeth estron, Seisnig o'dd dipyn yn *risqué* ac, yn wir, yn ddianghenraid pan fydde'r cynhyrchiad mewn neuadd bentre, a ffermwyr, siopwyr a gwragedd tŷ amatur yn ca'l eu hystyried yn llawn cystal os nad yn well na'r bobol ddieithr hynny o'dd yn meddwl bod gwisgo lan a gwisgo colur yn ffordd gall o dalu'r rhent. Fe arweiniodd swydd actio, lle ro'dd angen i actores ddangos ei hun yn ddigywilydd ar lwyfan, at y farn ymhlith y cyhoedd fod y menywod yn llac eu moesau ac nad o'dd y dynion yn ddynion go iawn. Wedi'r cyfan, celwydd yw theatr, anwiredd, ffantasi beryglus. Ac ydi, mae'r rhagfarn yn dal i fodoli nad yw hi'n job go iawn, ac nad yw'n swydd sy'n haeddu parch, na thâl anrhydeddus. Mae'n iawn i chi lwyddo yn rhywle arall, wrth gwrs, yn Lloegr os yn bosib, neu'n well byth yn America, fel Rhys Ifans, Matthew Rhys ac Ioan Gruffudd.

Dilyn ôl traed Siân Phillips, Richard Burton, Rachel Roberts a llu o rai eraill mae nhw. Ond nid mater o groesi ffin ddaearyddol yn unig o'dd hyn yn y pumdege a'r chwedege ac ynghynt, ond croesi ffiniau ieithyddol, diwylliannol a chenedlaethol, yn ogystal â ffiniau dosbarth. Ro'dd rhaid i'r actorion hyn ail-greu eu hunain ar lun Saeson dosbarth canol i lwyddo, ac fe wnaeth rhai ohonyn nhw hynny'n wych, gan ennill enwogrwydd syfrdanol, tra collodd eraill y frwydr a thalu pris uchel, gan amddifadu Cymru o rai o'i thalentau mwya carismataidd.

Pan dda'th teledu i Gymru, newidiwyd y sefyllfa'n syfrdanol, ac er bod cnewyllyn o actorion talentog wedi bod yn gwneud bywoliaeth ar y 'Radio Rep' ers peth amser, fel dewin yr acenion, Dilwyn Owen, fe ganiataodd y cyfrwng newydd cyffrous i lawer mwy o actorion wneud bywoliaeth dderbyniol – er mai nifer fach iawn o'n nhw o'i gymharu â heddiw.

Wilbert Lloyd Roberts o'dd yn gyfrifol am Uned Deledu Gymraeg y BBC yng nghanol y chwedege, ac i ddechre fe gyfunodd hynny â'i waith fel cyfarwyddwr y cwmni theatr. Dan faner y Welsh Theatre Company, y cwmni Saesneg a sefydlwyd yn 1962 gyda nawdd Cyngor y Celfyddydau dan gyfarwyddyd Warren Jenkins, y teithiodd y cynyrchiadau cynta, sef *Cariad Creulon* yn 1965 a *Saer Doliau* a *Pros Kairon* yn 1966. Dilynwyd y rhain gan *Cymru Fydd* a *Deud Ydan Ni* yn 1967. Ond fe dda'th yn fwyfwy amlwg nad o'dd y BBC yn hapus â'r trefniant, ac yn 1968 fe ymddiswyddodd Wilbert o'r gorfforaeth gan sefydlu'r cwmni Cymraeg yn Heol Waterloo ym Mangor. Staff o un o'dd ganddo – ei ysgrifenyddes, Maud – a'r tri actor dewr a thu hwnt o dalentog a benderfynodd beidio ag arwyddo cytundeb ffurfiol gyda'r BBC, sef Beryl Williams, Gaynor Morgan Rees a John Ogwen, yn ogystal â bachgen pymtheg oed o bentre Garndolbenmaen, Meical Povey. O'r hadyn hwn y tyfodd corniwcopia amlweddog y theatr broffesiynol Gymraeg ry'n ni'n ei gymryd yn ganiataol erbyn hyn.

O'dd gan Wilbert Lloyd Roberts weledigaeth chwerthinllyd o uchelgeisiol – creu theatr broffesiynol mewn gwlad fach fynyddig a llwm, ei phoblogaeth yn wasgaredig a heb fawr o draddodiad theatrig.

'Oes digon o dalent yng Nghymru i gynnal y fath fenter?' Gofynnwyd yr un cwestiwn yn nyddie cynnar S4C, a'r ateb pendant yn y ddau achos fu 'Oes'. Gellid dadlau, wrth gwrs, y bydde taith S4C wedi bod yn llawer anoddach pe na bai theatr broffesiynol yn bodoli eisoes. Do'dd y sefyllfa ddim yn argoeli'n dda yn y chwedege, gan fod angen myrdd o bobol fydde'n bodloni ar gyfloge cymharol fach, hynny yw, fydde'n fodlon rhannu'r freuddwyd. O ble y deuai'r actorion, y dramodwyr, y cyfarwyddwyr, y dylunwyr a'r technegwyr, gofynnwyd? O'dd yr amseru'n ffodus gan fod Cymru'n deffro ac yn cychwyn ar ei thaith tuag at fod y wlad ddemocrataidd ry'n ni'n byw ynddi heddiw, a digon o bobol fel fi o'dd yn cyplysu eu huchelges bersonol â datblygiad Cymru fel cenedl annibynnol fodern ac yn gweld yr angen i greu sefydliadau diwylliannol. Yn erthygl olygyddol y rhifyn cynta o *Llwyfan*, y cylchgrawn a sefydlwyd yn 1968 i gyd-fynd â chychwyn y cwmni, medd Wilbert,

> Mae gan bob gwlad a chymdeithas iach hawl i gael y sefydliadau hynny sy'n crisialu eu hymwybyddiaeth o'i nodweddion. Un sefydliad felly yw theatr genedlaethol. Fel y gwna Prifysgol, Llyfrgell, Oriel, Tŷ Opera ac Amgueddfa, mae hefyd yn agor sianeli i gynnyrch gwerthfawr cyfnodau eraill, neu i weithiau arwyddocaol cyfoes cenhedloedd eraill. Helaetha ddiwylliant a chyfoethoga fywyd. Anela at y safonau uchaf o gyflwyno a pherfformio, a dyry ddiddanwch creadigol byw i bawb a'i myn. Nid breuddwyd mo hyn. Mae'n ffaith gadarn mewn gwledydd bach a mawr... Sefydliad yn perthyn i'r genedl gyfan fydd hwn ac yn iach i bob barn gael ei llafar ymlaen llaw.

Er gwaetha'r holl anawsterau, fe lwyddodd yr athrylithgar Wilbert. Do's neb yn cwestiynu bodolaeth theatr broffesiynol yn yr iaith Gymraeg erbyn hyn.

Yn y dyddie cynnar hynny, er bod 'da ni Goleg Cerdd a Drama, o'dd wedi ymgartrefu'n swreal ddigon yng Nghastell

Caerdydd, do'dd dim cwrs hyfforddiant tair blynedd cyflawn i actorion trwy gyfrwng y Gymraeg, ac er mawr gywilydd i ni dyw'r fath hyfforddiant yn dal ddim yn bodoli. Fe fu, am gyfnod, gwrs blwyddyn ôl-radd trwy gyfrwng y Gymraeg, ond mae hwnnw wedi dod i ben erbyn hyn, ac wrth i fi wylio'r cartre gwych sydd gan y coleg presennol yn datblygu'n raddol ar Ffordd y Gogledd dros y misoedd diwetha, mae'n destun siom a phryder mawr i fi nad o's hyfforddiant cynhwysfawr theatrig ar ga'l o hyd trwy gyfrwng y Gymraeg.

Ateb Wilbert i'r sefyllfa o'dd creu cynllun hyfforddi o fewn y cwmni ei hun ac fe lwyddodd i berswadio Cyngor y Celfyddydau i'w ariannu. Dafydd Hywel, fy nghefnder, o'dd un o'r rhai cynta i elwa ar y cwrs actio cychwynnol yn 1968, ynghyd â Gwyn Parry, Grey Evans, Meical Povey a Dylan Jones. Dal i gyfrannu i'r byd adloniant Cymraeg mae pawb heblaw am Dylan, o'dd yn actor gwych ond a adawodd y proffesiwn i fod yn archifydd. Yn 1969 cafwyd ail gynllun ar gyfer technegwyr a gwaith blaen y tŷ, a da'th Hefin Evans i hyfforddi'n beiriannydd sain, Gareth Roberts fel propfeistr, Norah Roberts yn yr adran wisgoedd, Nesta Wyn Jones, y bardd, yn adran blaen y tŷ a Michael Lloyd-Jones, sef Mici Plwm, fu'n gweithio i MANWEB gynt, yn drydanydd. Fe barodd y cynlluniau am rai blynyddoedd gan wneud cyfraniad amhrisiadwy i faes perfformio Cymraeg.

Fy nghyd-actorion ar y drydedd flwyddyn, sef 1970, o'dd Marged Esli, enillydd gwobrau eisteddfodol di-ri, Dyfan Roberts, Huw Davies o Dreorci a Nia Von o Lanfairfechan. Dwi ddim yn gwybod beth yw hanes y ddau ola. Gadawodd Huw ar ôl cwta bedwar mis, a Nia ar ôl y flwyddyn gynta, ond mae doniau Marged a Dyfan yn hen gyfarwydd trwy Gymru gyfan erbyn hyn.

O'dd dod i Fangor yn brofiad rhyfeddol, yn wir yn egsotig a chyffrous, gan mai dim ond bedair gwaith o'n i wedi ymweld â gogledd Cymru cyn hynny – adeg Eisteddfod yr Urdd yng Nghaergybi, yr Eisteddfodau Cenedlaethol yn y

Bala a'r Fflint a'r Eisteddfod Ryng-golegol ym Mangor. Felly ro'dd Bangor bron fel gwlad arall i fi, a'r iaith yn ddieithr. Yr unig berson ag acen ogleddol o'n i'n gyfarwydd â hi o'dd Miss Jones Scripture yn y Gram, a'i hynganiad o 'Jesus in the Desert', a'i 's' gryf yn hytrach na sŵn 'z', yn rhyfeddod. Dim ond fi a Huw o Dreorci o'dd o'r de ar ein cynllun ni ac, yn wir, yr unig ddau arall deheuol yn y cwmni o'dd Gaynor Morgan Rees a 'nghefnder Dafydd Hywel. Gan ei fod e'n hiraethu cymaint creodd Dafydd Hywel ffrind dychmygol iddo fe'i hun a bydde fe'n sgwrsio â'r ffrind hwnnw'n rheolaidd ac yn prynu diodydd iddo fe yn y dafarn hyd yn oed. Un bore, pan ofynnwyd iddo lle buodd e cyn cyrraedd y gwaith, esboniodd Dafydd iddo fod yn oefad ers hanner awr wedi wyth – ro'dd pawb yn syfrdan, yn meddwl bod Dafydd wedi bod yn yfed yr adeg hynny o'r bore, ond wedi bod yn nofio ro'dd e wrth gwrs. Ddeugain mlynedd yn ôl ro'dd 'na bellter mawr rhwng y gogledd a'r de.

Rhan o'r diwylliant yn y gogledd o'dd tafarn y Glôb. John Bull a'i wraig o'dd yn ei rhedeg hi ac ro'dd y *clientele* yn eclectig – yn gartre i fyfyrwyr, gohebwyr y BBC, ninne'r actorion a chymeriade lleol, gan gynnwys Tommy, fydde'n canu cân cwbwl annealladwy bob nos ar ôl stop tap i gymeradwyaeth frwd. Un o ohebwyr y BBC o'dd yr athrylithgar T Glynne Davies, fydde wrth ei fodd yn chware dartie, ac yn y Glôb y concres i fy ofn o rife wrth dreulio orie'n chware dartie a dysgu shwt i wneud mathemateg yn y pen. Barman laconig y Glôb yr adeg honno o'dd Alun Ffred, dyn o ychydig eirie a'i hiwmor sych yn chwedlonol hyd y dydd heddiw, ac ynte'n gyn-Weinidog Treftadaeth erbyn hyn.

Ond da'th 'y mhrofiad cynta o fod yn rhan o'r cwmni yn Eisteddfod Genedlaethol Rhydaman. Rhydaman! Y dre lle bydden i'n siopa 'da Mam-gu. A dyma fi ym mhabell y cwmni ar y maes ac yn aros yn y Gelli Aur, yng nghwmni sêr fel Gaynor Morgan Rees, yn ei ffrog hardd wen, a John Ogwen garismataidd a'i wraig ddel, Maureen Rhys, yn ei *hotpants* gwyrdd. Fy nghyflwyniad i fywyd theatrig o'dd bod yn rhan o'r tîm a weithiai ym mlaen y tŷ yn ystod y perfformiade o *Cofio Cynan* a *Cilwg yn Ôl* yn yr ysgol ramadeg lle cafodd fy mam ei haddysg. Erbyn diwedd fy nghyfnod ar y cynllun hyfforddi fe fyddwn i wedi bod yn rhan o naw cynhyrchiad amrywiol, o ddrama dywyll Norwyeg i bantomeim i sioe bop. Fe fydden i wedi llwytho fanie, codi fflatie, llenwi sgipie, canu, dawnsio ac actio, a hyn i gyd wrth ddilyn cwrs carlam tri mis o wersi dwys ar bob agwedd o berfformio. O'n i'n llawn gobaith a ches i mo'n siomi. Bydde 'na gyffro oddi ar y llwyfan hefyd. Yn y Gelli Aur un noson, fe saciodd Alan Cooke, y rheolwr, y criw cyfan a hynny yng nghanol yr wythnos! 'Sdim syniad 'da fi pam a dwi'n dal yn y niwl. Ond ar y pryd o'n i'n gweld hynny fel gweithred eithafol a dansherus ac yn gadarnhad o natur annisgwyl ac ansefydlog y byd newydd hwn, a allai chwalu'r holl gynlluniau ar gyfer y dyfodol mewn munude.

Personolwyd y teimlad o berygl ac o'r annisgwyl yng nghymeriad Mr Meical Povey, a chanddo wallt hir, yn gwisgo cap pig denim ac yn gweiddi gorchmynion gefn llwyfan yn ei slipars er mwyn osgoi creu sŵn wrth symud. Fe o'dd y bos, y rheolwr llwyfan egnïol, awtocrataidd, yn bedair ar bymtheg oed ac yn cynrychioli holl gyffro 'mywyd newydd i. Er nad o'n i'n sylweddoli hynny ar y pryd, cyn hir bydde 'nyweddïad â Guto ym mis Awst cyn symud i Fangor ym mis Medi yn perthyn i fyd arall. Ro'dd personoliaeth fywiog, swnllyd a hyderus Meical Povey yn gwbwl wahanol i eiddo unrhyw un ro'n i wedi'i gyfarfod cyn hynny, a da'th e'n rhan o'r rhamant, yn rhan o'r byd newydd cyffrous.

Nid ôl-gwrs diploma mewn drama o'dd hwn cyn priodi, mynd gartre a 'setlo lawr', a chynhyrchu dramâu amatur. O'n i'n mynd i fod yn actores. Wrth edrych 'nôl, mae'n anhygoel. Shwd allai unrhyw un yn ei iawn bwyll ystyried y ffasiwn beth yn 1970 yng Nghymru, a hynny yn Gymraeg? Dwi'n dal ddim yn deall yn iawn shwd allen i fod mor glir a phendant ynglŷn â'r ffaith 'mod i'n cychwyn ar yrfa. Do'n i ddim eisie mynd 'nôl gartre i fyw, o'n i eisie bod yn actores broffesiynol. Y gwir o'dd, yn un ar hugain oed, do'n i ddim yn barod i 'setlo lawr', er i fi dwyllo fy hunan 'mod i cyn dod i Fangor, ac felly da'th 'y mherthynas i â Guto i ben.

Ein hathrawon ar y cynllun hyfforddi o'dd W H Roberts yn dysgu llefaru, Betty Roberts, gwraig Wilbert, yn dysgu canu, Einir Jones yn dysgu dawns, Wilbert ei hun yn dysgu theori a hanes y ddrama, a Beryl Williams yn dysgu technegau actio. O'n ni'n griw digon amrwd a lletchwith, ar wahân i Marged Esli, a ymddangosai'n ymgnawdoliad o soffistigeiddrwydd hunanfeddiannol o'r eiliad y gweles i hi ym mhabell y cwmni yn Eisteddfod Rhydaman, er i mi sylweddoli yn eitha cloi ei bod hi hefyd yn un o'r bobol ddoniola yn y byd. Er bod yr athrawon i gyd yn wych, Beryl o'dd eilun pawb. Fe wnaeth hi'n hollol glir ein bod ni'n gwbwl anwybodus ac nad o'dd y syniad lleia ganddon ni shwt i siarad, cerdded na symud ar lwyfan. Buodd rhaid i ni anghofio popeth o'n ni'n ei wybod a dechre o'r dechre. Trwy ddechre â dalen lân, niwtral bydde modd i ni greu cymeriad o'r newydd.

Heddiw fe welwn agwedd fwy naturiolaidd at actio, yn sgil yr holl waith teledu, ac mae'r drefn yn hollol i'r gwrthwyneb, sef gosod patryme corfforol a lleisiol yr actor ar y cymeriad. Dyw hyn erio'd wedi apelio ata i, ond ro'dd techneg Beryl yn apelio'n fawr. O'n i fel petawn i'n gymeriad mewn llyfr, a dyna beth ro'n i wedi bod yn 'i wneud yn fy nychymyg ers pan o'n i'n ifanc iawn: dianc i mewn i fywyd rhywun arall. Anghofio fy hun. Dyw hyn ddim yn hawdd ar lwyfan; mae'n waith caled, gan fod yn rhaid iddo swnio ac edrych yn gwbwl naturiol. Fe ddysgodd Beryl fod yn rhaid i ni wneud i'r geirie berthyn i ni, bod mor gyfarwydd â nhw nes gallu chware fel y mynnen ni â'u sŵn a'u rhythmau, er mwyn llwyddo i argyhoeddi cynulleidfa fod y geirie wedi dod yn syth o ymennydd yr actor ac allan trwy'r geg. O'dd rhaid gwneud i'r gofod berthyn i ni, a sicrhau mai ni o'dd yn berchen y llwyfan. Dysgon ni hefyd sut i anadlu gan ddefnyddio'r llengig, a sut i daflu'r llais.

Yn gain a deniadol, yn llawn dirgelwch, yn rhywiol, yn ddoniol a llym, o'dd Beryl yn ysbrydoliaeth. O'dd arnon ni ychydig o'i hofn hi ond eto ro'n ni'n ei pharchu ac yn wir yn ei haddoli. Do'dd dim rhwysg yn perthyn iddi. Mewn gwers ar goluro, dangosodd ei bag colur ei hun i ni a hwnnw'n anniben tost, gan ddweud ei fod e'n esiampl wych o sut i beidio ag edrych ar ôl ein colur. Beryl o'dd y gynta i ennill gwobr am yr actores ore pan sefydlwyd BAFTA Cymru, am ei phortread o Nel yn y ffilm gan Meical Povey. Trueni mawr na welodd Cymru fwy o'i dawn cyn ei cholli'n rhy gynnar o lawer yn 2004.

Yng ngwersi Wilbert y darganfyddes i syniadaeth Stanislavski. O'dd hyn, wrth gwrs, yn cyd-fynd â'r gwaith corfforol y bydden ni'n ei wneud gyda Beryl. Cafodd y syniadaeth yma ddylanwad ysgubol arna i. Yn wir, cafodd damcaniaethau Constantin Sergeyevich Stanislavski, y cyfarwyddwr, actor ac athro o Rwsia, ddylanwad aruthrol ar ddulliau actio'r ugeinfed ganrif. Esgorodd ei lyfr *An Actor Prepares* ar arddull actio *method* yn America, lle trosglwyddodd Lee Strasberg y neges ynghylch pwysigrwydd seicoleg yn hytrach na thechneg i fyrdd o actorion adnabyddus fel Marlon Brando, James Dean a Marilyn Monroe. Ffordd o ddarganfod hanfod emosiynol cymeriad yw hon ac fe larpies i'r llyfr yn frwdfrydig, a'i astudio'n fanwl, gan ddefnyddio'r sgilie dadansoddiadol ddysges i ar fy nghwrs Hanes. O'dd ei neges yn fy nghyffroi i'r eitha. Ffordd arall o golli fy hunan, teimlo gwir emosiynau person cwbwl wahanol. Mor anhygoel yw camu i mewn i dudalennau llyfr. Gwell na thrafaelu trwy amser!

Parodd y gwersi hyn am rai misoedd ac yna ro'dd yn rhaid ca'l profiad ymarferol: gweithio fel *assistant stage managers* (ASMs). O'n i wedi ca'l rhywfaint o brofiad o reoli blaen y tŷ, a nawr da'th yr amser i fi ddysgu am holl hanfodion eraill cwmni theatr.

Roedd Catarina o Gwmpas Ddoe o'dd enw'r ddrama gynta broffesiynol i fi weithio arni. Rhydderch Jones, y dyn serchus yng nghantîn y BBC gynt, o'dd yr awdur. O'n i'n chware rhan meicroscopig o fach, sef Cwsmer 4, ac yn promptio. Christine Pritchard o'dd yn chware Catarina. Fe adawodd Christine, a'i llygaid glas, glas fel *periwinkles*, swydd ddysgu yn Llundain i ymuno â'r cwmni yr un pryd â ninne ar y cynllun hyfforddi. Bellach mae wedi hen sefydlu ei hun fel un o actoresau mwya blaenllaw Cymru.

Dyma 'mhrofiad cynta o fynd ar daith bum neu chwe wythnos, a pherfformio bum neu chwe noson yr wythnos ar draws Cymru ben baladr. Agorodd y daith yn Rhosllanerchrugog, a phawb bron â disgyn ar lawr y bws mini wrth i Dafydd Hywel yrru yn ei ffordd ddihafal, ddieflig ei hun. Y noson cyn agor ces i fy hunllef theatrig gynta. O'dd y set wedi diflannu a phawb yn 'y ngweld i'n dal 'y llyfr', sef sgript y ddrama, a hwnnw wedi crebachu gymaint nes ei bod hi'n amhosib darllen 'run gair. O'dd pawb yn anghofio'u llinelle. Dwi wedi dod yn ddigon cyfarwydd â hunllefau o'r fath erbyn hyn: bod yn y ddrama anghywir; anghofio llinelle; 'y ngwisg i'n cwympo'n ddarne; y gynulleidfa'n bloeddio chwerthin ac yn y bla'n ac yn y bla'n. Mae'n rhan annatod o'r ofn a'r ansicrwydd.

A'th popeth yn iawn. O'dd 'da fi ddwy linell ac fe'u cofies nhw, a chofiodd pawb arall eu llinelle hefyd ac felly fu dim angen i fi bromptio unwaith. Er mai actio o'dd y nod yn y pen draw, ro'n i wrth 'y modd yn ca'l bod yn rhan o'r criw llwyfan. Codi'r set yn y bore, tynnu'r set gyda'r nos, a phacio'r cwbwl yn y lori fawr â 'Cwmni Theatr Cymru' wedi'i sgrifennu ar ei hochr. Bob tro y bydden i'n ei gweld hi bydden i'n llanw â chyffro a balchder.

Pan ddechreues i, sinema'r Fforwm ym Mlaenau Ffestiniog, Pafiliwn Corwen a neuadde ysgol o'dd y mannau lle bydden ni'n perfformio, a'r rheiny'n lleoedd cwbwl anaddas. Ond o fewn pum mlynedd i fi ddechre 'ngyrfa fe adeiladwyd saith theatr ysblennydd, sawl un ohonyn nhw mewn lleoliade annisgwyl iawn. Theatr y Werin a Theatr Felinfach yn 1972, Theatr y Sherman a Theatr Ardudwy yn 1973, Theatr Gwynedd yn 1975, Theatr Clwyd yn 1976 a Theatr Taliesin yn 1977. Mynnai Wilbert wneud pethe'n iawn a bydde rheolwr blaen y tŷ yn ei DJ a'i dei-bow, yn union fel petaen ni yn y West End. Bydden ni'n cario cypyrdde i gadw'r gwisgoedd, sgipie gwisgoedd, bocsys colur unigol i bob actor, goleuadau'n amgylchynu'r drych, a *show relay* wedi'i gysylltu â phob stafell wisgo, fel y gallai'r actorion glywed y sioe ar y llwyfan a chlywed y galwadau i'r llwyfan. Fe ddysgon ni shwt i roi galwadau hanner awr, chwarter awr, pum munud, a'r dechreuwyr i'r llwyfan bum munud cyn i'r perfformiad gychwyn, a shwt i ddweud 'diolch yn fawr' ar y diwedd. Bydde *etiquette* cefn llwyfan yn bwysig tu hwnt, gan gynnwys disgyblaeth haearnaidd o dawelwch llwyr.

O'dd y ddisgyblaeth a'r gwaith caled a'r orie hir yn golygu bod yn rhaid ymroi i fwynhau'n hunain i'r eitha ar ôl gorffen – fel tase angen esgus wrth i ni deithio'n gris-croes ar draws Cymru, gan fynd o fws mini i neuadd i westy i fws mini, a lletya yn y gwestai gore, fel y Llwyn Iorwg yng Nghaerfyrddin a'r Llew Aur yn Nolgellau. Llwyddon ni i gadw'r barie ar agor tan orie mân, mân y bore. Os y'ch chi'n gweithio sbo hi'n ddeuddeg, mae un o'r gloch yn gynnar. Beth arall o'n ni fod i wneud? Mewn limbo, ar ein pen ein hunain yng nghanol unman, ac yn gweithio orie anghymdeithasol? Mynd i'r gwely a darllen? O'n i'n gwireddu breuddwyd, a cha'l yffach o lot o hwyl wrth wneud hynny. Iwtopia. Seithfed nef.

A dyma fi wedi pennu 'nhynged ac ro'dd hi'n rhy hwyr i droi 'nôl. Ces i 'nghyfareddu a 'meddiannu'n llwyr gan y bywyd rhyfedd hwn. Fe wnes i ymroi'n gyfan gwbwl i'r gofynion ac ro'dd hi'n ddihangfa lwyr wrth i fi chwilio amdanaf fi fy hun, dianc rhagof fi fy hun a rhuthro din dros ben yn hapus i ganol y tywyllwch. Pan es i gartre ar gyfer y Nadolig do'dd 'da fi ddim amheuaeth mai hwn o'dd y bywyd i fi.

15

Actio

DES I 'NÔL ar ôl y Nadolig i fod yn rhan o'r hyn fydde'n ddiamau yn gynhyrchiad mwya uchelgeisiol Wilbert: *Y Claf Diglefyd* gan Molière, a gyfieithwyd gan Bruce Griffiths a Gwenllian Tudur, perfformiad o'dd yn cynnwys gwisgoedd a setie lliwgar a drud ac ynddo gast niferus. Yn ychwanegol at hyn, penderfynodd gynnwys anterliwt draddodiadol rhwng pob act ac archdeip o drwbadŵr *Commedia dell'arte*. O'dd Punchinello'n hiraethu am ei gariad yng nghwmni criw o sipsiwn. Bydden ni'r sipsiwn yn canu a dawnsio gan daro'r tambwrîns, y rhubanau sidan yn hedfan ac yn golur ffug brown droston ni. Ro'n i, Marged Esli, Dyfan Roberts, Dafydd Hywel a Glyn 'Traed', a dda'th ar y llwyfan unwaith yn ei socs, yn ein hafiaith. Ac yn ddewrach fyth, gwahoddodd Wilbert y canwr o Solfach, Meic Stevens, nid yn unig i chware rhan Punchinello ond i gyfansoddi'r gerddoriaeth hefyd. O'dd hi'n werth gweld Meic yn ei ddillad a'i golur clown, er weithie ro'dd hi'n anodd ei weld e o gwbwl!

O'dd Meic wedi sgrifennu cerddoriaeth hyfryd i Punchinello a'r sipsiwn, ond ei unig fai o'dd y bydde fe weithie yn 'ymlacio' gormod. Yn wir, ar un achlysur ro'dd Meic wedi ymlacio cymaint fel na sylweddolodd fod y gadair yr eisteddai arni wrth serenadio Nia Von hardd yn ei ffenest wedi cwympo'n ddarne o dan ei bwyse. Daliodd ati i chware a chanu'n hyfryd a thcimladwy heb golli nodyn, er iddo ddisgyn, gan eistedd ar y llawr i orffen y gân. Dro arall o'dd Meic yn hwyr i'r *matinée* a do'dd dim sôn amdano'n unman. A'th Dylan Jones i chwilio amdano yn y gwesty a chnocio ar ddrws ei stafell. 'Dere miwn,' medde llais Meic, ond wedi i Dylan fynd i mewn do'dd dim sôn am Meic. Yna clywodd lais oddi fry a dyna lle ro'dd Meic yn eistedd yn ddiddig ar ben y wardrob!

Penderfyniad arall dewr gan Wilbert o'dd cyflogi Dafydd Iwan i chware un o'r prif ranne. Ro'dd y protestiade iaith yn eu hanterth ac arwyddion yn ca'l eu peintio ym mhobman, a thrwy gyflogi Dafydd, cadeirydd Cymdeithas yr Iaith ar y pryd, fe na'th Wilbert yn hollol glir ei fod e'n cefnogi'r ymgyrch yn gyfan gwbwl. Ro'dd Dafydd yn actor digon deheuig, ond ro'dd hi'n anochel y bydde ei weithgareddau allgyrsiol yn creu ambell i broblem. Arllwyswyd paent dros gar Dafydd a gosodwyd hoelion yn ei deiars, ac yna fe'i harestiwyd. Mae cyfraniad diwylliannol a gwleidyddol Dafydd i adeiladwaith y Gymru fodern ddemocrataidd yn anfesuradwy ac mae'r driniaeth annymunol mae e wedi'i derbyn yng Ngwynedd yn ystod y blynyddoedd diweddar tu hwnt i grediniaeth pob Cymro twymgalon.

Gan ragweld, falle, ganlyniad ei ddewis wrth gastio, trefnai Wilbert ymarferion i'r actorion fydde'n tanchware yn rheolaidd, digwyddiad digon cyffredin yn y theatr broffesiynol, a phenderfyniad doeth ar daith cyn hired â hon, yn arbennig wrth gofio bod nifer o *matinées* mewn ysgolion. Mae bod yn eilydd i actor yn cynnig profiad amhrisiadwy i actorion ifanc, ond dim ond Dyfan ga'th gyfle i ddisgleirio pan ga'th Dafydd Iwan ei arestio ac a'th Meic yn AWOL yn ystod wythnos ola'r daith.

O'dd 'na 27 ohonon ni i gyd, yn gast a chriw, a 'nhasg i, ar wahân i'r ddyletswydd o fod yn sipsi, o'dd gwneud te a choffi i bawb. Gyda help Big G, gyrrwr y lori, dysges i shwt i ddelio â'r tepot anferth a phwy o'dd yn ca'l beth – fy unig broblem o'dd cadw'r rhubane sidan lliwgar yn glir o'r mygie. Bydde'n rhaid paratoi'r stafelloedd gwisgo i'r cast, o'dd yn cynnwys Meredith Edwards, cefnogwr brwd i'r theatr Gymraeg ers blynyddoedd, W H Roberts, ein hathro barddoniaeth, a Gaynor Morgan Rees, o'dd fel arian byw wrth chware rhan Toinette y forwyn. Dysgon ni gymaint wrth wylio o'r esgyll. Bydden ni hefyd yn glanhau'r stafelloedd gwisgo, yn pacio'r gwisgoedd trwm, yn llwytho'r lori ac yn golchi'r paent brown oddi ar ein coese a'n breichie cyn rhuthro i lawr i'r bar.

Fel tase hyn ddim yn ddigon, penderfynodd Wilbert greu sioe i ysgolion cynradd ar yr un pryd – *Y Peiriant Hapusrwydd*. O'dd hyn yn gwneud synnwyr economaidd. Fi o'dd y dywysoges hardd Gweneira, mewn ffrog binc anferth a del. Gan fod Gweneira'n drist o'dd hi'n pallu gwenu na chwerthin – na siarad! Fi hefyd o'dd meistres y gwisgoedd, a'r cast wnaeth griwio hefyd. Byth yn y gwely cyn dau o'r gloch a lan am wyth, tair sioe y dydd, 85 o berfformiade o fewn 10 wythnos, cynulleidfaoedd mawr a brwdfrydig, a 700 yn Neuadd y Brenin yn Aberystwyth!

Perfformion ni'r *Peiriant Hapusrwydd* yn Ysgol Gynradd Ystradowen ger Cwmllynfell. 'Nhad o'dd prifathro'r ysgol fach yng nghanol ardal ddiwydiannol dwyrain Sir Gâr ers mis Medi 1968, pan o'n i ar fy ail flwyddyn ym Mhrifysgol Caerdydd, a bellach ro'dd 'yn rhieni'n byw yng Nghwmtwrch Isha.

Wedyn fe ges i ran! Rhan go iawn. Erbyn hynny dim ond Marged a fi a Dyfan o'dd ar ôl ar y cynllun hyfforddi. O'dd Huw Davies wedi gadael ar ôl ca'l rhan yn *Catarina*, a Nia Von yn dilyn perfformio yn *Y Claf Diglefyd*. O'dd Marged wedi ca'l sawl rhan yn barod, a Dyfan wedi serennu'n annisgwyl yn *Y Claf Diglefyd*, a bellach dyma brawf fod Wilbert yn hapus gyda 'ngwaith innc hefyd ac na fydde'n rhaid i fi adael.

O'dd hi'n rhan wych. Y Chwaer Agnes, lleian a nyrs, yn *Y Barnwr*, drama o Ddenmarc gan Hans Christian Branner. Gwaharddwyd hi yn Nenmarc pan sgrifennwyd hi ac yn

Sweden y gwelwyd hi gynta, medd y rhaglen, yn ogystal â rhybudd, 'Nid yw hi'n addas i blant'. Dwi'n gwybod bod rhai yn y cwmni yn meddwl i Wilbert fod yn annoeth i 'nhrystio i â rhan y Chwaer Agnes, a falle eu bod nhw'n iawn, ond hynny a fu, ac ro'n i wrth fy modd yn ca'l rhannu llwyfan â Gwyn Parry, Owen Garmon a'r anhygoel Beryl Williams. Do'dd hi ddim yn rhan fawr, ond ro'dd hi'n hen ddigon mawr i fi ga'l cyfle i brofi theori Stanislavski ac i ddefnyddio'r cyfan ro'n i wedi'i ddysgu.

Ond da'th cwmwl dros 'y ngorfoledd. Erbyn hyn o'n i mewn perthynas â Meic Povey, ac ynte a Gwyn Parry'n byw'n achlysurol gyda fi yn y tŷ ro'n i a Marged Esli wedi'i rentu yn 33, Heol Garth Uchaf yn ymyl y pier ym Mangor, tŷ bach teras pert â dau falconi llechi a ffenestri Ffrengig. Erbyn hyn ro'dd Meic wedi gadael y cwmni er mwyn mynd i weithio i'r BBC yng Nghaerdydd fel actor. Actor o'dd Meic eisie bod, a hefyd, hyd yn oed yr adeg honno, awdur byd-enwog. Deuai 'nôl a 'mla'n o Fangor, gan dorri swêj yn Sir Fôn am gyfnod, a sŵn clep y drws wrth iddo adael yn y bore'n llenwi'r tŷ â thristwch. Ond nid cymaint o dristwch â'r hyn ddigwyddodd wedyn.

Tra o'dd Meic yng Nghaerdydd cwrddodd â'r gantores hyfryd, hardd Heather Jones a chwympo mewn cariad â hi. Do'n i ddim yn gwybod beth i wneud, na lle i droi. Shwt ddiawl o'n i fod delio â hyn? Actio rhan go iawn am y tro cynta, a 'nghalon i wedi'i thorri? Ac ro'dd gwa'th i ddod gan fod Meic wedi ailymuno â'r cwmni i weithio gyda'r criw llwyfan dros gyfnod y Steddfod. Yno ro'dd tri chynhyrchiad a sioe bop, *Sachliain a Lludw*, yn yr arfaeth ac fe fydden i hefyd yn un o'r criw yn ystod yr adege hynny pan na fydden i'n ymarfer neu'n perfformio'r *Barnwr*. *All hands on deck* o'dd polisi Wilbert. Pan lwyddodd Wilbert i brynu hen gapel y Tabernacl ar Ffordd Garth Isha, sy'n fflatie erbyn hyn, ni'r cyw-actorion lanhaodd y lle, sgrwbo'r llorie a glanhau'r ffenestri, dan oruchwyliaeth orfrwdfrydig braidd

Grey Evans. Sioe bop hwyr o'dd *Sachliain a Lludw*, syniad arall athrylithgar gan Wilbert. 'Cyflwyniad cinetig cyfoes' o'dd y disgrifiad, gyda fy hen ffrindie coleg, Y Dyniadon Ynfyd Hirfelyn Tesog, yn ogystal â'r Tebot Piws, Y Diliau, Meic Stevens, James Hogg ac ie, Heather Jones. Nos Lun tan nos Iau yn y Coleg Technegol am ddeg o'r gloch o'dd e'n dweud ar y rhaglen ac o'n i ar y *follow spot*, lan yn uchel yn y sgaffalde yng nghefn y neuadd. O'dd, ro'dd Wilbert yn credu mewn gwneud yn siŵr ei fod yn ca'l gwerth ei arian. O'n i mor flinedig ambell noson, bron i fi fynd i gysgu fel iâr ar ben scimbren.

Heblaw am y ffaith bod ymadawiad Meic wedi f'ysgwyd, do'dd 'da fi ddim syniad yn wir shwt o'n i'n mynd i greu cymeriad y Chwaer Agnes. Y peth cynta o'dd rhaid i fi wneud o'dd croesi'r llwyfan yn cario *bedpan*. Shwt o'dd mynd o naill ochr y llwyfan i'r llall? Ro'dd geirie Beryl Williams yn diasbedain yn 'y mhen i, 'Mae tri chwarter 'ych gwaith chi gartre' – hynny yw, ddim yn y stafell ymarfer. Gweithies i'n galed ofnadwy i ddarganfod y gwir emosiwn y tu ôl i bob gair a phob gweithred. Defnyddies i'r holl syniadaeth o'n i wedi bod yn ei datblygu, gan roi fy hunan i mewn i'r rhan – menyw'n llawn tawelwch ysbrydol a hapusrwydd mewnol – ac fe gynhaliodd e fi trwy bob dim ym mhob agwedd o 'mywyd. Ond o'n i'n nerfus ofnadwy ar y noson gynta, er ddim mor nerfus â Beryl, fy eilun hollalluog, o'dd yn crynu fel deilen ar ei ffordd i'r llwyfan yn Neuadd PJ ac yn dweud, gan bwffian yn ffrantig ar ei sigarét, 'O Shar bach, pam 'dan ni'n neud hyn, 'dwch?' Fe fydde'n flynyddoedd lawer cyn i fi ddeall bod nerfe'n gwaethygu yn hytrach na gwella wrth dyfu'n hŷn, a ninne wedi dod yn ymwybodol o'r miloedd o bethe allai fynd o'i le.

Dwi ddim yn gwybod shwt berfformiad roies i, ond o'n i wrth 'y modd pan ges i fy llongyfarch gan Emily Davies ar faes y Steddfod. Falle fod yr holl waith Stanislavskiaidd wedi talu ffordd, meddylies i, er nad o'dd sylw Buckley Wyn y saer – 'Byddi di'n dda iawn rhyw ddiwrnod' – fawr o gysur. Mae'n rhaid 'mod i wedi gwneud rhywbeth yn iawn, ond digon anfodlon ar 'y mherfformiad fues i drwy'r Steddfod ac yn ystod taith yr hydref wedyn. Mae 'nyddiadur o'r cyfnod, a phob cyfnod arall ar ôl hynny a dweud y gwir, yn llawn sylwade hunanfeirniadol. Un o'r pethe dwi'n hoffi am y theatr yw'r cyfle i ailadrodd perfformiad a bod cyfle i drial gwella ym mhob perfformiad. Dwi byth yn ei ga'l e'n iawn, wrth gwrs; bob nos mae rhai darne'n well na'i gilydd, ac weithie mae e i gyd yn ofnadwy, ond dyna'r her sy'n cynnal diddordeb.

Yn Eisteddfod Bangor, felly, y dechreues i ar 'y ngyrfa go iawn trwy ga'l bod yn rhan o gynhyrchiad ar lwyfan cenedlaethol. Yn ôl *Y Faner* o'dd 'Y cynhyrchu'n raenus a'r actio'n afaelgar'; yn ôl y *South Wales Echo* o'dd e'n 'gynhyrchiad gwych o ddrama gref' – ro'dd cynyrchiadau Cymraeg eu hiaith Cwmni Theatr Cymru yn ca'l eu hadolygu yn yr *Echo* a'r *Western Mail* y dyddie hynny, a'r *South Wales Argus*, ddwedodd ei fod e'n 'sylwadaeth dreiddgar... yn gynhyrchiad cryf iawn'. Ar hyd 'y ngyrfa dwi wedi parhau i adeiladu ar y dull o ddarganfod calon cymeriad a gychwynnes i ym Mangor yn 1971.

Ar ôl y Steddfod ymunes i â thaith gerdded Cymdeithas yr Iaith o Fangor i Gaerdydd. Ym Mhont-ar-sais ymunes i, ar bwys y Stag and Pheasant, o'dd yn gyfarwydd o ddyddie ysgol, a cherdded i Lyn-nedd. Bues i'n siarad ar yr uchelseinydd, fel wnes i adeg etholiad Caerfyrddin. Arhoses i yn nhŷ Emily Davies, ca'l mentyg trwser ei mab pedair ar ddeg oed, Aled Eirug, ar ôl ca'l socad yn y glaw trwm, a gwledda ar ei phastai ffowlyn a madarch nefolaidd. Arweiniodd y baledwr Elfed Lewis dipyn o ganu ar y ffordd. O'dd Dewi Pws a Dyfan ar y daith hefyd, a dyna pryd y dwedodd Dewi wrth Dyfan wrth iddyn nhw ddarganfod eu hunain ymhell y tu ôl i weddill y cerddwyr, 'Thank God for that, at last we can speak English!' – un o *one-liners* cofiadwy Dewi. Mor braf o'dd ca'l bod yn rhan o'r bwrlwm gwleidyddol unwaith eto, ymysg eneidiau hoff gytûn, diwylliedig. O'dd hi'n anodd cyfuno actio a gweithredu. Ca'th Dyfan ei arestio yng nghanol cyfnod ymarfer y *Peiriant Hapusrwydd* yn ystod yr achos cynllwynio yn Abertawe, a'i garcharu am rai wythnose, a bu'n rhaid ailgastio ei gymeriad, y Marchog Alanallol. Serch hynny, ro'dd Wilbert yn gwbwl gefnogol iddo ac fe fydde'n darllen llythyre carchar Dyfan, a'r rheiny wedi'u sensro'n drwm, i ni yn ei swyddfa yn Heol Waterloo.

Yn yr hydref bu taith o'r *Barnwr* gyda'r nos tra bydden ni'n diddanu, os mai dyna'r gair cywir, ysgolion uwchradd gyda sioe o'r enw *Hynt a Helynt y Ddrama Gymraeg* yn ystod y dydd. Enghraifft arall o ymgais Wilbert i ladd dau aderyn ag un garreg. Detholiad o olygfeydd o ddramâu dramodwyr fel Beriah Gwynfe Evans, R G Berry a D T Davies, ynghyd â naratif ein hanes theatrig, o'dd hon; gweithred bwysig iawn ar gyfer codi ymwybyddiaeth o wreiddiau'r ddrama. Dramâu eu cyfnod, hen-ffasiwn a digon melodramataidd, o'dd y rhain, a'r arddull yn ei gwneud hi'n anodd iawn i ni fel cast i'w cymryd o ddifri, ar wahân i Gaynor Morgan Rees, a lwyddodd i ddygymod yn iawn rywsut. Yn wir, ar rai achlysuron gwelwyd actorion yn mynd reit i gefn y llwyfan a throi eu cefne at y gynulleidfa er mwyn ceisio cuddio'r ffaith eu bod nhw wedi'u meddiannu'n llwyr gan donnau o chwerthin, eu lleisie'n crynu a'u hysgwyddau'n ysgwyd yn ddidrugaredd. A'th un actor mor wan ar ôl chwerthin cymaint nes iddo syrthio ar ei liniau'n ddiymadferth, ond gan lwyddo'n arwrol rywsut i argyhoeddi'r gynulleidfa fod hynny'n rhan o'r chware. Owen Garmon, Dylan Jones, Grey Evans, Gwyn Parry, Marged Esli a finne o'dd yn euog o'r diffyg rheolaeth dybryd 'ma. 'Corpso' y'n ni'n ei alw fe ac mae'n gatshin. Dwi'n cofio iddo ddigwydd unwaith yn ystod perfformiad o *Under Milk Wood* yng Nghastell-nedd, a phawb ar ei focs yn wynebu'r gynulleidfa ac yn trio'u gore i fogu'r chwerthin.

Nawr, o'dd 'y nghyfnod fel ASM wedi dod i ben, a 'ngyrfa fel actor wedi dechre. Falle fod fy rhan nesa, Nel ddiniwed, ddim cystal rhan â'r Chwaer Agnes, ond o'dd hi'n rhan. *Dwy Ystafell* o'dd y ddrama, un o dair drama fer gan John Gwilym Jones o dan y teitl *Rhyfedd y'n Gwnaed*, a a'th ar daith yn dilyn *Y Barnwr*. Myfyrwyr chwaraeodd y rhanne yn Eisteddfod Bangor – siom a sioc i ni ar y cynllun hyfforddi, a ninne wedi'n hargyhoeddi bod oes yr amaturied wedi dod i ben. Mae'n debyg iddo fod yn rhan o'r cytundeb rhwng Wilbert a'r dramodydd, ond yn dilyn y Steddfod, diolch i'r drefn, o'dd rhaid i Sian Miasczynska, Dewi Davies, Alun Ffred a Marged Parry ddychwelyd at eu hastudiaethau ac felly ces i a Marged a Dyfan ein cyfle. Da'th Mr Dewi Pws Morris i ymuno â ni ac fe arhosodd i fod yn rhan o'r cynhyrchiad a'i dilynodd, sef y pantomeim *Mawredd Mawr*. Wynford Ellis Owen o'dd yn cyfarwyddo ac fe ymunodd e hefyd â chast y pantomeim i chware rhan eiconig Fairy Nyff. Cyfle i bawb, ac amldasgio o'dd yr arwyddair. Bu cryn dipyn o gorpso ar ddiwedd taith *Rhyfedd y'n Gwnaed* hefyd, yn enwedig ar y noson ola pan, yn ôl y traddodiad, y bydde'r criw'n chware tricie ar yr actorion. Marged Esli ga'th hi waetha. Rhoddwyd powdr cosi yn ei dillad isa ac mae 'da fi gof clir o droi at ochr y llwyfan a gweld wynebe'r criw yn yr esgyll yn lladd eu hunain wrth chwerthin.

Mawredd Mawr o'dd y pantomeim proffesiynol cynta yn y Gymraeg. Cam cwbwl naturiol. Ma'r modd y ceisiodd Wilbert gyflawni holl ddisgwyliadau'r gynulleidfa mewn blwyddyn, gan feithrin a hybu talent ar yr un pryd, yn anhygoel. Bu'n rhaid i un cwmni, ar ychydig o arian, wneud yr hyn y bydde dege o gwmnïe'n ei wneud mewn gwledydd eraill ac fe gyflwynodd waith awduron newydd, y clasuron, gwaith i ysgolion, a nawr un o'r ffurfie theatrig hynaf oll, y pantomeim. Bellach fe dda'th y pantomeim blynyddol yn ddigwyddiad pwysig yng nghalendr adloniant Cymru, ac ers blynyddoedd nawr mae Cwmni Mega, o dan arweiniad

Dafydd Hywel, un o *protégés* Wilbert, wedi parhau'r traddodiad. Dyma elfen holl bwysig yn y flwyddyn theatrig; yn amal, dyma'r cyflwyniad cynta gaiff plentyn i'r syniad o theatr. Mae'n lliwgar, yn swnllyd, yn ddoniol ac yn lot o hwyl.

O'n i'n chware'r dywysoges hardd, mewn wig hir, shinog, blond, ac er bod y cymeriad braidd yn boring, do'dd y criw ddim. Da'th Tony ac Aloma a Rosalind Lloyd i ymuno â ni, a Beryl Hall a'i chi, Ben, o'dd yn gallu canu. O'dd e braidd yn anarchaidd, fel dyle pob pantomeim da fod, a do'dd dim dal beth wele Aloma'r sipsi yn llaw Dewi Pws wrth iddi gynnig dweud ei ffortiwn. Cofio 'fyd beth o'dd effaith canu Ben ar ei libido ar ddiwedd y sioe, a hynny'n destun chwilfrydedd mawr ymhlith y cast cyfan, wrth i Dewi ein hysbysu o'i gyrhaeddiad e bob nos yn ystod yr olygfa ola. Llwyddes i i ga'l Ben i ganu yn y stafell wisgo sawl tro, pan fydde Beryl ar y llwyfan, trwy bitsho fy llais yn uchel iawn. O'dd e ffili diodde'r sŵn, a'r udo'n cofrestru'r ffaith bod y node uchel yn brifo'i glustie.

O'dd yr hwyl oddi ar y llwyfan yr un mor wallgo ag erio'd, ond gan fod 'y nghyfnod gyda'r cwmni wedi parhau'n llawer hirach na blwyddyn y cynllun hyfforddi cychwynnol, ro'n i'n gwybod y bydde'n rhaid i'r hwyl ddod i ben – os na fydde rhanne addas, gadael fydde raid. Da'th y cyfnod i ben gyda rhan wych – un o'r chwiorydd hyll yn *Nid Aur yw Popeth Melyn*, sioe i ysgolion cynradd. Iona Banks, cymeriad anhygoel, a Gwladys Lake yn *Pobol y Cwm* am flynyddoedd wedyn, a'i gwallt at ei wast, o'dd y chwaer arall ac fe na'th hi'n siŵr ein bod ni'n mwynhau'n hunain i'r eitha. Os bydden ni'r bobol ifanc yn colli'r awydd i gymdeithasu, fe ddeuai Iona i'r fei gyda'r geirie anfarwol 'Circulate, circulate!' Dim ond yn y dydd o'n ni'n perfformio, wrth gwrs – sefyllfa beryglus iawn – a bydde dawnsio a chanu am naw o'r gloch y bore ar ôl noson hwyr yn artaith. Ond dim gymaint o artaith â chyrraedd un ysgol a sylweddoli nad o'dd gan y plant air o Gymraeg. O'dd rhywun yn rhywle wedi gwneud camgymeriad. Ond gan fod y plant yno'n barod, yn eistedd yn eiddgar yn y gynulleidfa, beth nelen ni? *The show must go on* ac felly, fel pobol wallgo, penderfynon ni gyfieithu ar y pryd. Wedi'r cwbwl, o'n ni'n ddwyieithog ac yn gwybod y ddrama'n dda iawn ar ôl bod wrthi ers wythnose, ond o'n ni? Ond bois bach, o'dd e'n brofiad erchyll. Perfformion ni hi rywsut, ond buodd rhaid gwasgu galwyni o chwys o'n gwisgoedd cyn eu rhoi nhw gadw.

Cyn diwedd taith *Nid Aur yw Popeth Melyn*, ces i'r newyddion trist bod Olwen, fy ffrind o Lanaman, wedi marw. Olwen, a fu'n rhedeg ar hyd Mynydd Llusu a dringo i ben Pentyrcan 'da fi ac o'dd yn nabod pob llathen o'r tir grugog. O'dd hi wedi bod yn dost am beth amser, yn diodde o glefyd *lupus*. Erbyn hyn mae yna ffordd o reoli *lupus*, sy'n ymosod ar y system imiwnedd, ond yn y saithdege cynnar do'dd y wybodaeth bwrpasol ddim ar ga'l a bu farw Olwen yn 1972 yn un ar hugain oed. Buon ni'n llythyru'n gyson, a hithe'n anfon ei barddoniaeth i fi o'i gwely yn yr ysbyty. Dyma ddarn halodd hi i fi pan glywodd hi bod hiraeth arna i yn fy nhymor cynta yn y brifysgol yng Nghaerdydd:

Hen Daircarn llwyd, ti yw fy Wyddfa i,
A'r Mynydd Llusu yw fy Eryri.

Rwyt foel a llwm a llaith,
A'th erwau sydd yn annwyl i mi.

Rwyt faith a doeth a hen,
Mae'th gryfder yn gysur i mi.

Rwyt dawel a thyner 'rhen Fynydd Du,
Treiddiodd dy hedd i 'nghalon i.

Ar daith ysgolion *Y Peiriant Hapusrwydd*: Marged Esli, Gwyn Parry, Dylan Jones, Nia Von, Gaynor Morgan Rees, fi, Dyfan Roberts, y prifathro, y swyddog drama Gwyn Hughes Jones a Dafydd Hywel yn penlinio.

Golchi traed Gwyn Parry yn *Y Barnwr*.

Criw llwyfan Eisteddfod Bangor: Duncan Scott, Buckley Wyn, Ian Hobbs, Dyfan Roberts, Meical Povey, fi, Hefin Evans a Gareth Roberts.

Y pantomeim proffesiynol Cymraeg cyntaf, *Mawredd Mawr*: Gwyn Parry, Rosalind Lloyd, Dewi Pws a fi.

Sioe ysgolion *Nid Aur yw Popeth Melyn*: Iona Banks, Dewi Pws a fi.

Llun cyhoeddusrwydd, Caerdydd, 1972.
Llun: Barry Webb.

Rhaglen ysgolion, stiwdio radio Llandaf: Cynddylan Williams, Frank Lincoln, Marged Esli, Lisabeth Miles, fi ac Islwyn Morris. Mae Margaret Bird y cynhyrchydd ar y dde a'r peiriannydd â'u cefnau atom.

Rhandirmwyn yn Llangors, yng nghanol y mwd: Olwen Rees, fi a Christine Pritchard.

Canu 'I'll Make a Man of You' yn *Oh, What a Lovely War*, Theatr Awyr-agored Caerdydd.

Haf o Hyd gyda Myfanwy Talog.

Bod yn 'Shalot' yn *Teliffant* – y rhaglen gyntaf erioed. *Gyda chaniatâd caredig BBC Cymru.*

Teliffant. *Gyda chaniatâd caredig BBC Cymru.*

Gydag Eugene Ionesco: Dyfan Roberts, Iona Banks, Valmai Jones, J O Jones, Ionesco, Grey Evans, fi, Gareth Jones, a Huw Tudor yn dal braich Madame Ionesco.

Ar ôl bod lan trwy'r nos, ar y prom yn Aberystwyth: Paul fy mrawd, fi, Stephen Bayley-Hughes a Grey Evans.

Ymarfer *Tŷ Dol* yn theatr y Casson yn Ruby Street: Tony Roberts (props), fi, Frank Lincoln, Iris Jones, Grey Evans a Dyfan Roberts, ac Alwyn Ifans y rheolwr llwyfan a Nesta Harris y cyfarwyddydd yn eistedd wrth y bwrdd.

Nora yn *Tŷ Dol*.

Plant fy mrawd: Elizabeth yn y blaen ac, o'r chwith i'r dde, Anna, Kathryn a William.

Dolwar Fach, cartref Ann Griffiths, ar daith *Byd o Amser*. Rhes gefn: Grey Evans, Dyfan Roberts. Ail res: perchnogion y fferm, fi, Lisabeth Miles, Menna Gwyn. Rhes flaen: Huw Tudor, Huw Ceredig.

Under Milk Wood. Cinio ar y graig ym Metws-y-Coed: Malcolm Taylor y cyfarwyddydd yn sefyll, Menna Gwyn, Grey Evans, Stewart Jones, fi, Huw Ceredig a Valmai Jones.

Ymarfer *Persi Rygarug* yn y Tabernacl: Dewi Hughes y rheolwr llwyfan yn sefyll, fi, Wilbert Lloyd Roberts athrylithgar a Glyn 'Saer'.

Persi [illegible]
'the bod[illegible]

Cyfweld Ray Gravell ar
Seren Wib.

Under Milk Wood yn theatr y New London. Stewart Jones, fi, Huw Ceredig a Hugh Griffith.
Llun: John Downing.

WPC Evans yn *Glas y Dorlan* gyda Geraint Jarman.

Glas y Dorlan: WPC Evans *off-duty*.

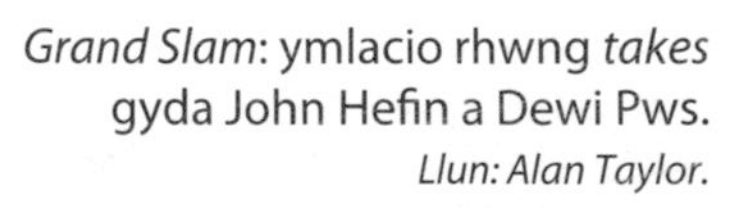

Grand Slam: ymlacio rhwng *takes* gyda John Hefin a Dewi Pws.
Llun: Alan Taylor.

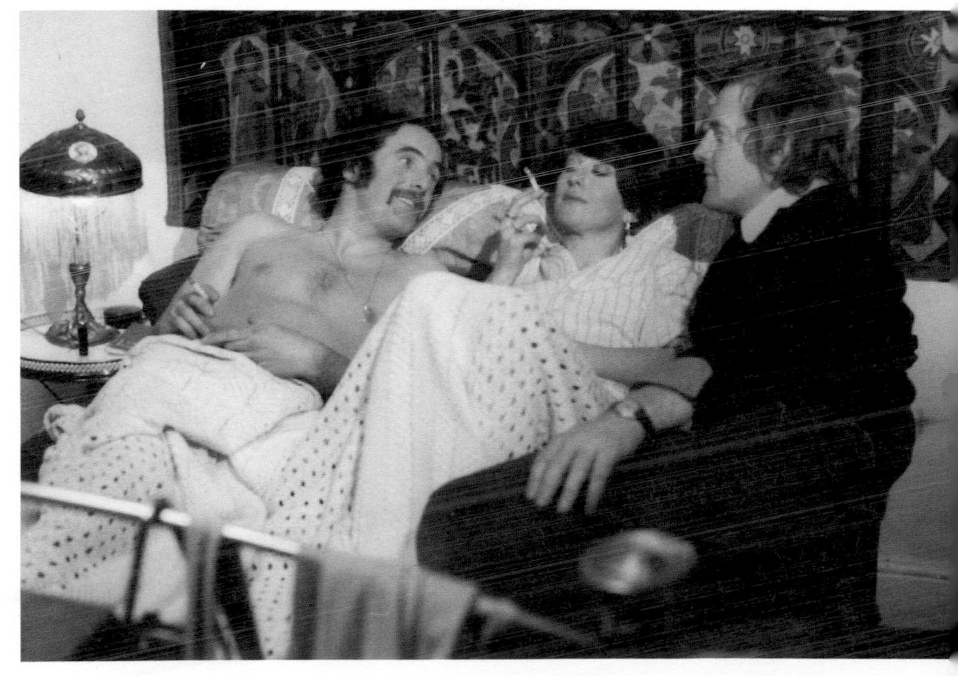

Odette yn *Grand Slam*.
Llun: Alan Taylor.

Tŷ bach y Cwîn, *Croeso i'r Roial*, sioe gyntaf Bara Caws, Eisteddfod Wrecsam, 1977.

Dadlwytho'r lori gyda Dyfan Roberts, *Croeso i'r Roial*, Eisteddfod Wrecsam, 1977.

Sargeant Sarah a Corporal Punishment, Theatr Clwyd, cefn llwyfan yn rywle mewn panic, gyda Iola Gregory. 'Ma'n rhaid bo ni'n gwbod rhwbeth ar ôl yr holl flynyddo'dd.'

Yn ceisio sianelu Anita Williams Trimsaran wrth ganu cân Poli Gardis ar lwyfan theatr y Mayfair.

Yn nhafarn y Salisbury, llun cyhoeddusrwydd ar gyfer *Under Milk Wood* yn theatr y Mayfair.
Llun: John Downing.

16

'Nôl i'r De

NAWR RO'DD YN rhaid wynebu realiti bywyd actores – ansicrwydd parhaol a byw o gytundeb i gytundeb. Ma'r elfen o risg yn gallu gwneud y gwaith hyd yn oed yn fwy deniadol rywsut gan nad yw hi'n bosib gwybod beth sy'n mynd i ddigwydd nesa, ac fe allai e fod yn rhywbeth anhygoel a chyffrous fydd yn newid cyfeiriad bywyd am byth. Ar y llaw arall, mae'n bosib suddo i bydew o iselder ac anobaith.

Gadawes i Fangor gan ddweud 'Hwyl i heolydd Cymru am y tro', fel sgrifennes i yn y llyfr bach o 'farddoniaeth' a syniadau dwi wedi'i gadw ers pan o'n i'n bedair ar ddeg oed. Es i gartre, wel, i Gwmtwrch, at 'yn rhieni, i feddwl beth i wneud. Do'dd dim amheuaeth o gwbwl mai parhau i actio o'dd yr uchelges, felly sgrifennes i at bawb fydde'n debygol o allu 'nghyflogi i, a mynd i Gaerdydd i aros gyda fy hen ffrind Sian o'dd erbyn hyn yn Swyddog Llenyddiaeth 'da Cyngor y Celfyddydau.

O'dd HTV, ne' Teledu Harlech, a'i ganolfan ym Mhontcanna ar ddechre'r saithdege yn lle cartrefol a chroesawgar. Yn wahanol iawn i'r BBC, do'dd rhywun ddim yn teimlo bod yn rhaid tynnu'i sgidie a moesymgrymu wrth nesáu'n wylaidd at y dderbynfa. I'r gwrthwyneb, ro'dd yr awyrgylch yn fohemaidd rydd. O'dd Marged Esli hefyd wedi cyrraedd Teledu Harlech rywsut ac ro'dd rhwydd hynt i'r ddwy ohonon ni eistedd yng nghantîn y sefydliad rhyddfrydol hwn am orie bwygilydd, cyn iddi ddod yn amser mynd i'r clwb chwedlonol ar draws y lawnt, dan oruchwyliaeth Clive y barman barfog na'th chware rhan fy nhad yn *Grand Slam* rai blynyddoedd yn ddiweddarach, ac yna i'r Spanish Club yn un o arcêds y dre.

O'dd HTV'n weithle i bobol ddeallus a gafodd ddylanwad pellgyrhaeddol ar ddarlledu Cymraeg dros y deugain mlynedd nesa. Gwyn Erfyl, Euryn Ogwen, Emyr Daniel, Elinor Jones, Eirwen Davies (y fenyw gynta erio'd i ddarllen y newyddion ar y teledu), Aled Vaughan, Huw Davies, Dorothy Williams, Wendy Williams, Christopher Grace, John Cross, Peter Elias Jones a Margaret Elin – ma'r rhestr yn ddiddiwedd. Gyda'r perffeithydd Margaret Elin weithies i gynta, yn trosleisio cartwnau *Sleeping Beauty* a *Cinderella* o'r Saesneg Americanaidd i'r Gymraeg. Edrychai Margaret Elin fel dol 'da'i chro'n brown, ei minlliw pinc a'i cholur llygaid glas. O'dd ei gwallt melyn gole, gole at ei hysgwyddau wedi'i goiffeuro a'i lacquero a'i fac-combio i'r eitha, a'i dillad pastel a'i sgarffie sidan yn gweddu i'r dim. A dweud y gwir, ro'dd arna i ei hofn hi ac felly bydden i'n rhoi 'y ngore iddi. Ond ar y rhaglen eiconig *Miri Mawr* yr ymddangoses i ar y teledu am y tro cynta. Bydde actor anffodus yn dod i'r ogof yn westai i Caleb, Llywelyn a Blodyn Tatws, i ddarllen stori i'r plant, a châi ei ddrysu a'i boenydio gan y creaduried rhyfedd a chwaraewyd gan y rapscaliwns Dafydd Hywel, John Ogwen a Robin Griffith. Anarchiaeth yn wir, ac Endaf Emlyn yn rheolwr llawr ar y pryd yn ceisio cadw trefn... Ond do'dd dim modd aros yn HTV yn mwynhau fy hun am byth. Hales i lythyre di-ri a chroeses i 'mysedd gan obeithio am y gore.

Rhaid cyfadde bod y ffaith nad o'dd gen i hyfforddiant trylwyr a chynhwysfawr coleg drama yn fy mhoeni. Fe barodd y teimlad am flynyddoedd, ymhell ar ôl i fi hen sefydlu fy hun fel actores, cyn i fi sylweddoli gymaint o'n i wedi'i ddysgu wrth actio, bod rhywun yn dal i ddysgu trwy gydol ei hoes a bod ansicrwydd a diffyg hyder yn rhan annatod o gyfansoddiad actor. Ond ar y pryd ro'n i'n ysu am rywbeth swyddogol i roi hyder i fi yn fy ngallu, felly penderfynes y bydde'n syniad ardderchog gwneud cwrs ôl-radd. Do'dd mynd i goleg am dair blynedd arall ddim yn apelio, heb sôn am y ffaith 'mod i eisoes wedi ca'l fy nhair blynedd o grant. Bydde blwyddyn yn gwneud y tro'n iawn ac felly es i gyfarfod â Raymond Edwards, Prifathro'r Coleg Cerdd a Drama, yn ei stafell *baroque* mewn tŵr yng Nghastell Caerdydd a phwyso arno i greu cwrs ôl-radd trwy gyfrwng y Gymraeg. Cytunodd ei fod e'n syniad da ac fe ddigwyddodd rai blynyddoedd yn ddiweddarach, er ei fod erbyn hyn, yn anffodus, wedi dod i ben. Ond o'n i angen cwrs y flwyddyn honno ac felly ro'dd yn rhaid chwilio dros y ffin. A'th Mam gyda fi i'r cyfweliad yn y Drama Centre yn Ealing, Llundain, a sefydlwyd yn 1966 i gynnig hyfforddiant o'dd yn 'hybu agwedd realistig', cwrs o'dd yn ymwybodol o 'anghenion a gofynion y theatr broffesiynol' yn ôl y blyrb. Apeliai hynny ata i gan i fi dreulio rhai blynyddoedd yn barod yn ennill fy mara menyn yn y byd hwnnw.

Tua'r un adeg fe weles i hysbyseb yn y papur yn gwahodd actorion i glyweliade ar gyfer cwmni newydd o'dd ar fin cychwyn yn Nantymoel, ym mhen uchaf Cwm Ogwr. Michael Forrest, actor gwych o'dd wedi gweithio 'da Joan Littlewood yn Stratford East, o'dd y cyfarwyddwr artistig, y Gwyddel Barry McMahon yn gweinyddu, Bryn Griffiths y bardd yn sgrifennu'r sgriptie a Bill Meilen, y cyn-asiant, o'dd y... beth?... y *fixer*, am wn i. O'dd Bill yn cyflenwi ychwanegolion i adran ddrama'r BBC ac ar un achlysur fe ddarparodd ddau ychwanegolyn tra arbennig ar gyfer drama Saunders Lewis, *Brad*. Ar do plasdy Dyffryn yn Nhresimwn, nid nepell o Gaerdydd, rhyw noson dywyll, gwelwyd dau o ddrwgweithredwyr enwoca Prydain, y brodyr Kray, yn cario drylle, eu drylle eu hunain medde rhai, ac wedi'u gwisgo mewn lifrai Natsïaidd. Ymfudodd Bill i Canada ymhen tipyn mae'n debyg, a do's neb yn siŵr iawn pam.

Cyflwynes fy Santes Joan o ddrama Anouilh o'r un enw ac fe ganes 'Lisa Lân' ar lwyfan a gaiff ei adnabod erbyn hyn fel y Berwyn Arts Centre. Llwyddes i argyhoeddi Michael Forrest 'mod i'n haeddu lle yn y cwmni o chwech. Ond yn syth ar ôl derbyn y cynnig hwnnw, fe ges i lythyr gan y cynhyrchydd teledu George Owen yn cynnig prif ran i fi yn y gyfres i blant *Deg i Dragwyddoldeb,* ac yn fuan wedyn llythyr gan y Drama Centre yn cynnig lle ar y cwrs ôl-radd. Beth i wneud? Ymddangosiad cynta mewn prif ran ar y teledu, datblygu sgilie yn Llundain? Penderfynes dderbyn cynnig Michael Forrest. Ysgrifennodd George Owen ata i wedyn yn tynnu fy sylw at y ffaith 'mod i'n gwrthod £350 dros y cyfnod! Ffortiwn ar y pryd, a fuodd cyfarwyddydd y Drama Centre, Peter Layton, yn biwis iawn pan wrthodes i ei hyfforddiant, ond teimlwn ei bod hi'n fwy o antur i dderbyn cynnig Nantymoel, a chytundeb am arian bach, gan fyw mewn hen dafarn fawr wag – y Railway Hotel – cysgu ar *camp bed,* cadw 'nillad mewn bocsys cardfwrdd ac ar hoelion ar y walydd, a mynd yn rheolaidd i Ben-y-bont i'r *cash and carry* i brynu tunie anferth o fîns a pherlysie.

Y bwriad o'dd dyfeisio ein sioeau ein hunain, gyda help Bryn Griffiths, fydde'n adlewyrchu'r gymdeithas o'n cwmpas. Y diwydiant glo a rygbi o'dd o'n cwmpas, felly cynnwys ein sioe gynta o'dd arwriaeth a galar colledion enbyd ar y naill law a dathliade buddugoliaethus ar y llall. Perfformion ni'r sioe mewn amryw o ganolfanne gan gynnwys canolfan gwbwl newydd yng Nghaerdydd o'r enw Chapter. Y set hyblyg o'dd chwe rostra o wahanol faint wedi'u peintio'n las, coch, melyn a gwyrdd, a ninne wedi'n gwisgo mewn dillad glas tywyll. O'dd caneuon yn rhan bwysig o'r sioe: cân *blues* sgrifennon ni'n hunain, 'Si Hei Lwli', a gofynnon ni i Max Boyce a gelen ni ddefnyddio ei ganeuon e, 'Duw, It's Hard' a 'Hymns and Arias'.

Cyflwynon ni noson o ymsonau a chanu gwerin yn y Non-Pol Club dros y ffordd i'r Railway Hotel, a cha'l ein bŵio'n ddidrugaredd. Cwrddes i â Dai Francis, arweinydd y glowyr, a darganfod cerddoriaeth Joni Mitchell yn nhŷ crand noddwraig gyfoethog yn Langland Bay, a mynd ymlaen i greu ail sioe, ond yna da'th y cwmni i ben yn ddisymwth.

Fe dda'th yn glir yn y man i'r saith ohonon ni berfformwyr, sef Lloyd Johnston, Phil Williams, Andrea Luscombe, John Williams, Terry Jackson, Geoff Vines a fi, ein bod ni'n gwbwl ddibynnol yn ariannol ar allu Mr Forrest, ein cyfarwyddwr, i ga'l gwaith ar y teledu. Pan ga'th Mike ran yn *Doctor Who* o'n ni wrth ein bodde gan y bydde'r cwmni'n parhau am fis arall! Ond do'dd e ddim yn ennill digon i gynnal saith actor, gweinyddydd ac adeilad, heb sôn am wraig a dau o blant. Felly, ar ôl cwta ddeufis, fe dda'th Cwmni Theatr Cambrian i ben. O'dd Michael Forrest yn ddyn hoffus ac yn actor carismataidd, ond ymhen amser ga'th alcohol afael ynddo fe, er mawr dristwch i fi. Y tro diwetha cwrddes i â fe ro'dd e'n byw mewn hostel i'r digartre, ac fe fu farw'n rhy ifanc o lawer.

Symudes i fyw i Gaerdydd, a cha'l gwaith gan theatr y Casson o'dd wedi'i lleoli yn hen gartre'r Welsh Theatre Company yn Ruby Street. O'n i a Terry Jackson, 'y nghyd-actor yn Nantymoel, erbyn hyn yn gariadon ac wedi ca'l gwaith mewn cynhyrchiad i ysgolion cynradd. Teithion ni gan gyflwyno *Culhwch ac Olwen* am ddeufis ac yna gofynnwyd i'r ddau ohonon ni ymuno â'r cwmni am flwyddyn. Derbyniodd Terry, ond o'n i wedi ca'l fy rhwydo gan fyd y teledu erbyn hynny.

17

Teledu

O'DD YR HOLL lythyru wedi talu ei ffordd, a ges i sawl clyweliad yn y BBC. Mewn stafell yn Oddfellows House ar Newport Road ges i glyweliad cyffredinol ar gyfer Adran Adloniant Ysgafn y BBC gyda'r cynhyrchydd Jack Williams a'r pennaeth adran diwylliedig a deallus Meredydd Evans. Gofynnwyd i fi greu sgwrs ddychmygol am anifail anwes ac fe ganes i 'Lisa Lân', er nad o'n i'n ymwybodol ar y pryd o gysylltiad Merêd â chanu gwerin. Mewn stafell yn yr Adran Ddrama yn Llandaf fe ges i glyweliad ar gyfer y gyfres ddrama *Rhandirmwyn* gyda phennaeth yr adran, John Hefin, a'r awdur Gwenlyn Parry; yn fuan wedyn ces i ddau gynnig o'dd yn amhosib eu gwrthod.

Fe fydde'r gwaith yn y Casson wedi bod yn ddiddorol ac wedi f'ymestyn i fel actores, ond Saesneg o'dd y cyfrwng ac yn Gymraeg o'n i eisie gweithio. Y tro 'ma felly o'dd y gwaith teledu'n fwy deniadol, yn enwedig a finne'n ca'l cyfle i bortreadu dwy brif ran ddiddorol dros ben – merch o'dd yn byw 'da'i thad o'dd yn ddewin ac yn orsaf feistr, a merch ddrwg o Grynwraig yn hwylio i America.

O'dd y gyfres i blant *Abracadabra Jos* yn golygu gweithio 'da'r carismataidd David Lyn, y saer yn *Saer Doliau*. Mae cyfraniad David i deledu a theatr wedi bod yn anferthol ac fe ddysges i pa mor hawdd yw gweithio 'da actor da. David a Dyfed Glyn Jones ffraeth a deallus sgrifennodd y sgript. O'dd Dyfed yn gynhyrchydd yn Adran Blant y BBC ac yn dad i'r ddau dalentog Matthew a Daniel Glyn. David o'dd yn chware rhan Abracadabra Jos, finne ei ferch Hannah ac ymunodd Marged Esli â ni i chware ffrind gore Hannah. Yn stiwdios y BBC yn Broadway, lle bues i'n gweithio yn y cantîn, recordion ni *Abracadabra Jos*. Rhyngddon ni bydde Marged a fi'n sgrifennu cân bob wythnos a'i recordio hi er mwyn ei meimio yn y stiwdio, fel arfer wrth ddawnsio dawns o'n ni hefyd wedi'i choreograffu! Un tro buodd mochyn bach yn y stiwdio 'da ni, benderfynodd neud ei fusnes yng nghanol *take*, ond ar y cyfan o'dd e'n hudolus, a gyda chymorth y golygfeydd yn erbyn sgrin las, plymion ni i ddyfnderoedd y môr a hedfan trwy'r awyr...

Fwy ne' lai ar yr un pryd, chwaraes i Lowri Llwyd yn *Rhandirmwyn*, addasiad o nofel Marion Eames am Grynwyr Dolgellau yn gadael am Pennsylvania. Do'dd e ddim fel petai ots bod 'yn acen i'n gwbwl wahanol i acen fy chwaer, Dorti, a chwaraewyd gan Christine Pritchard. Yn y dyddie hynny, mae'n debyg y bydden ni i gyd yn ymdrechu i feistroli rhyw fath o Gymraeg safonol, niwtral, yn hytrach na thafodiaith gref. O'dd hon yn gyfres uchelgeisiol, 13 pennod wedi'i lleoli yn Pennsylvania ac ar y llong ar draws yr Iwerydd. O'dd hi'n brif ran, ac i ychwanegu at y cyffro buodd yn rhaid i fi fynd i Lundain i ga'l fy ffitio ar gyfer wig hir, syth a blond – trefniant sy'n digwydd yn llai a llai amal y dyddie hyn oherwydd y gost, gan fod wig dda'n gallu costio miloedd. Ar lan llyn Llangors yn ymyl Aberhonddu creodd yr Adran Gelf set o bentre ar gyfer dyfodiad y Crynwyr i America, gan gynnwys rhan o long yn y llyn ei hun ac adeiladau pren a ffaglau'n llosgi yn y nos. O'dd e'n lledrithiol. Bydde hi'n amhosib gwneud rhywbeth tebyg heddiw yn y Gymraeg, a chyllidebau wedi'u torri i'r asgwrn.

Wrth gwrs, do'n i'n gwybod dim am dechneg actio teledu, heb sôn am y gofynion technegol. Bydden i'n gwneud 'y ngholur fy hun yn y theatr, ond ro'dd hon yn broses awr o hyd, a hynny ar ôl cludo'r wig hir, ole o Simon Wigs yn Llundain i 'mhen. O'n i wedi gwisgo'n barod, gyda help wrth gwrs, mewn ffrog hir ddu, a staes a pheisie, a *bustle* wedi'i glymu rownd fy nghanol. A chyn cyrraedd y set o'dd rhaid rigio meic radio, gyda'i focs trwm metal am 'y nghanol. Shwt ddiawl o'n i fod i actio wedyn? Shwd o'n i'n gallu canolbwyntio â'r holl bobol 'ma o gwmpas? O'dd 'y ngolygfa gynta i gyda Gwyn Parry ac ro'dd hynny'n beth da, wrth gwrs, achos o'n i'n ei nabod e! Braf nabod eich cyd-actor, yn enwedig os o's angen ei gusanu'n nwydus neu ymosod arno'n gorfforol. Criw bach o actorion o'n ni yn y cyfnod hwnnw, ac ro'dd llawer iawn o griw Cwmni Theatr Cymru yn y cast, a Meical Povey, fy nghyn-gariad, yn chware 'ngŵr i. Ochr arall y geiniog yw nabod pobol yn rhy dda! Ond o'dd 'y ngolygfa gynta i'n ddigon i brofi'r actor mwya profiadol. O'dd angen marchogaeth ceffyl drwy eistedd ar un ochr iddo, sef *side saddle*, gan garlamu'n wyllt tuag at Gwyn, o'dd yn torri coed. Neidio oddi ar y ceffyl, gofalu nad o'dd hwnnw'n dianc ac yna bwrw i mewn i ddadl danbaid, a honno'n para am ryw ddwy dudalen. Haws dweud na gwneud – rhwng y ffrog, y staes, y *bustle* a'r peisie, heb sôn am focs y meic radio a marchogaeth ar un ochr, a hynny acha rât. Yn y diwedd gwisgon nhw ddyn y stynts mewn ffrog a bonet i wneud y carlamu ac, o bellter, prin y byddech chi'n sylwi ar ei wallt a'i fwstash anferth melyngoch. Dwi ddim yn cofio gweld yr olygfa ar y sgrin yn y gyfres orffenedig, serch hynny.

O'dd hwn yn gyfnod lledrithiol, er yr holl fwd a'r oerfel. Er gwaetha'n ffrog drwm a 'nghlogyn, llwyddes i gyflawni gweddill 'y ngolygfeydd heb unrhyw anhap, ac o'dd pob eiliad yn bleser o dan arweiniad John Hefin y cynhyrchydd a'r cyfarwyddwr a Wyn Jones y rheolwr llawr. Mae swydd rheolwr llawr ne' gynorthwyydd cynta yn allweddol. Mae'n grefft aruthrol: rheoli'n hyderus ac awdurdodol gan gadw'r ddysgl yn wastad a chynnal ysbryd pawb ar y set. Gall cynorthwyydd gwael greu probleme. 'Y mraint i o'dd ca'l gweithio y tro cynta hwnnw gyda Wyn Jones a'i wên hyfryd yng nghanol llacs ac oerfel llyn Llangors.

Pan dda'th 'yn rhieni i fynd â fi gartre ar gyfer y Nadolig, dwedes i'n llawn cyffro i'r profiad hwnnw fod mor wych fel nad o'n i ddim eisie ca'l 'y nhalu.

Ar ôl gorffen ffilmio buodd yn rhaid i ni recordio golygfeydd mewn stiwdio, a hynny yn Birmingham. O'dd digon o le i recordio *Abracadabra Jos* yn Broadway, er yn amal bydde'n rhaid dringo rownd y *braces* a'r fflats yn ofalus wrth fynd o un olygfa i'r llall, ond o'dd setie *Rhandirmwyn* yn rhy fawr a gormod ohonyn nhw ac felly bant â ni unwaith yr wythnos i Pebble Mill yn Birmingham. *Rhandirmwyn* o'dd y gyfres ddrama Gymraeg gynta i ga'l ei darlledu mewn lliw. Dilynodd llawer rhaglen arall ac o'r cyfnod 'ma y deilliodd cân enwog y Tebot Piws, 'Dy'n Ni Ddim yn Mynd i Birmingham'.

Pan orffennodd *Rhandirmwyn*, gwrandawes i ar *Appalachian Spring* gan Aaron Copland drosodd a throsodd. Rhan o hon o'dd thema'r gyfres, a ddewiswyd gan John Hefin. (Mae 'da fe glust am thema. Flynyddoedd wedyn dewisodd 'Chi Mai' ar gyfer cyfres am Lloyd George.) Pan fydd y gwaith yn mynd yn dda, mae 'na deimlad o golled, nid yn unig colli ffrindie a chyd-weithwyr a'r gwaith ei hun, ond hiraeth am y cymeriad mae rhywun wedi bod yn ei fyw am fisoedd. Buodd Lowri Llwyd farw o dwymyn y dŵr du ac ma'r gwn nos farwodd hi ynddi yn dal 'da fi. Yn ôl Ralph Richardson ma pob cymeriad ry'ch chi wedi'i chware fel actor yn aros gyda chi am weddill eich oes – syniad eitha brawychus.

Ond yn dilyn y cyfnod cyffrous a llwyddiannus yma, lawr â fi i swyddfa'r dôl unwaith eto i sicrhau talu'r stamp a cha'l y tâl wythnosol cwbwl haeddiannol. Diolch amdano. Dyw e byth wedi bod yn destun cywilydd nac embaras i fi – mae'n fraint ac yn hawl. Dwi'n arswydo wrth weld y modd mae'r llywodraeth glymblaid yn Llundain yn erydu'r wladwriaeth les, y drefn hanfodol honno sy'n gynsail i gymdeithas wâr.

Ond do'n i ddim mas o waith yn hir; ces i gyfle i actio mewn rhaglenni addysg ar gyfer ysgolion, gan ddysgu hanfodion crefft actio ar y radio yng nghwmni actorion gwych a phrofiadol fel Dilwyn Owen, Cynddylan Williams, Wyn Thomas, Nesta Harris, Islwyn Morris, Olive Michael a Lorna Davies, y ddwy ola'n arbenigwyr ar greu lleisie bechgyn bach. Ac wedyn ges i waith yn y theatr, a hwnnw'n waith digon rhyfedd.

Gwaith fel cerddor ges i 'da'r Theatr Caricature. Cwmni pypedau o'dd hwn a sefydlwyd yn 1966 gan fenyw dalentog, benderfynol o'r enw Jane Phillips, fydde'n gwenu'n barhaol wrth siarad, hyd yn oed pan fydde hi'n dweud pethe annymunol. Edrychai fel dol hen-ffasiwn, ond o'dd ganddi asgwrn cefn o ddur. Ro'dd hwn yn gwmni gwych a'r cynllunydd Graeme Galvin yn creu pypede rhyfeddol o ddiddorol. *The Scribble Kids* o'dd enw'r sioe. Valmai Jones o'dd y traethydd, a 'ngwaith i o'dd canu a chware'r gitâr, o'dd yn dipyn o gamp wrth ystyried 'y ngallu cyfyngedig i ar y cyfryw offeryn. Yr unig gân dwi'n 'i chofio yw 'Edrychwch ar Angharad yn Majorca'. Mae 'da fi frith gof hefyd o chwifio pâr o faracas o gwmpas y lle. Bydden ni'n perfformio yn y ddwy iaith ac fe deithion ni i Loegr, ond yr unig leoliad yno dwi'n 'i gofio yw Scunthorpe, oherwydd i fi a Valmai stryffaglio mas i falconi Fictorianaidd y gwesty i dynnu Jac yr Undeb o'dd yn chwifio yno'n hunanfoddhaus. Lloegr ne' beidio, bydde hi'n amhosib cysgu â'r faner ddirmygus yn cyhwfan yn y gwynt tu fas i ffenest ein stafell wely.

O'dd y gwaith 'da chwmni theatr awyr-agored Caerdydd ym mharc y Rhath yn fwy fyth o her. Cwmni'r actor Roger Nott a'i wraig Christine o'dd hwn, a'r cynyrchiadau o'dd *Toad of Toad Hall* i'r plant ac *Oh, What a Lovely War* i'r oedolion. Fe fydden i'n Wild Wooder, yn cuddio o dan y llwyfan a baw ar 'y ngwyneb, yn y gynta ac yn chware sawl rhan yn y llall, yn gwisgo *leotard* sidan binc a *fishnets* am ran helaeth o'r sioe ac yn canu dwy gân, 'I'll Make a Man of You' a 'Hitchy-Koo'. Ro'dd gweithio i Roger wedi datblygu'n ffordd ardderchog o ga'l cerdyn Equity i lawer iawn o fyfyrwyr y Coleg Cerdd a Drama. Ar y pryd, heb y cerdyn hwnnw, do'dd dim modd gweithio fel actor oherwydd y 'closed shop' o'dd yn weithredol yr adeg honno, a heb gytundeb do'dd dim modd ca'l cerdyn. Llwyddes i ddod yn aelod trwy fod yn rhan o gynllun hyfforddi Cwmni Theatr Cymru, er do'dd hynny hyd yn oed ddim yn hawdd – o'dd rhaid ca'l cerdyn dros dro i ddechre ac yna, wedi 18 mis, câi actor fod yn aelod llawn. Rhywbeth i fod yn falch ohono o'dd cerdyn undeb, yn dangos bod yr actor o ddifri ac yn falch o ga'l cefnogaeth cyd-aelode, yn ogystal â swyddogion profiadol yr undeb, ac mae'n dal i fod yn hollbwysig er mwyn gwarchod hawliau actor. Mae Equity'n sicrhau isafswm tâl, tâl goramser a thâl gwylie, ac yn pennu orie gwaith, heb sôn am yr holl wasanaethau fel yswiriant a chyngor cyfreithiol i aelode. Yn wir, mewn undeb mae nerth ac er gwaetha ymdrechion Margaret Thatcher i dorri grym yr undebau yn llwyr mae'n nhw'n dal i fod yn nerthol a'u cyfraniad yn gwbwl angenrheidiol, yn enwedig yn yr hinsawdd sydd ohoni.

Wrth gwrs, ro'dd y geirie 'awyr-agored' yn golygu hynny'n union i'r cwmni o Gaerdydd a bydden ni'n amal ar drugaredd yr elfennau. Llwyfan wedi'i godi yn y parc o'dd hwn, a'r flwyddyn ymunes i â'r cwmni codwyd to uwchben y gynulleidfa, o'dd yn fendith iddyn nhw ond ddim i ni gan fod modd parhau â'r sioe hyd yn oed os bydde hi'n bwrw glaw am fod y *punters* yn sych! Wedi'r cwbwl, o'dd rhaid i Christine a Roger edrych ar ôl eu helw. O'dd hi'n haf gwlyb ac ar un pwynt gwelwyd ni'n eistedd yn ein sidan pinc mewn pylle o ddŵr gan ganu 'Row, row, row, way up the river he would row, row, row…'

Ein cyfeilydd o'dd Winnie ar y piano, wedi'i hymgeleddu gan ymbarél pan fydde hi'n bwrw, a John Pierce Jones fydde'n ei dal iddi, y dirprwy reolwr llwyfan yn wreiddiol, ond erbyn hynny yn rheolwr llwyfan. Saciwyd y rheolwr llwyfan gwreiddiol, y cymeriad hoffus o'r Bala, Gwynfryn Roberts, neu Til fel y'i gelwid, sydd, yn drist iawn, wedi'n gadael ni erbyn hyn – cosbwyd e am daflu bachgen i'r afon fach o'dd yn rhedeg y tu ôl i'r set am iddo geisio torri i mewn i weld y sioe am ddim. O'dd y piano allan o diwn, wrth reswm, ar ôl bod yn nychu'n llaith yn y parc am wythnose. Bydde dwy sioe y dydd ac mae'n rhaid i fi gyfadde bod 'na ddyddie pan weddïwn am gawodydd monswnaidd eu maint. Bob bore ar ôl deffro bydden i'n rhuthro i edrych trwy'r ffenest, yn y gobaith o weld cymylau duon yn ymgasglu fel addewid o dywydd garw, achos fydde hyd yn oed Christine Nott ddim yn meiddio ein hanfon ni allan mewn storom. Erbyn hyn o'dd y tâl am actio mewn theatr wedi codi i £20 yn ystod yr ymarferion a £26 yr wythnos pan fydden ni'n perfformio. O'dd e'n llawer uwch na'r dôl, a 'nadl i o'dd fod pob profiad yn werthfawr. Eto i gyd, ro'n i'n falch pan dda'th y cyfnod hwnnw i ben.

Da'th yr hydref â mwy o waith teledu yn ei sgil – cyfres gomedi sefyllfa â'r diweddar dalentog Myfanwy Talog yn serennu, a minne'n chware ei ffrind gore. Hanes *temp* o'dd *Haf o Hyd*, wedi'i sgrifennu gan awduron *Fo a Fe*, Rhydderch Jones a Gwenlyn Parry, yn arbennig i Myfanwy, a dda'th yn adnabyddus iawn trwy ei gwaith yng nghyfresi Ryan a Ronnie. 'Y nghymeriad i o'dd yn rhedeg yr asiantaeth ac yn ymuno yn holl anturiaethe annisgwyl ei ffrind. O'dd y gyfres yn gofiadwy am i fi orfod ymddangos mewn bicini ar ddiwrnod rhewllyd o hydref, a buodd yn rhaid i fi yfed yn agos at hanner potelaid o *rum* i gadw'n dwym. O'dd hi'n arferiad yn y cyfnod hwnnw i wneud rhaglen beilot cyn penderfynu ar gyfres, ac felly gwnaethpwyd honno ym mis Awst, tra 'mod i'n perfformio *Oh, What a Lovely War*. Yn *Haf o Hyd* weithies i 'da Hugh Griffith am y tro cynta, a Hywel Gwynfryn o'dd yn chware'i *chauffeur*. Y cyfarwyddwr o'dd

Hywel Williams ac fe sgrifennodd e ar dudalen fla'n y llyfr a roddwyd i fi'n anrheg ar ddiwedd y cyfnod recordio y geirie 'You'll be very good one day', gan atseinio sylw Buckley Wyn am 'y mhortread i o'r Chwaer Agnes adeg Eisteddfod Bangor. 'Na'th y sylw hyn 'y nigalonni i fel yr un cynt. Dwi'n sylweddoli erbyn hyn, serch hynny, ei fod e'n gompliment twymgalon.

Jack Williams o'dd cynhyrchydd *Haf o Hyd*, ac yn fuan wedyn cynigiodd e gyfres newydd i fi, cyfres i blant, sef *Teliffant*. Parhaodd y gyfres am flynyddoedd cyn morffio i mewn i *Anturiaethau Syr Wynff a Plwmsan*, ond yn y dechre sioe stiwdio o'dd hi. Huw Ceredig, Eiry Palfrey a fi yn y stiwdio a Wynford Ellis Owen ar leoliad yn rhywle oherwydd ei waith yn y theatr. Bydde criw o blant yn dod i'r stiwdio i ymuno yn yr hwyl ac yn ca'l eu diddanu gan Trefor Lewis y dewin â'i falŵns siâp anifeiliaid a'i dricie amrywiol, yn ogystal â pherfformwyr eraill, yn cynnwys eliffant unwaith o'dd yn gwneud pob math o styntie difyr. Dyn cryf o'r enw Chang o'dd un o'r perfformwyr, consuriwr yn un arall, a minne'n gynorthwyydd iddo. Dysgodd fi shwt i wasgu 'nghorff i leoedd bach, bach tu mewn i focsys ne' gwpwrte gan sticio 'nhraed a 'nwylo mas trwy leoedd cwbwl annisgwyl er mwyn argyhoeddi'r gynulleidfa 'mod i wedi ca'l fy llifio'n hanner, neu weithie 'mod i wedi diflannu'n gyfan gwbwl, cyn iddo fy ail-greu'n gyfan unwaith eto! Mae'n syndod shwt mae'r corff yn gallu plygu! Rhith yw'r cyfan.

Teliffant yw'r unig raglen i fi ei recordio'n fyw erio'd, hynny yw, yr unig raglen a sgript a ffurf pendant iddi, yn hytrach na sioe sgwrsio. Gan fod y peiriant VT fydde'n rhedeg y tâp yn stiwdio Broadway wedi torri, do'dd 'da ni ddim dewis. O'dd e'n brofiad cwbwl frawychus. Ma' nhw'n dweud bod perfformio drama deledu'n fyw yn gyfystyr â'r trawma o fod mewn damwain car neu ga'l trawiad ar y galon. Yn wir, cyn recordio, o'n i'n meddwl 'mod i'n mynd i ga'l trawiad ar y galon. Dwi ddim yn gwybod faint o bobol o'dd yn gwylio

– diolch i'r drefn, do'dd dim pwysles parhaus ar *ratings* yr adeg honno – ond yn sicr o'dd mwy o wylwyr nag a fydde'n eistedd mewn theatr. Yn y diwedd a'th popeth fel watsh, yr adrenalin yn llifo a'r panig yn canolbwyntio'r meddwl yn rhyfeddol. Jest fel sioe lwyfan. A'r teimlad o ollyngdod ar ôl cyflawni'r dasg yr un mor iwfforig!

Wynford fedyddiodd fi'n 'Shalot', a phan symudes i fyw i Rachub ger Bethesda'n ddiweddarach, da'th rhai o blant y pentre i'r drws yn gofyn am ga'l gweld Shalot. Fe ges i brofiad arall rhyfedd iawn mewn siop ym Methesda pan daflodd bachgen bach ei hunan i'r llawr gan feichio crio a gweiddi, 'Mae hi 'di dod allan o'r bocs! Mae hi allan o'r bocs!' ac fe ddistyrbiodd hyd yn oed yn fwy pan es i ato i drio esbonio 'mod i'n berson go iawn a 'mod i'n byw tu fas i'r bocs o bryd i'w gilydd.

Tra 'mod i'n rhan o gymuned deledu Caerdydd o'n i hefyd yn rhan o gymuned wahanol iawn, sef dosbarth gweithiol Caerdydd yn Splott, lle magwyd Terry 'y mhartner, ac ro'n i'n cymdeithasu yn nhafarn y Moorlands, lle bydde Terry a'i ffrindie'n chware cerddoriaeth Wyddelig. Des i adnabod Caerdydd wahanol diolch i Terry. Cymuned y dociau a'i diwylliant cosmopolitan, â chysylltiad cryf ag Iwerddon a Chatholigiaeth, yr etifeddiaeth ma'r dramodydd Peter Gill yn ei disgrifio yn ei ddramâu *Small Change* a *Cardiff East*. Ar ôl gadael y coleg bu Terry'n gweithio'n gyson yn y theatr, ond o'dd gwaith teledu'n brin iawn yn ystod y cyfnod hwnnw i'r rhai nad o'dd yn medru'r Gymraeg – dwi wastad wedi bod yn ymwybodol o annhegwch y sefyllfa honno. Pam nad yw hi'n bosib creu cyfresi teledu gwreiddiol Cymreig sy'n adlewyrchu realiti bywydau'r wyth deg y cant nad ydynt yn medru'r Gymraeg? Yn dilyn colli *Belonging*, a dyfodd o ddyhead Dai Smith, pennaeth rhaglenni Saesneg BBC Cymru ar y pryd, mae 'na wagle sy'n dal heb ei lenwi. Daw dege o gyfresi o Lundain, ond mae'n nhw'n dod â'u hactorion gyda nhw, a beth bynnag, sioeau Saesneg y'n nhw. Yn sicr, dyw

Doctor Who, Upstairs, Downstairs na *Sherlock*, i enwi dim ond rhai, ddim yn adlewyrchu'n hunaniaeth ni fel Cymry.

Yn y Casson weithie bydden i a Terry'n cymryd rhan mewn nosweithie o farddoniaeth a chân, fi'n canu a Terry'n chware'r gitâr. Ar wahân i ganeuon traddodiadol Cymraeg, o'n i'n canu caneuon Simon a Garfunkel, fel 'The Boxer', a 'The First Time Ever I Saw Your Face' gan Roberta Flack.

Da'th ein carwriaeth i ben, ond fe barhaon ni'n ffrindie. Bu farw Terry'n rhy ifanc o lawer, yn ddeugain a thair yn 1988, o *myeloma*.

Tra o'n i wrthi'n recordio *Teliffant* fe ges i ran yn *Enoc Huws*. George Owen o'dd yn cyfarwyddo ac fe gynigiodd ran howscipar newydd Enoc ar ddiwedd y gyfres i mi, sef Miss Bevan, yr un a briododd a mynd â hi gyda fe i America yn y diwedd. Ond yn wahanol i'r ddrama *Rhandirmwyn*, yn y stiwdio yn Broadway fach o'dd y llong a phawb yn cwympo dros y *braces* o'dd yn cynnal y fflatiau. Cymaint o ollyngdod o'dd hi i bawb pan agorwyd Stiwdio Un yn Llandaf. Bellach da'th byrdwn cân y Tebot Piws, 'Dy'n Ni Ddim yn Mynd i Birmingham', yn wir.

Yn ystod y cyfnod hwn, y drefn o'dd ymarfer trwy'r wythnos a recordio ar ei diwedd ac yna ca'l noson o ddathlu yng nghlwb enwog y BBC yn Newport Road, nepell o stiwdio Broadway yn Stryd Sapphire. O'dd y chware cyn bwysiced â'r gwaith i ni i gyd a'r cymdeithasu'n bwydo'r berthynas greadigol ac yn creu teimlad cryf o berthyn ac o deyrngarwch i'n gilydd ac i'r prosiect. O ganlyniad ro'dd y ddau yn bleserus a diffwdan ac mae'n chwith colli'r hen drefn ar lawer i ystyr.

Er 'mod i wrth fy modd yn gwneud gwaith teledu, eto i gyd yn y theatr o'dd 'y nghalon i. Yswn am wneud sioe heb orfod oedi oherwydd gofynion technegol, i allu dechre yn y dechre a pharhau tan y diwedd yn ddi-stop, yn ogystal â cha'l cyfnod o ymarfer hir a thrylwyr, heb sôn am glywed ymateb cynulleidfa, yn arbennig y gymeradwyaeth ar y diwedd. Felly pan ges i alwad ffôn yng ngwanwyn 1974 gan Wilbert Lloyd Roberts do'dd dim rhaid i fi feddwl ddwywaith. Gadawes Gaerdydd a'r byd teledu, lle do'n i erio'd wedi teimlo'n gwbwl gartrefol, a mynd 'nôl i gyffro'r theatr a'r fro Gymraeg.

Syniad fy mam o'dd i fi brynu tŷ, mae'n debyg am nad o'dd hi na 'Nhad erio'd wedi bod yn berchen ar eu cartre, gan y bydde tŷ'r ysgol yn dod law yn llaw â swydd fy nhad fel prifathro. Un diwrnod tra o'dd hi'n aros gyda fi yng Nghaerdydd, des i gartre a darganfod stwmp sigaréts fy mam yn y llestr llwch yn ogystal â stwmp papur licris. O'dd Meical Povey wedi galw. Hudodd fy mam i'r Black Lion i fyny'r hewl ac yn y dafarn trafodwyd gwerthu 5, Cae Chwarel i fi. Bwthyn bach un llawr mewn rhes ym mhentre Rachub yn ymyl Bethesda o'dd 5, Cae Chwarel, a lle cymdogol gan fod modryb i John Ogwen yn byw yn yr un rhes ac o'dd Gwyn Parry, yn ogystal â'i fam, yn byw lawr yr hewl. Dwy fil pum cant o'dd y pris. O'dd gen i bum cant wedi'i gynilo ar gyfer y daith i America ar ôl graddio, na fues i erio'd arni, ond y broblem fwya o'dd sut i ga'l gweddill yr arian i dalu. Yn y cyfnod hwnnw o'dd hi'n amhosib i fenyw ifanc sengl ga'l morgais. Yn lwcus iawn i fi fe dda'th Wncwl Freddie, cefnder fy nhad, a'i wraig Anti Myfi o Langadog i'r adwy, gan fenthyca'r gweddill i fi'n ddi-log. Dwi'n dal i freuddwydio am 5, Cae Chwarel, y cartre bach clyd. O'dd hanner cefn y tŷ yn fynydd, a'r mynyddoedd yn bresenoldeb parhaus, gyda'r olygfa lan tuag at Gwm Ffrancon ac Eryri'n drawiadol.

Ac ro'dd y gwaith yn gyffrous. 'Actores gysylltiol' o'n i'r tro yma, yn ffurfio cnewyllyn y cwmni gyda Dyfan Roberts a Grey Evans. Bydde hwn yn waith sefydlog a chawn gyfle i ddatblygu 'nghrefft. Ro'n i 'nôl lle ro'n i'n teimlo fwya cyfforddus, a chytundeb o ddwy flynedd o'dd yn golygu na fydde'n rhaid i fi boeni am dalu'r bilie, na sino ar y dôl, na ffindo ffyrdd o gynnal fy hyder am gyfnod go lew.

Ac fel y digwyddodd pethe, bu hwn yn gyfnod gwych ac yn gyfnod a osododd seiliau i weddill fy ngyrfa.

18

Actores Gysylltiol

RO'N I 'NÔL ym Mangor, ac yn y cwta bedair blynedd ers pan o'n i yno cynt ro'n i wedi ca'l fy nerbyn gan y proffesiwn.

O'dd Wilbert wedi cynllunio rhaglen amrywiol ac uchelgeisiol o waith, gyda'r bwriad o blesio a denu'r sbectrwm changa posib o bobol i fynychu'r theatr, o'r poblogaidd *Ar Fai* i ddramâu gan Ibsen a Ionesco. Noson o ganu a barddoniaeth, ynghyd â pherfformiad o'r ddrama fer honno am Dafydd ap Gwilym berfformies i yn yr ysgol, sef *Pan Ddêl Mai*, gyda Mrs Gerallt Jones yn cyfarwyddo, o'dd *Ar Fai*. Ei mab, Dafydd Iwan, o'dd yn chware rhan y bardd yn hytrach na fi'r tro hwn. Ailymunodd Tony ac Aloma a Rosalind Lloyd â'r cwmni yn ogystal ag Elfed Lewis, y baledwr.

Y cynhyrchiad nesa o'dd *Y Pypedau* gan Urien Wiliam, ac fe agoron ni yn Eisteddfod Genedlaethol Caerfyrddin yn Theatr yr Halliwell yng Ngholeg y Drindod, lle ces i'n ysbrydoli gan *Saer Doliau*. Teimlad gwych o'dd perfformio gartre, yn y dre lle ces i fwynhau nosweithie Sadwrn y Lyric a'r Capital, siop *chips* Davies yn Water Street a'r ffair.

O'dd 'na gysylltiad rhwng y ddau fywyd yma? O'n i wedi myned i deyrnas newydd? Teyrnas heb gysylltiad â realaeth? O'n i'n berson cwbwl wahanol? Bellach ro'dd 'yn rhieni wedi symud o Landyfaelog ac yn byw yng Nghwmtwrch Isha. Er bod 'y mrawd, ei wraig Pat a'u tri o blant, William, Kathryn ac Anna (bydde Elizabeth yn dilyn ymhen blwyddyn) yn byw yn Llansaint o'dd y cysylltiad â'r pentre lle'm magwyd i wedi'i dorri a'r rhan fwya o'n ffrindie o'r Gram wedi symud i ffwrdd i fyw. Mewn aduniad o ferched 1960 yn y Llwyn Iorwg yn ddiweddar, ychydig iawn ohonon ni o'dd wedi aros yn y dre. Ai dyna bwrpas ein haddysg? Fe greodd ysfa gref am ryddid ynon ni ac ysfa i ailddyfeisio'n hunain. Anogodd ni i estyn mas am ddyfodol ein breuddwydion. Felly y gwnaeth llawer ac, wedi iddyn nhw ga'l eu gwthio, byw yn y diwedd mewn lleoedd fel Caergrawnt, Cernyw, Manceinion a Llundain. Fe gollodd Caerfyrddin, Cymru a Chymreictod nhw yn ogystal â'u plant. Dwi'n un o'r rhai lwcus sydd wedi gallu gweithio a ffynnu, er nad yng Nghaerfyrddin falle, ond o leia yng Nghymru.

Yn y Steddfod honno o'n i yng nghanol byd y ddrama, yn cyfrannu at ac yn rhan o'r diwylliant Cymraeg ei iaith, wedi llwyddo'n rhyfeddol i ymryddhau o rwyd y Queen Elizabeth Grammar School for Girls. Wyth mlynedd ynghynt safwn ar y sgwâr yn gorfoleddu bod Aelod Seneddol gan Blaid Cymru yn San Steffan. Ychydig flynyddoedd cyn hynny, do'n i ddim hyd yn oed yn cydnabod bod Cymru'n genedl. Nawr o'n i'n rhan ohoni, yn rhan o'i diwylliant byrlymus, perthnasol ac yn ca'l gwneud hynny wrth ddilyn gyrfa a o'dd nid yn unig wrth fy modd ond yn bodloni rhyw angen anesboniadwy, emosiynol ynof fi. Wrth i fi gerdded tuag at y pafiliwn i wylio'r opera roc *Nia Ben Aur*, law yn llaw â chyn-farman laconig y Glôb ym Mangor Ucha, Alun Ffred Jones – fy nghariad erbyn hyn – i weld Heather Jones, Dewi Pws, Ac Eraill a'n hen ffrind coleg Gruff Miles, o'n i wir yn teimlo'n rhan o fyd newydd dewr.

Enillasai *Y Pypedau* dlws y ddrama yn Eisteddfod Genedlaethol Dyffryn Clwyd yn 1973. 'Math o alegori ymestynnol ydy *Y Pypedau* yn ceisio capsiwleiddio'r sefyllfa ddynol yn nhermau'r Pypedwr a'i bypedau, neu'r Crëwr a'i greaduriaid...' medde Bob Roberts wrth feirniadu. Nesta Harris o'dd ein cyfarwyddwraig abl, gyda'i gradd mewn athroniaeth a'i phrofiad helaeth fel actores, a hon o'dd swydd actio gynta Ian Saynor a Geraint Jarman, y ddau newydd adael Coleg Cerdd a Drama Caerdydd.

Aeth *Y Pypedau* ar daith yn yr hydref ond yn gynta o'n i'n rhan o noson i ddathlu gwaith y dramodydd abswrd Ionesco. Ganwyd Eugene Ionesco yn Rwmania yn 1909, ond ymsefydlodd yn Ffrainc, gwlad enedigol ei fam, yn 1938, a chafodd ei ethol i'r Académie Française. Ro'dd y cwmni wedi cyflwyno tair o'i ddramâu yn barod, yn 1968, a'r adeg honno cafwyd y neges yma gan yr awdur: 'Diolch i chi am eich diddordeb yn fy ngwaith. Yr wyf yn ymfalchïo o wybod bod Cwmni Theatr Cymru am gyflwyno fy nramâu. Cyfarchion i'r actorion. *Et vive le Pays de Galles libre*!' O'dd ein cynhyrchiad ni'n cynnwys dwy ddrama fer, a hefyd drama fer gan Wilbert, yn null Ionesco! Dyna i chi ddewrder, a *cheek*, yn enwedig o gofio y bydde'r dyn ei hun yn y gynulleidfa yng Nghaerdydd. Ond fe weithiodd, ac mae 'na luniau ohonon ni fel cast yn gwenu, neu'n ddwfn mewn sgwrs, gyda'r dramodydd enwog. O'dd estyn mas i ddiwyllianne eraill yn rhan o ethos y cwmni.

O'dd dewisiadau Wilbert o ddramâu yn ddiddorol ac yn amrywiol, ond ro'dd eu gwleidyddiaeth rywiol nhw yn destun trafodaeth. Yn *Y Pypedau* chwaraes i ran Audrey drachwantus mewn gwn nos fer dryloyw ac, yn nrama Ionesco, menyw sy'n ca'l ei dadwisgo. Cyrhaeddwn y llwyfan wedi gwisgo'n smart mewn ffrog hardd a hat, bag a menyg, ond erbyn y diwedd ro'n i yn fy mhais, wrth i'r dynion gweryla drosta i. O'dd ca'l fy nadwisgo, ne' ymddangos mewn ychydig iawn o ddillad fel putain mewn dramâu fel *Persi Rygarug*, a Malan yn *Byd o Amser* yn ddiweddarach, yn themâu rheolaidd. 'Y cynta i'r felin gaiff Falan', i ddyfynnu ein rheolwr llwyfan ffraeth, Al Efs.

O'n nhw'n rhanne difyr, rhai yn rhanne mawr, prif ranne hyd yn oed, a'r rhai o'dd wedi'u sgrifennu'n dda yn haws eu diodde. Eto, ro'dd hi'n gwbwl glir 'mod i'n cynrychioli rhywioldeb, heterorywioldeb yn ei ystyr gula posib, heb unrhyw *critique*, ac yn personoli'n wrthrychol ac yn rhywiol fenywod o fewn cymdeithas batriarchaidd. Ar y pryd, do'n i ddim yn ei ddadansoddi. O'dd ca'l 'y nghastio fel menyw ddeniadol, llawn pŵer a'i chorff yn denu, yn gyffrous. Do'n i erio'd wedi cysylltu hynny â fi fy hunan. O'dd 'y ngwallt cwrlog a 'mronne wedi gwneud yn siŵr o hynny, yn 'y nhyb i yn y chwedege, ond do'n i ddim yn ddigon *hip* yn y saithdege ac yn teimlo'n rhy ddiniwed a thrwsgwl. Mae'n siŵr petai gen i'r hyder, yna bydden i wedi chware'r rhanne hyn mewn ffordd gwbwl wahanol. Ond o'dd hynny'n bosib o fewn ffiniau'r sgrifennu? Do'dd rhanne'r dynion ddim yn eu diffinio nhw'n rhywiol – fyddech chi byth yn gweld un o'r actorion gwrywaidd yn cyrraedd y llwyfan mewn siwt ac yn gorffen yn ei bans erbyn diwedd y ddrama! A tase fe, chwerthin fydde'r gynulleidfa mae'n debyg, gan mai comedi fydde hi nid drama ddifrifol, hyd yn oed os o'dd yr awdur yn anelu i greu drama ddifrifol yn y *genre* abswrd. Yn y pen draw, do's gan actores ddim dewis, mae'n rhaid iddi bortreadu beth bynnag ma'r awdur wedi'i sgrifennu.

O dan yr amgylchiade, fe gofleidies i'r canllawie ro'n i wedi'u dyfeisio i fi fy hunan. Creu dalen wag i beintio arni gam wrth gam, cymeriad cwbwl newydd a ffres o'dd heb gysylltiad o gwbwl â fi. Mater arall yw penderfynu a o'dd hynny'n wir, neu'n llwyddiant. Hwn o'dd fy rhyddid a 'niléit i ac, yn saff o fewn y rhith, fe oroeses i...

Ma'r tensiwn rhwng y ffordd mae actores yn ca'l ei gweld a'r ysfa i ddatblygu a chware rhanne difyr, deallus sy'n adlewyrchu realiti holl ystod emosiynol bywydau menywod wedi bod yn nodwedd barhaus trwy 'ngyrfa. Yn ogystal, ychydig iawn o gyfleoedd sydd wedi bod i chware rhanne sydd wedi fy ymestyn i mewn gwirionedd. Yn dilyn taith Ionesco da'th y cyfle cynta i chware rhan o'r fath, rhan fydde'n dod â'r holl linynnau ynghyd.

Yn ystod y ddwy flynedd hyn, hon o'dd yr eithriad. Eithriad mor anferth ar bob lefel – o ran crefftwaith, dyfnder syniadau a her dechnegol, heb sôn am wleidyddiaeth rywiol. Ym mis Mai 1975, gofynnodd Wilbert a Nesta i fi chware rhan Nora yn *Tŷ Dol* gan Henrik Ibsen. Mae sŵn y glep ar y drws yn Act 3 yn symbol o gychwyn taith menywod tuag at gydraddoldeb trwy gydol yr ugeinfed ganrif, er bod 'na dipyn o ffordd i fynd. Ma'r ddrama'n dal i fod yn berthnasol iawn yn 2011, yn fwy felly mewn rhai ffyrdd nag yn 1975, pan gyrhaeddodd tonnau cynta'r mudiad ffeministaidd o America – er na wnaethon nhw erio'd gyrraedd Cymru mewn modd digon pwerus i ga'l dylanwad o bwys.

O'n i'n lwcus tu hwnt i ga'l 'y nghyfarwyddo gan Nesta, a chwaraeodd y rhan ei hun yn ei hieuenctid, ac yn lwcus iawn i fod yn actio yn y ddrama o gwbwl gan mai bwriad gwreiddiol Wilbert o'dd llwyfannu *Nos Ystwyll*, a llwyfannu Shakespeare am y tro cynta'n broffesiynol yn y Gymraeg. Dyna lwc i ga'l cynnig un o brif ranne'r canon Gorllewinol yn bedair ar hugain oed! Dyma fenter y gallwn i ei chymharu â cha'l fy nerbyn i'r cynllun hyfforddi a John Hefin yn 'y newis i chware rhan Lowri Llwyd yn *Rhandirmwyn*. Dwi'n ddiolchgar iawn i lawer am fod â chymaint o ffydd yn'o i! Ond ar ôl cytuno, achos do'dd 'da fi ddim dewis, bydden i'n dihuno ganol nos yn chwys drabŵd, yn eistedd lan yn y gwely mewn cyflwr o banig llwyr, yn brawychu a meddwl shwt ddiawl o'n i'n mynd i berfformio'r rhan. 'Ma rhan Nora yn rhan anferthol,' meddylies, 'hi sy'n cynnal y ddrama. Drama am Nora yw hi. Mae angen adnodde rhyfeddol i gynnal prif ran. Help!'

Lwc a braw. Prif themâu 'mywyd i fel actores.

Yng Nghaerdydd y buon ni'n ymarfer, gan mai dyna lle ro'dd Nesta'n byw. Cynigiodd Nesta lety i fi yn ei thŷ hi, yn amlwg er mwyn gofalu na fydden i'n ca'l 'y nhemtio i fynd ar y *razzle*. Gwrthodes yn gwrtes a derbyn cynnig Meical Povey i fynd i aros yn y tŷ ro'dd e'n ei rannu yn Llanishen gyda John Pierce Jones a Stewart Jones, tri o ddynion mwya *decadent* a hedonistaidd Cymru. Ond do'dd dim angen i Nesta boeni; noson ar ôl noson eisteddwn yn y tŷ yn gweithio mor galed â phetawn i'n astudio ar gyfer arholiad. O'dd jest meddwl faint o waith fydde'n rhaid ei gyflawni i greu'r cymeriad yn codi ofn arna i, heb sôn am ddysgu'r toreth o eirie. Hefyd, rhaid cyfadde 'mod i'n mwynhau'r broses ormod i fod eisie gwneud unrhyw beth arall heblaw ymroi i fywyd Nora Helmer. Felly fe ddefnyddies yr holl sgilie a'r ddisgyblaeth o'dd 'da fi i fanteisio ar y cyfle gore i fi ei dderbyn yn fy ngyrfa hyd hynny.

Mawr yw fy niolch i Nesta. Arweiniodd fi'n gelfydd trwy'r testun. Fydden i byth wedi gallu crafu'r wyneb heb ei deallusrwydd treiddgar hi. Yn yr Wyddgrug, yn Ysgol Maes Garmon, ar y noson agoriadol, o'n i'n teimlo fel troseddwraig mewn cell ar ei ffordd i'r grocbren. Bydde 'yn enw i fel actores yn dibynnu'n llwyr ar y ddwy awr a hanner nesa. Beth pe bawn i'n anghofio'r geirie? Beth pe bawn i'n cwympo'n fflat ar 'y ngwyneb? Yn llythrennol?

Wnes i ddim. Cyrhaeddes i'r llwyfan a chofies i'r llinelle ac ar y diwedd o'dd e fel tase pawb yn bles. Cymysgedd o ollyngdod ac anghrediniaeth, siŵr o fod, yn gwybod 'mod i wedi cymryd cam anferthol. Am y tro cynta erio'd ges i 'nghynnal yn gyfan gwbwl gan destun o'dd wedi'i strwythuro'n wych ac felly ro'n i'n rhydd i ganolbwyntio ar yr actio. Do'dd dim angen cynnal y sgript gan fod y sgript yn 'y nghynnal i. Do'dd yr ystyr ddim yn syrthio o 'ngafael i, do'dd dim rhaid darganfod lliw, rhythm na siâp yn y ddrama hon. O'n i'n saff, wedi f'amddiffyn yn llwyr gan Ibsen. Mae'n debyg mai dyna berodd i Mam ddweud ar ôl dod i weld y sioe yn neuadd Cross Hands ei bod hi'n gallu ymlacio wrth fy ngwylio i'n perfformio am y tro cynta. O'dd hi'n teimlo 'mod i wedi croesi ryw drothwy, ac yn dechre meistroli 'nghrefft.

Beth o'dd ei angen arna i'n syth ar ôl gorffen y daith honno, wrth gwrs, o'dd rhan arall yr un mor fawr a'r un mor heriol. Ond bydde hynny'n gofyn gormod. Dro ar ôl tro yn 'y ngyrfa dwi wedi cyrraedd un lefel gan ysu am wthio 'mla'n i gyrraedd lefel uwch, ond wedi gorfod bodloni ar chware rhan nad o'dd yn f'ymestyn i o gwbwl. 'Sdim rheolaeth gan actor dros ei waith: *to play as cast* yw'r term. Cynhyrchiad nesa'r cwmni o'dd *Byd o Amser* gan Eigra Lewis Roberts, am yr emynwraig Ann Griffiths. Fydden i wedi dwlu chware rhan Ann gan fod ei stori'n gyfareddol ac eiconaidd, ond fyddwn i ddim yn iawn i'r rhan. Lisabeth Miles o'dd ein Ann berffaith, a chwaraes i'r Falan honno y cyfeiriodd Al Efs ati.

Ar gyfer y ddrama hon o'dd 'da ni Murray-go-round, fel y bedyddiodd Al Efs y llwyfan ar ôl cynllunydd y set, Murray Clarke, rheolwr technegol y cwmni. Gallai'r set droi gan ganiatáu defnyddio dwy set gwbwl wahanol. Da'th Wilbert â thechnegwyr o Lundain i oruchwylio'r agweddau technegol nad o'dd wedi'u datblygu yng Nghymru yn y cyfnod hwnnw ac ro'dd Murray, ynghyd ag Ian Hobbs, y cynllunydd goleuo, yn feistri ar eu crefft. Disgrifiad arall Al Efs o'r llwyfan hwn, a ddangosai ei hiwmor parod, o'dd cyfeirio ato fel 'troedigaeth Ann Griffiths'.

Fe berfformion ni'r ddrama am y tro cynta yn Eisteddfod Cricieth ac yna aethon ni ar daith lwyddiannus yn yr hydref. Fe gynhyrchodd Wilbert sawl drama ar thema grefyddol ar ôl hon gan ei fod e'n ddigon hirben i sylweddoli bod y gynulleidfa Gymraeg yr adeg honno wrth eu bodd gyda thema grefyddol, ac felly ro'dd pob canolfan yn orlawn. Ar wahân i ystyriaethau artistig, mae'n rhaid i gyfarwyddwr cwmni theatr gofio chwaeth ei gynulleidfa, a pholisi Wilbert o'dd cyflwyno dramâu saff a rhai beiddgar am yn ail â'i gilydd. Bydde'r gynulleidfa'n ffyddiog felly y bydde'r cwmni bob amser yn cynnig noson ddifyr iddyn nhw, hyd yn oed os bydde hi weithie ychydig yn heriol. Fe fagodd

Wilbert deyrngarwch tuag at y cwmni trwy Gymdeithas Theatr Cymru ac apwyntio cynrychiolwyr ym mhob rhan o Gymru a fydde'n teimlo cyfrifoldeb tuag at y Theatr ac yn falch o wneud ymdrech i sicrhau ei llwyddiant. Dwi'n argyhoeddedig bod rhaid i bobol Cymru deimlo eu bod nhw'n perthyn i unrhyw fenter os ydyw'r fenter am lwyddo – mae 'na ysfa egalitaraidd ddemocrataidd yn ei hystyr fwya elfennol yn perthyn i ni. O'dd creu Cymdeithas Theatr Cymru yn strategaeth hanfodol gan fod yn rhaid bod yn gynhwysol mewn gwlad fach blwyfol, ac ro'dd hon yn enghraifft o athrylith wleidyddol Wilbert.

Un o'r prif brobleme a wynebai Wilbert wrth greu cwmni cenedlaethol o'dd diffyg dramâu gwreiddiol yn y Gymraeg, a rhan bwysig o'i waith o'dd hybu sgrifennu newydd. Er bod dramâu Saunders Lewis ar ga'l, wrth gwrs, yn ddiddorol iawn na'th Wilbert ddim dewis llwyfannu llawer ohonyn nhw, heblaw am *Problemau Prifysgol*. O'dd 'na gynllun i lwyfannu *Excelsior*, ond fe dda'th anawsterau cyfreithiol ar ffurf enllib i'w rwystro ac fe gyflwynwyd *Esther*, do, ond nid *Siwan* na *Blodeuwedd*. Falle nad o'dd Wilbert, fwy na finne, yn cyfri'r dramâu mawr hanesyddol a chwedlonol yn addas. O's, mae ynddyn nhw syniadau (pur adweithiol, mae'n rhaid dweud) a hefyd iaith brydferth, ond mae'n nhw'n anystwyth ac nid ydyn nhw'n ddigon dramatig. Mae'n nhw hefyd yn hen-ffasiwn. Sgrifennu fel rhan o'i genadwri i godi'r genedl Gymreig 'nôl ar ei thraed o'dd Saunders Lewis, a gellid ei gymharu â W B Yeats yn Iwerddon, ond nid o'dd ynte'n ddramodydd chwaith.

Do'dd yr hen ddramâu, fel y rhai y buon ni'n eu cyflwyno i gyfeiliant bonllefau o chwerthin yn y rhaglen *Hynt a Helynt y Ddrama Gymraeg*, gan bobol fel R G Berry a Beriah Gwynfe Evans, yn sicr ddim yn addas i gwmni o'dd yn ystyried ei hun ar fla'n y gad yn ddiwylliannol. Yr unig ateb felly o'dd darganfod sgrifenwyr newydd fydde'n adlewyrchu'r Gymru gyfoes. Mae'r sefyllfa wedi gwella'n aruthrol erbyn hyn, wrth i'r myrdd o gwmnïe ddatblygu sgriptie gwreiddiol, ac yn arbennig yn ddiweddar oherwydd gwaith amyneddgar a thrwyadl Sian Summers ac Arwel Gruffydd yn Sherman Cymru. Ma'r sgrifennu 'newydd' hwn wedi bod yn sail i'r mwyafrif helaeth o 'ngwaith i a phob actor arall Cymraeg ei iaith.

Mae angen amser i ddatblygu drama ac mae'r gwaith a wneir yn y stafell ymarfer yn amhrisiadwy ac yn grefft mae'r rhan fwya ohonon ni, actorion Cymraeg, wedi gorfod ei datblygu fel rhan annatod o'n gwaith.

Ers y saithdege cynnar mae cwmnïe di-ri wedi creu ugeinie o ddramâu gwreiddiol gan amrywiaeth o awduron er, yn anffodus, nid yw'r mwyafrif ohonyn nhw wedi'u cyhoeddi, ond mae'n nhw i gyd ar glawr yn y Llyfrgell Genedlaethol. Cwta dair wythnos o ymarfer a phum wythnos ar y mwya o daith gaiff y dramâu hyn cyn diflannu i ebargofiant. Falle fod lle i atgyfodi ambell un o'r rhain.

Sonies eisoes fod lwc a braw yn ddau air allweddol sy'n diffinio 'ngyrfa, a hedonistiaeth yw'r llall. Bydden i'n chwilio am bleser yn gyson ar ôl y sioe yn ystod y cyfnod hwn yn dilyn diwrnod o gynilo egni a pharatoi. Bydden i'n mynd dros y sioe yn drwyadl, gwneud ymarferion llais a chorff ac yna gorffwys, gan gadw'r egni ar gyfer y nos. Erbyn diwedd y sioe am tua deg o'r gloch, o'n i mewn stad o gyffro uchel, 'da chriw o ffrindie heb unman i fynd. Dwi'n meddwl taw Mick Jagger wedodd nad o's dim byd yn gallu datblygu cyffro adrenalin perfformiad ond bod 'na ysfa naturiol i geisio parhau'r cyffro cyn hired â phosib trwy amryw ffyrdd. Alcohol a chyffurie yn achos y Stones, ond o'dd alcohol yn unig yn ddigon i ni. Arweiniodd hyn at bob math o ddrygioni amheus, ambell enghraifft yn cynnwys cegine a ffrimpan, ac ar un achlysur cafodd twrci cyfan y da'th rhywun o hyd iddo yn y Fishguard Bay ei rostio yng nghegin Ysgol y Drenewydd yn ystod perfformiad, a'i fwyta yn y gwesty ar ddiwedd y noson. Dwi'n cofio un noson arbennig o wyllt pan glywyd gwestai o'dd yn ddigon anffodus i aros yn y Bull yn Ninbych yr un pryd â ni yn holi adeg brecwast o'dd Cyngor y Celfyddydau yn ein talu am wneud hyn. Dyddie difyr. Tua'r adeg yma y ffurfiwyd y gymdeithas â'r enw digywilydd YChPs – Y Chwilotwyr Pleser – arweiniodd ni at fersiwn o rialtwch o'dd ychydig yn fwy soffistigedig, gan gynnwys yfed *crème de menthe frappe*, mewn *saunas* os yn bosib, a darganfod prydau bwyd arbennig, gan roi marcie mas o ddeg a datgan yr enillydd ar ddiwedd y daith.

Cychwynnwyd cystadleuaeth o natur wahanol pan hedfanodd y cwmni i Sgandinafia i berfformio *Under Milk Wood*, yn Norwy, Sweden a'r Ffindir, un ar ôl y llall o fewn pythefnos. Y tro yma o'dd y wobr am yr antur rhywiol gore ac fe'i henillwyd yn hawdd gan Ems Pwllheli, ein trydanydd hoyw, heddwch i'w lwch, am lwyddo i gyfareddu prif denor Opera Cenedlaethol Sweden yn ystod ein cyfnod cyfan yn Stockholm, er gwaetha cystadleuaeth gref gan ymges Dyfed Thomas i swyno merch llysgennad Sweden. Fe wna i dynnu llen dros y ffaith i finne a Huw Ceredig bron â cholli'r awyren yn ôl gartre o'r Ffindir wrth aros yn rhy hir yn y bar yng nghwmni criw o actorion Ffinnaidd yn dilyn ein perfformiad ola yn nhre Pori (ysgogodd Al Efs i ddweud ein bod ni 'wedi diflannu i Finnair!'). Ymunodd Wilbert, y 'gruppenführer' fel y'i gelwid, yn yr hwyl hefyd, ac o'dd 'na si iddo ga'l ei weld yn bwyta cennin Pedr yn y gawod yn orie mân y bore gyda'n tywyswraig, Oonagh. Fe berfformion ni yn theatrau cenedlaethol y tair gwlad ac fe gafon ni ein derbyn fel cynrychiolwyr Theatr Genedlaethol Cymru ar raddfa gydradd â'u theatrau cenedlaethol hwy. O'dd hynny bron cymaint o wefr â hedfan am y tro cynta ac fe gafon ni groeso gwych a lot o wledda ar gafiar a fodca, a chyfarwyddwyr y theatrau'n dweud cymaint o' nhw'n gallu uniaethu â'r portread o bentre bach gwledig fel Llaregyb.

O'dd y daith i Sgandinafia yn esiampl arall o syniadaeth eangfrydig Wilbert, a hefyd yn fodd iddo gryfhau ei ymerodraeth a chynnal ei gwmni o actorion yn hirach nag arfer. Tra bod Wilbert yn cyflwyno dramâu newydd, cyfieithiadau o glasuron a dramâu arbrofol yn ogystal â sioeau i ysgolion a phantomeims, heb sôn am sioeau pop yn hwyr y nos yn y Steddfod, eto i gyd ro'dd cychwyn ar gynyrchiadau Saesneg yn golygu dilyn trywydd cwbwl newydd. Perfformion ni *Under Milk Wood* ym Metws-y-Coed a Bangor am yn ail â sioe o ganu a dawnsio o'r enw *Harping Around*, fel adloniant i'r twristiaid niferus fydde'n tyrru i ogledd Cymru yn yr haf. Cyfarwyddwr *Under Milk Wood* o'dd Malcolm Taylor, a greodd ei gynhyrchiad arbennig rai blynyddoedd ynghynt, a'i berfformio mewn amryw o leoliade yn Lloegr. Yn dilyn tymor yr haf aethon ni â'r sioe ar daith trwy gymoedd y de ac yna i theatr y New London yn Drury Lane, Llundain yn yr hydref. Hon o'dd y theatr fwya i fi berfformio ynddi erio'd, yn dal tua dwy fil, ac ro'dd hi'n llawn dop. Profiad brawychus arall! Mae 'da fi atgof clir o Valmai Jones yn gorwedd ar waclod y cwpwrdd dillad yn gwneud ei hymarferion ymlacio mewn ymges i dawelu'r nerfe. Fe barhaodd cyffro'r adrenalin yn Mcready's, clwb i actorion, yng nghwmni dihafal Hugh Griffith a Max Wall.

O'dd haf '75, pan gychwynnodd cysylltiad y cwmni 'da *Under Milk Wood*, yn gyfnod *idyllic*. Dysgu o'dd Alun Ffred yr adeg honno yn Birkenhead ac yna yn yr Wyddgrug, a fynte heb gar, ac yn absenoldeb trafnidiaeth gyhoeddus resymol o'dd ceisio cynnal ein perthynas wedi bod 'fel cwrs commando' medde fe, yn ei ffordd ddihafal ei hun. Erbyn hyn ro'dd gan Alun Ffred olwynion, ac ro'n i'n gweithio mewn un lle am sbel, a fynte ar ei wylie. Dwi'n cofio'r cyfnod fel haf hir o bleser: yfed jin a grawnffrwyth yn y Faenol a'r ola o 'mhartis gwyllt yn 5, Cae Chwarel, pan yfon ni, yn rhy gynnar o lawer, fy ngwin ysgawen a chasglu mwyar duon i wneud tarten yn fy sgert flodeuog Laura Ashley. Alun Ffred yw un o'r dynion doniola yng Nghymru ac mae hefyd yn ddyn deallus a chraff, ac ro'dd yr holl nodweddion hynny'n gaffaeliad iddo wrth iddo ddod yn Weinidog Treftadaeth Llywodraeth Cymru ddegawdau'n ddiweddarach, gan lywio Mesur Iaith 2011 trwy'r Senedd. Er, bydde'r ffasiwn senario tu hwnt i'n dirnadaeth ni ar y pryd, ac wedi ysgogi pwl go dda o chwerthin anghrediniol mae'n siŵr.

Deithion ni'r ddrama eto trwy haf crasboeth '76, pan drodd y gwair yn frown, a'r unig ffordd o ddianc rhag y gwres o'dd gorwedd mewn bath oer am chwarter awr, a'r chwys yn arllwys yr eiliad godech chi ohono fe. Fe fanteision ni ar y gwres, gan dorheulo a nofio ar lannau'r Tafwys yn ymyl bwyty'r Trout, a anfarwolwyd yng nghyfres Inspector Morse, a gorwedd ar lawntie'r amrywiol westai a llowcio mefus a hufen. Gan fod Huw Ceredig yn y cast cyrhaeddodd safon y plesera lefel uchel dros ben. Methodd ein cyfloge gyrraedd yn Stevenage am ryw reswm a bu'n rhaid i ni ymddiried ein gobeithion am ddiod ar ôl y sioe i allu Huw Ceredig i ennill ei fet ar enillydd Wimbledon. Un o'r prif atgofion sydd gen i o'r perfformio yw edrych mas ar fôr o raglenni'n ca'l eu chwifio o fla'n wynebe chwyslyd y gynulleidfa wrth iddyn nhw geisio'u gore i atal eu hunain rhag mogi yn y gwres. O'dd y ddrama yma mor gyfarwydd i fi erbyn y diwedd fe allwn i fod wedi'i pherfformio'n gyfan gwbwl ar 'y mhen fy hunan. Ym mis Tachwedd es i i Theatr Frenhinol Efrog i berfformio'r ddrama am wythnos, lle cafodd Pierce Brosnan ei gerdyn Equity, yn gweithio fel ASM. Dwi ddim yn ei gofio fe o gwbwl serch hynny – dim ond ar ôl gweld ei enw wrth edrych trwy hen raglenni y sylweddoles i ei fod e'n gweithio ar yr un cynhyrchiad.

Yn dilyn y daith ces i'r cyfle i chware prif ran arall, sef Ceri yn *Persi Rygarug*, cyfieithiad Wil Sam, awdur cysylltiol 'da'r cwmni erbyn hyn, o ddrama Charles Dyer *Rattle of a Simple Man*. Putain o'dd Ceri, a dyma ni unwaith eto, ond o leia o'dd hi'n gymeriad crwn, a'r sgwrs ddatblygodd rhyngddi hi a'r cefnogwr pêl-droed a chwaraewyd gan Gwyn Parry yn llawn teimlade dwys o'dd yn gofyn am synwyrusrwydd ac ystod eang o fynegiant emosiynol a deallusol. Drama am unigrwydd o'dd hi, ond eto câi'r prif gymeriad benywaidd ei diffinio gan ei rhywioldeb. O'n i'n ymddangos yn fy nillad isa, a chafwyd y sylw yma mewn rhifyn o'r cylchgrawn *Llwyfan*, lle rhoddid gofod i'r gynulleidfa adolygu. Cynulleidfa Crymych o'dd yn rhoi eu sylwade, a dyma ddwedodd Muriel John: 'Probably because we belong to the older generation, the subject was not one completely enjoyable from our point of view... we enjoyed the keep fit session, and thought Miss Morgan, apart from her acting sincerity, was an excellent advert for the "body beautiful".' Bydde 'na bwysc i gadw'n ffit ac i edrych yn dda; yn wir, ro'dd e'n rhan o'r job.

Wilbert ei hun o'dd yn cyfarwyddo'r tro 'ma, a dyma'r unig dro erio'd i fi beidio teimlo'n llawn ofn a braw yn y wings ar y noson gynta. O'n i'n dawel hyderus am ei fod e wedi llwyddo i roi cymaint o hyder yn'o i. O'dd Wilbert yn ddyn talentog mewn cymaint o ffyrdd, er ein bod ni'n tueddu i'w gymryd yn ganiataol ar y pryd.

Er gwaetha'r holl gyfleon gwych a'r anturiaethe lu, erbyn i 'nghyfnod fel actores gysylltiol ddod i ben ar ddiwedd y ddwy flynedd, o'n i'n rhwyfus, ac felly hefyd lawer o 'nghyd-weithwyr.

19

Theatr Bara Caws

ERBYN 1976 O'N i wedi gwerthu 5, Cae Chwarel hardd ac wedi symud i Fangor. Gan nad o'n i'n gallu gyrru, a'th y tacsis a'r bysys di-ben-draw yn drech na fi. Fe brynes, yn rhyfedd iawn, 33, Heol Garth Uchaf, y tŷ nid nepell o'r pier ym Mangor y bues i'n byw ynddo 'nôl yn 1971. Ar y dechre peth rhyfedd o'dd deffro yn y bore yn yr un gwely ag y deffrwn i ynddo chwe blynedd ynghynt a gweld yr ardd gyfarwydd yr ochr draw gan gredu 'mod i wedi fy hedfan 'nôl mewn amser, neu'r profiad o ddeffro yn y nos i 'nôl glasied o ddŵr a gwybod yn reddfol yn y tywyllwch shwd i gyrraedd y gegin heb fwrw 'mhen na brifo 'nhroed. Ond erbyn hyn ro'n i yna ar 'y mhen fy hunan, ac os o'dd 'na ôl traed llygod yn y gril-pan, 'y nghyfrifoldeb i o'dd ca'l gwared arnyn nhw.

Pan dda'th cwmni Theatr 7:84 i Fangor gyda'i gynhyrchiad cyffrous *The Cheviot, the Stag and the Black Black Oil* o'dd Dyfan a Grey a finne wrth ein bodde, a phan ofynnodd Wilbert i ni, fel actorion cysylltiol ers bron i ddwy flynedd erbyn hyn, a o'dd unrhyw beth arbennig hoffen ni ei wneud ac i ba gyfeiriad yr hoffen ni weld y cwmni'n datblygu, dwedon ni ein bod ni moyn creu sioe fel un 7:84. O'dd y 7 a'r 84 yn cyfeirio at y ffaith bod saith y cant o'r boblogaeth yn berchen ar wyth deg pedwar y cant o gyfoeth Prydain. Theatr wleidyddol dreiddgar, *agit-prop*, asgell chwith o'dd hwn: drama berthnasol o'dd yn anelu at newid y byd. O'n ni eisie creu'r math yma o theatr, ysgwyd pethe, adlewyrchu diddordeb a chyfleu penbleth y cymunedau Cymreig y bydden ni'n ymweld â nhw. Er mawr glod iddo, fe ymatebodd Wilbert yn gadarnhaol, a'r canlyniad o'dd y Theatr Antur a'i gynhyrchiad cynta, *Byw yn y Wlad*.

Nid gofyn am ga'l chware rhanne gwych, fydde'n fodd i ni fel unigolion i serennu, nethon ni. Gallen ni weld y darlun cyfan, yn gymdeithasol, yn wleidyddol ac yn gelfyddydol – o'n ni'n blant ein cyfnod.

Bydde'n rhaid i'r sgript dyfu ohonon ni fel actorion, fel y gwnâi o fewn y cwmni yn Nantymoel flynyddoedd ynghynt. Gwyn Parry, Iestyn Garlick, Valmai Jones, ynghyd â Grey, Dyfan a fi o'dd yr actorion, a Cenfyn Evans, un o'r Dyniadon o ddyddie coleg, o'dd y cerddor. O'dd pwnc diboblogi cefn gwlad ac erydiad yr hen werthoedd traddodiadol yn uchel ar yr agenda yr adeg honno, fel mae'n dal i fod yn anffodus, ac fe geision ni greu sioe fydde'n adloniant, gan gynnwys caneuon a hiwmor, ac eto ro'dd ochr galed, wleidyddol o dan yr wyneb. O'n ni eisie mynd â'r sioe i neuadde'r pentrefi hynny a gawsai eu heffeithio'n uniongyrchol ac felly'n gwbwl ymwybodol o'r union brobleme a gâi eu trafod.

Am flynyddoedd ar daith ro'n ni wedi cwrdd â phobol mewn barie a thafarne dros Gymru gyfan na fydde wedi dychmygu mynd i'r theatr, er eu bod nhw, yn ystod 'y nyddie cynnar i fel actores, mewn lleoliade cyfarwydd a chyffredin fel yr ysgol uwchradd leol, neu'n wir yn neuadd y pentre. O'n ni eisie cyfathrebu 'da'r bobol o'dd yn 'werthin, yn yfed ac yn chware dartie 'da ni ar ôl y sioe. O'n ni eisie chwalu'r walie a chreu theatr berthnasol, ddylanwadol ar gyfer y Gymru newydd ddewr, ddemocrataidd. Ro'dd y posibilrwydd o gyflawni'r weledigaeth 'ma, a phwysigrwydd hynny, yn ca'l ei rannu gan holl aelode'r cast. Gwelwyd Valmai Jones, Dyfan Roberts, Gwyn Parry, Grey Evans, Iestyn Garlick a minne, ymhen hir a hwyr, yn ymarfer ym mar Theatr Gwynedd, wedi'n hwrjo 'mla'n gan Wil Sam, awdur preswyl y cwmni ar y pryd – anogodd ni o leia i sicrhau bod dechre a diwedd y sioe yn gofiadwy. Fydde pobol yn madde pob math o bethe yn y canol, medde fe, tasech chi'n dal eu sylw ar y dechre ac ar ddiwedd y sioe, gan eu gadael wedi'u cyfareddu.

O'dd y dull o gyflwyno'n holl bwysig i lwyddiant y fenter hon ac yn anochel yn cynnwys trawsnewid strwythure a ffurfie'r theatr gonfensiynol. Dim golygfeydd hir o ddeialog, dim un act un cymeriad, dim actau ond sgetsys byr bachog, newidiade gwisgoedd, caneuon a lot o hiwmor – peth ohono fe ychydig yn *risqué*. A dweud y gwir, o'dd yr holl gysyniad yn union fel y sioe y bues i'n rhan ohoni'n ddiweddar iawn, *A Good Night Out in the Valleys*, sef sioe gynta erio'd National Theatre Wales, y theatr genedlaethol newydd Saesneg ei hiaith, er i ni berfformio yn y Stiwts, neuadde'r gweithwyr, yn hytrach nag mewn neuadde pentre. Yn y ddau achos, y bwriad o'dd mynd â'r theatr i galon y gymuned yn hytrach na disgwyl i'r gymuned deithio i'r theatr.

Cefnogodd Wilbert ni i'r eitha. Yn Eisteddfod Aberteifi yr un flwyddyn lwyfanon ni'r sioe ar ein liwt ein hunain. Benthycodd Wilbert y set a'r dillad i ni yn rhad ac am ddim, a gwnaethon ni'r sioe a cha'l 'yn talu drwy rannu'r arian wrth y drws, gan obeithio celen ni ddigon o gynulleidfa i dalu'n coste. Yn 'y nyddiadur mae'n dweud 'Gwneud saith punt o elw', a dwi ddim yn siŵr ai fi wnaeth y saith punt neu'r cwmni cyfan. Hwn o'dd y cam cynta tuag at dorri'n rhydd oddi wrth Gwmni Theatr Cymru a chreu cwmni cwbwl newydd.

Wrth i realiti diweithdra fy nharo i a llawer o 'nghyd-actorion, penderfynon ni weithredu i sicrhau bywoliaeth. Yn y flwyddyn hon hefyd, sef 1977, fe dyfodd y Theatr Antur i fod yn gwmni theatr ac mae wedi dathlu'i ben-blwydd yn ddeg ar hugain erbyn hyn.

O'dd y tŷ yn Heol Garth Uchaf wedi'i leoli'n gyfleus ar gyfer y cyfarfodydd, yn edrych dros y Fenai yn y Garth

Hotel. Ond nid cwmni theatr o'dd gyda ni mewn golwg o gwbwl ar ddechre'r cyfnod yn y Garth, ond caffi, lle bydden ni'n gweithio yn ystod ein cyfnode hesb, a'i redeg fel menter gydweithredol. Bydde hynny, fe resymon ni, yn rhoi rhywbeth i ni wneud yn ogystal â chreu incwm pan fydden ni allan o waith. Ac felly bydden ni'n cwrdd, yn trafod ac yn yfed ac yn yfed a thrafod, a mynd gartre ac anghofio'r cwbwl am y trafodaethe tan y tro nesa.

Na, dwi'n dweud celwydd, fe nethon ni rwbeth. Cytunon ni i ddwyn cyllyll a ffyrc a photie pupur a halen lle bynnag bydde hynny'n gyfleus pan fydden ni ar daith, nes casglu digon ar gyfer agor y caffi. Wedi'r cyfan, o'n ni'n ymweld â nifer helaeth o westai a bwytai, welen nhw mo eisie ambell i gyllell ne' fforc, ac fe fydde'r amrywiaeth eclectig yn ddiddorol.

Fe barhaodd y gweithredu a'r drafodaeth frwd am rai misoedd ac wedyn, ar ôl cyfnod diffrwyth a hyd yn oed mwy o ddadlau dibwrpas am lwye ac yn y bla'n, fe ddaethon ni, y criw hapus, meddw, yn gynnar un noson braf yn yr haf i'r casgliad Eurekaidd nad o'n ni'n gwybod dim byd o gwbwl am redeg *restaurant*, ond eitha lot am y theatr, ac felly pam na 'se ni'n cychwyn cwmni theatr fydde'n rhoi rhywbeth i ni wneud tra ein bod ni i gyd yn aros i bobol eraill gynnig gwaith i ni. Mewn ffordd, chwilio am ryw fath o sicrwydd gwaith o'n ni i gyd, ond ro'n ni hefyd yn teimlo ers tipyn bod angen cyflwyno theatr fwy perthnasol i'r gynulleidfa yn gyson. Gyda'r cwmni 'ma, nid un cynhyrchiad mewn blwyddyn fydde sioe gymuned, ond ffordd o weithio. Fy nyfyniad i o'dd 'Yr unig beth Cymreig am Gwmni Theatr Cymru yw'r ffaith ei fod yn yr iaith Gymraeg.' Hynny yw, mae mwy i Gymreictod na geirie sy'n dynwared profiad a strwythur Seisnig. Mae'r iaith yn gostrel i werthoedd a dyheadau, a'r rheiny sy'n diffinio'n hanfod ni. O'dd Wilbert wedi bod wrthi'n cynnal y cwmni yn weinyddol ac yn artistig yn ddi-stop ac yn ddiflino ers 12 mlynedd, heb sôn am y cyfnod cyn hynny a heb sôn am yr holl drafod, y pwyllgora a'r gwleidydda. Ro'dd ynte'n ymwybodol iawn o'r angen am syniadau ffres wrth iddo gefnogi'r Theatr Antur.

Ac felly fe anwyd Bara Caws. Dyfan fathodd yr enw. Mae sawl gwreiddyn iddo – bod angen caws a bara i fyw ac, fel y llafarganodd pobol Merthyr adeg y gwrthryfel, fod bara'n hanfodol er mwyn byw ond bod angen math gwahanol o gynhaliaeth hefyd, cynhaliaeth y dychymyg. Mae'n enw Cymreig iawn, wrth gwrs, ac ro'dd hynny'n holl bwysig. Rhoddodd y profiad o lwyddiant *Byw yn y Wlad* hyder i ni yn ein gallu i ddatblygu 'mhellach ac felly dyma fwrw ati.

Er mwyn pwysleisio arwyddocâd y fenter yma, fe ddylwn esbonio mai dim ond dau gwmni theatr Cymraeg eu hiaith o'dd yn bodoli ar y pryd: Theatr yr Ymylon (yn dilyn marwolaeth gynnar Theatr Ddieithr, cwmni'n cynnwys Meic Povey, Stewart Jones, Clive Roberts a Valmai Jones), a sefydlwyd gan David Lyn, a Chwmni Theatr Cymru. Erbyn hyn ry'n ni wedi dod i arfer â chynyrchiadau niferus ac amrywiol ddisgyblaethau. Mae'r tirwedd theatraidd yn dra gwahanol i'r olygfa yng nghanol y saithdege.

Yn dilyn ein hepiffani yn y Garth, fe drefnon ni ddwy helfa drysor led-theatrig, un i blant Sgubor Goch yn Segontiwm, yr hen gaer Rufeinig yng Nghaernarfon, a'r llall yng Nghwm Ffrancon i blant yr hipis yn ystod yr ŵyl a gâi ei chynnal yno'n flynyddol, lle bydde cannoedd o bobol yn eu denims a'u sgertie a'u gwallt hir yn ymgynnull mewn pebyll i gyfeiliant Supertramp a Jackson Browne.

Yn Eisteddfod Genedlaethol Wrecsam 1977 y lansiwyd cynhyrchiad cynta'r cwmni. *Croeso i'r Roial* o'dd enw'r sioe. Darlunio taeogrwydd yr holl ddathlu a fu adeg jiwbilî brenhines Lloegr o'dd y sbardun. Trwy sgetsys a chaneuon a grëwyd gan y cwmni, fe ddychanon ni'r sefydliad Prydeinig yn ddidrugaredd, wrth iddo ddathlu chwarter canrif dyfodiad y Cwîn i'r orsedd, y Roial Jiwbilî bondigrybwyll.

Gosodon ni'r sioe yn ffatri Ferodo, o'dd yn cynhyrchu

leinin brêcs (Friction Dynamics yn ddiweddarach, a anfarwolwyd 'mhellach mewn drama gan Llwyfan Gogledd Cymru, yn dilyn streic ddewr y gweithwyr), wrth i'r gweithwyr baratoi ar gyfer ymweliad gan y Cwîn ei hun. Fe weithion ni am ddim, gan gynnal yr ymarferion ym Mangor, ac felly diflannai amryw o'r cast o bryd i'w gilydd i ymddangos yn sioe swyddogol Cwmni Theatr Cymru. Fe ddyfeision ni'r sioe ar y cyd, fel y gwnaethon ni yn *Byw yn y Wlad*, a phawb yn cymryd eu tro i gyfarwyddo. O'dd Ronnie Williams, yr actor a'r comedïwr profiadol, yn gweithio gyda Chwmni Theatr Cymru ar y pryd yn gwneud gwaith cyhoeddusrwydd a buodd e o gymorth mawr i ni yr wythnos ola cyn y Steddfod ac, yn wir, yn ystod yr wythnos ei hun. Anghonfensiynol o'dd holl strwythur y cwmni yn weinyddol, yn ogystal â chreadigol. Cwmni cydweithredol o'dd hwn, a phawb yn gydradd heb ddim hierarchaeth. Dychan lled-amrwd a gafwyd, a chwaracai Mari Gwilym a finne ddwy weithwraig yn ffatri Ferodo yn paratoi ar gyfer ymweliad y Frenhines, a ddynwaredwyd yn feistrolgar gan Iola Gregory. Sgrifennwyd y sioe yn fwriadol i apelio at gynulleidfa clwb yn hwyr y nos ac felly ro'dd wedi'i phupro 'da'r math o hiwmor a godai wrth i'r gofalwr (Dyfan Roberts) lanhau'r tŷ bach – o'dd 'da ni doilet a llun y Cwîn wedi'i basto y tu mewn i'r clawr. Deuai'r ddwy weithwraig o hyd i bethe diddorol ac awgrymog yn ymwneud â'r balŵns y bydden ni'n eu 'hwthu er mwyn addurno'r ffatri. O'dd y sioe'n cynnwys portreade dychanol o enwogion y cyfrynge, a hyd yn oed dawns tap gan reolwr y ffatri (Dyfed Thomas) i gyfeiliant y band (Catrin Edwards, Bethan Miles a Dafydd Pierce). Valmai Jones o'dd yn cwblhau'r cast.

Un o'n prif amcanion o'dd denu cynulleidfa newydd, a'r ffordd o wneud hynny o'dd creu sioeau perthnasol fydde'n cynnig neges ar ffurf adloniant yn llawn hiwmor a cherddoriaeth. Do'dd dim tâl wrth gwrs, cymryd y bocs o'n ni unwaith eto. Y noson gynta, yng nghlwb pêl-droed

Wrecsam, o'dd ugain punt yn yr het. Pris mynediad o'dd 50c ac felly deugain o bobol dda'th i'r sioe. Bydde sioeau Wilbert wastad yn chware i dai llawn – ro'dd ca'l monopoli yn help, wrth gwrs – ac o'n ni'n dechre poeni na fydde neb yn dod. Er nad o'dd y noson gynta yn y clwb pêl-droed yn llwyddiant o ran niferoedd, ro'dd yr ymateb yn wych ac yn profi mai anamal y bydd llwyddiant sioe Gymraeg yn dibynnu ar ddullie cyhoeddusrwydd confensiynol. Dyw posteri na hysbysebion teledu neu bapur newydd yn golygu dim o'i gymharu â gair person ry'ch chi'n ei drystio. Serch hynny, fe fuon ni'n hysbysebu'r sioe'n ddygn ac fe nethon ni ddyfeisio un stynt cyhoeddusrwydd arbennig.

Dau o'r cymeriade a ymddangosai yn y sioe o'dd Hywel Ffiaidd a Blodwen Chwd, sef deuawd pync a gâi eu chware gan Dyfed Thomas a Mari Gwilym, a bydde'r gweddill ohonon ni'n canu yn y cefndir a phawb wedi'u gwisgo'n addas, gyda Dyfan yn ei *fishnets* fel Iola, Val a finne. Yr unig dro i fi ymddangos ar lwyfan y brifwyl o'dd yn ystod sioe nos yn y Steddfod honno wrth i'r criw aflan yma 'dorri ar draws' set y grŵp Shwn a Trefor Selway yn cyflwyno, a hwythe'n actio eu syndod wrth weld y criw rhyfedd yma'n ymddangos yn ddirybudd ar lwyfan y pafiliwn gan ganu cân ddigon ffiaidd yn cynnwys corws o boeri, a ninne wedi'n gwisgo yn ein teits a'n *fishnets* a cholur llygad trwm du... O'dd e'n brofiad cynhyrfus tu hwnt a phŵer anhygoel yr offerynne trwy'r amps yn drydanol – bydden i wedi teithio'r byd am byth pe cawn fod yn aelod o fand roc.

Ar ôl agor yng nghlwb pêl-droed Wrecsam, a gweld bod y sioe'n gweithio, y noson ganlynol o'n ni'n ymddangos yn yr Ystafell Wledda yn Theatr Clwyd, lleoliad llawer mwy o faint. O gwmpas naw o'r gloch ym mis Awst 1977 o'dd 'na grŵp bach o berfformwyr nerfus dros ben, a bu amal i ymweliad â'r tai bach cyn i'r sioe ddechre wrth i sŵn y gynulleidfa gynyddu a chynyddu, nes eu bod yn swnio fel rhyw anifail rheibus. Sioe hwyr o'dd hon, wrth gwrs, ac ro'dd y bar ar agor! Fe lenwodd yn gyflym, gyda chynulleidfa'n frith o enwogion ro'n ni ar fin eu dychanu'n ddidrugaredd. Shwt o'dd Dyfan am ddynwared Vaughan Hughes a fynte'n eistedd prin dair rhes o'r llwyfan?

Cafon ni'n hysgubo gan yr ymateb. Fe rocion ni'r adeilad! Jest fel na'th National Theatre Wales rocio'r Coliseum yn Aberdâr 30 mlynedd yn ddiweddarach.

O'dd hi'n un o'r nosweithie 'na wna i byth ei hanghofio. Y wefr, y cyffro llwyr o gysylltu â thŷ o'dd yn llawn hyd at yr ymylon. Er bod y sioe gynta honno'n ymddangos yn feiddgar ar y pryd, diniwed iawn o'dd hi yn y bôn, ond torrai dir newydd, a chafodd y cwmni newydd gadarnhad pendant fod angen cwmni o'i fath. Enghraifft wych o fod yn y lle iawn ar yr adeg iawn – o'dd e fel tasen ni wedi deall y *zeitgeist* i'r dim.

O'dd e'n hanesyddol. Cwmni newydd yn ffrwydro i fodolaeth, yn gwneud ei farc ar y cyhoedd, yn llwyddiant ysgubol yn ddiwylliannol ac yn ddigon o lwyddiant ariannol i'n galluogi i ga'l peint neu ddou i ddathlu ar ôl y sioe.

20

Digyfeiriad

TUA'R CYFNOD YMA, a minne wedi bod yn actio ers tua chwe mlynedd, es i deimlo'n ddigyfeiriad. O'dd sefydlu Bara Caws yn fynegiant o anniddigrwydd ehangach a'i darddiad yn amlhaenog. Ond ro'dd fel petai anniddigrwydd wedi'i wreiddio'n ddwfn yn fy natur. Ro'n i'n blentyn y chwyldro, wrth gwrs, ac o'dd y gred bod modd newid y byd wedi'i hadu ynof ar sgwâr Caerfyrddin yn '66. Yn ei dro tyfodd y chwyldro hwnnw o'r manteision aruthrol o ran addysg ac iechyd. Cafodd fy nghenhedlaeth i yn ogystal fanteisio ar ddyfodiad peirianne i'n cegine a cheir ar yr heolydd. Twf a chynnydd parhaus o'dd y norm i ni. Credem fod unrhyw beth yn bosib, ac o'r gredo honno y tyfodd cwmni Bara Caws. Yn wir, y gredo honno sydd wrth wraidd pob gweithred greadigol.

O'n i'n disgwyl datblygiadau syfrdanol yn y theatr Gymraeg a'r rheiny'n cyd-redeg â datblygiadau syfrdanol yn fy ngyrfa i fel actores. O'n i'n disgwyl ardderchowgrwydd, ca'l bod yn gydradd â'n cymydog pwerus. Beth o'dd yr ateb i argyfwng y theatr, gofynnes? Ble ro'dd y sgrifenwyr newydd cyffrous? O'dd creu neu ddyfeisio dramâu ar y cyd yn iawn, ond eto ro'n i'n sylweddoli na allai ddisodli'r llais unigol a allai gyflwyno slant wreiddiol ar y byd fydde'n adlewyrchu cymhlethdode amryliw ein cenedl.

Wrth edrych 'nôl, mae'n natur aflonydd i'n ymddangos yn

eithafol, ond o'n i'n ifanc, yn uchelgeisiol ac yn ddiamynedd a falle fod y nodweddion hynny'n angenrheidiol ar gyfer creu gyrfa. Ro'n i'n ymdrechu i symud yn barhaol, yn hyblyg, yn barod i fynd i rywle a gwneud unrhyw beth. O'n i eisie, eisie trwy'r amser, yn chwilio am waith, ond nid unrhyw waith cofiwch, ond yn hytrach gwaith fydde'n her newydd o hyd ac o hyd. Digon diflas ac anfodlon fyddwn i pan na fydde'r gwaith cystal â 'nisgwyliade personol uchel i a bydde'r ysfa i ddatblygu 'mhellach yn amhosib i'w thawelu. Melys moes mwy.

O'n i ddim eisie bod yn enwog. Heddiw mae 'na bwysles ar selebs, gair dwi'n ei gasáu ac sy'n adlewyrchu twf cyfalafiaeth ariangar yr 20 mlynedd diwetha. Yr adeg honno, diolch i'r drefn, nid felly o'dd hi. Gwneud eich gore i greu cymeriad credadwy, cyfathrebu 'da'r gynulleidfa, cyfleu pwrpas y ddrama a bwriad yr awdur, a dyna yw'r nod i fi o hyd. Os bydd pobol yn sôn eu bod nhw'n cofio iddyn nhw fwynhau perfformiad, mae hynny'n ardderchog ac yn brawf o lwyddiant – ond y perfformiad a'r cymeriad mae'n nhw'n eu gwerthfawrogi, nid fi. 'Y mwriad i erio'd yw diflannu. Dyna un o'r anrhegion mawr ma'r proffesiwn yma wedi'i roi i fi: mae e wedi caniatáu i fi adael ac anghofio fy mhoene bach a mawr, ac wedi 'ngharío i i fyd arall.

Nid gwneud arian o'dd y bwriad chwaith. Ie, arian i brynu bwyd, i gadw to uwch 'y mhen, modd i gadw'n fyw, ond dyna'r cyfan. Ac mae'n debyg mai dyna pam nad o'dd teledu'n ddeniadol ar y pryd a'i fod yn ffurf artistig is ei statws. Yn wir, ro'dd y ffaith ei fod e'n talu'n well yn ei wneud e'n llai egwyddorol yn fy llygaid i. Y cydwybod piwritanaidd! O'dd teledu'n golygu aberthu egwyddorion artistig, ac er mwyn beth? Galler prynu car gwell? Wrth weithio i'r BBC ar *Teliffant* ychydig flynyddoedd ynghynt, ymunodd AFM (*assistant floor manager*) ifanc o Sir Fôn, William Jones, â'r criw. Dwi'n cofio ca'l sgyrsie hir 'da Wil yn trafod pa mor ddiystyr ac arwynebol yw teledu. Cytunai Wil yn llwyr ac fe adawodd. Rai blynyddoedd yn ddiweddarach, cwrddon ni unwaith eto mewn stiwdio deledu. O'dd Wil 'nôl. 'O'n i'n gweld isho'r *sports car* bach coch,' medde fe. O'dd Anglesey Bill, fel o'n i'n ei alw fe, yn sgrifennwr talentog ac yn ddyn tu hwnt o ffraeth, sydd bellach, yn anffodus, wedi'n gadael ni. A'th e 'mla'n i fod yn olygydd sgriptie, a llawer mwy, ar *Pobol y Cwm* am flynyddoedd maith.

Wrth gwrs, yn y pen draw, y ffaith amdani yw nad o's modd i actorion Cymreig wneud bywoliaeth ddigonol o'r theatr waeth pa mor adnabyddus a llwyddiannus ydyn nhw. Yn Lloegr gall actorion enwog fel Judi Dench hawlio tâl uchel gan y Theatr Genedlaethol, ond fyddwn ni byth yn y sefyllfa honno yng Nghymru am nad o's digon o arian. Fe ddwedodd John McGrath, cyfarwyddwr artistig National Theatre Wales, yn ddiweddar bod grant cyfan ei gwmni e'n cyfateb i gost rhedeg y siop lyfrau yn Theatr Genedlaethol Lloegr yn y South Bank. Mae grant Theatr Genedlaethol Lloegr yn £18.3 miliwn y flwyddyn; £1 miliwn y flwyddyn yw grantiau ein holl gwmnïe cenedlaethol ni. Mae'n rhaid felly wrth waith teledu, er nad yw hwnnw'n ffortiwn chwaith. Do's gan yr un cwmni Cymraeg na Chymreig gyllideb sy'n cymharu â chyllidebau teledu Lloegr, gan gynnwys y cynyrchiadau drudfawr hynny sy'n dod i Gaerdydd o Loegr, gan ddod â'u hactorion a'u technegwyr gyda nhw ac sy'n ca'l eu hysbysebu'n chwerthinllyd fel cynyrchiadau BBC Cymru.

Nid arian nac enwogrwydd o'dd fy nod i, felly, ond y dyheu parhaus am dyfu a datblygu, am ymestyniad artistig. Yr un ysfa am gyffro a feddiannodd fi ar y mynydd yng Nglanaman ac ar y nos Sadwrn yng Nghaerfyrddin a'r ysfa a arweiniodd fi at actio yn y lle cynta. O'n i'n cymryd fy ngwaith yn gyfan gwbwl o ddifri, ac yn sicr yn credu y bydde byd y theatr, teledu a ffilm yng Nghymru'n tyfu nes cyrraedd sefyllfa gadarn ffyniannus ac egnïol fel yng ngwledydd eraill Ewrop.

Yn 1976 gofynnodd HTV i fi fod yn gyflwynydd ar raglen o'r enw *Seren Wib*. Rhaglen gylchgrawn i blant o'dd hon, £35 yr wythnos a chytundeb yn para misoedd. O diar, dyma ddilema. Nid yn unig teledu, ond bydde'n rhaid i fi fod yn fi fy hunan, neu o leia roi'r argraff honno. Dianc rhag fi fy hunan o'dd 'y mhrif bleser i wrth actio, ond ro'n i'n fodlon ca'l profiad o bob dim. 'Profwch bob dim a chadwch at yr hyn sydd dda,' medde Mam-gu, ond do'dd hwn ddim yn dda ac ro'n i'n uffernol. Erbyn hyn dwi'n hapus bod yn fi fy hunan ar gamera, yn hapus i siarad heb sgript am amryw o bynciau, gan gynnwys amdanaf fi fy hunan hyd yn oed, ond yn 1976 ro'n i'n gwbwl anghyfforddus. Emyr Glasnant o'dd fy nghyd-ddioddefwr yn y fenter, a bob yn hyn a hyn fe fydden ni'n mynd i lyfu'n clwyfe yn yr Harvesters, *restaurant* arbennig o neis a drud o'dd ar y safle lle mae clwb y Cameo heddiw, gan wario rhan helaeth o'n tâl.

Bob dydd Iau bydden i'n teithio lawr o Fangor gyda *courier* ffilm HTV, Jim Ley. Gwnaeth Jim y daith yn ddyddiol am 30 o flynyddoedd, gan wneud cymwynas ag amryw ohonon ni actorion Bangor nad o'dd yn gyrru. Dim bron o ymarfer, dim ond ychydig o sgwrsio a thrafod cyn cyrraedd y stiwdio ar ddydd Gwener. Rhyw fath o fersiwn fer o *Blue Peter* neu *Bilidowcar* o'dd y rhaglen – bydden ni'n addurno stafelloedd gwely, gwneud tishen siocled, yn dangos y ffasiyne diweddara, ac unwaith o'dd car mawr coch 'da ni yn y stiwdio. Halon nhw fi ar gwrs modelu, a bu raid i fi gerdded y *catwalk* yng nghlwb nos Nero's fel rhan o'r sioe ffasiwn ar y diwedd. *Sink or swim* o'dd hi ac yn anffodus suddo wnes i. Yn fwy anffodus byth, mae rhaglenni *Seren Wib* yn dal ar ga'l yn archif (wych fel arall) HTV ac o bryd i'w gilydd bydd S4C yn penderfynu comisiynu rhaglen archifol, a chaf f'atgoffa o'r profiad swreal ac arteithiol hwnnw. Ond o'dd 'na blesere. Ces i'r cyfle i gyfweld pobol enwog fel Ray Gravell. Ro'dd e yr un mor hyfryd ag o'dd e pan chwaraeon ni ŵr a gwraig yn y gyfres *Tair Chwaer* flynyddoedd wedyn.

Cyn hynny, ymddangoses i yn *Pobol y Cwm* am saith pennod fel yr athrawes Sian Jones. Yr unig ffordd o ennill bywoliaeth dda yng Nghymru am gyfnod go lew yn y saithdege o'dd trwy ymddangos ar *Pobol y Cwm* ac mae hynny'n dal yn wir heddiw. Yn anffodus, mae rhai'n gwarafun y fywoliaeth 'ma i actorion, fel na phetai gan actor yr hawl i ennill arian da fel pawb arall. Pisho dryw bach yn y môr yw maint cyflog actor yng Nghwmderi o'i gymharu â chyfloge actorion operâu sebon dros y ffin. Mae actorion *Pobol y Cwm* yn gweithio'n galed ofnadwy ac yn derbyn y fflac yn amal am sgriptio a chyfarwyddo diddychymyg. Ond fflac gwahanol ges i yn 1977. Wrth i fi wawdio rhai o 'nghyd-actorion am gytuno i ymddangos ym mhantomeim blynyddol Cwmni Theatr Cymru, ces i 'ngwawdio fwy fyth am gytuno i ymddangos mewn opera sebon.

Pan es i 'nôl ar y gyfres rhwng 1984 ac 1986, fy nghri fydde 'Mynnwch eich *lobotomies* yn y dderbynfa', wrth i fi fethu dygymod â'r diflastod ailadroddllyd. Ond Sylvia Bevan, gwraig ffarm snobyddlyd, o'dd gwrthrych fy monllef yr adeg honno. Yn y saithdege ro'n i'n rhywun hollol wahanol, sef Sian Jones, athrawes o'dd yn rhannu tŷ 'da cymeriade Sian Owen ac Eirlys Britton ac yn ca'l perthynas 'da cymeriad Dewi Pws, sef Wayne. Yn yr wythdege wedyn arferai Dewi a finne jocian, pan gafodd Sylvia Bevan affêr 'da Wayne, bod y naill a'r llall rywsut yn teimlo'n gyfarwydd. Bydde Dewi a finne'n arfer cellwair, 'Nag'w i wedi'ch gweld chi rhywle o'r bla'n?' Yn rhyfedd iawn, ges i gynnig chware rhan gwraig Wayne, Cadi, reit ar ddechre'r gyfres hefyd. Dda'th Sian Jones ddim 'nôl. Dwi ddim yn cofio pam, naill ai do'n i ddim ar ga'l ne' do'dd gan y BBC ddim diddordeb yn y cymeriad. Ond o'dd rhywun yn rhywle'n benderfynol 'mod i a Dewi i fod gyda'n gilydd ac fe dda'th cyfle bythgofiadwy cyn bo hir.

Da'th mwy o deledu ar ddechre 1977. Ar wahân i *Seren Wib*, chwaraes i ran Arthur, y prif fachgen, mewn pantomeim ar gyfer Dydd Gŵyl Dewi i'r BBC a'r recriwt diniwed Angela yn y gyfres gomedi *Glas y Dorlan*, a'r cyfan fwy neu lai ar yr un pryd. Ac yng nghanol hyn i gyd da'th y cyfle i chware'r rhan sy'n dal i 'niffinio i yng ngolwg llawer.

Ychydig fisoedd yn ôl ro'n i'n westai ar raglen chwaraeon ar Radio Cymru ar drothwy gêm Cymru yn erbyn Ffrainc yn sôn am y profiad o actio yn y ffilm arbennig hon. Mae 'na bobol sy'n galler adrodd y sgript gyfan air am air. Ie, *Grand Slam* yw enw'r ffilm – ffilm a ddisgrifiwyd fel 'a gem from Wales'. Fe gydiodd yn nychymyg y genedl ac mae'n anhygoel i feddwl ei bod wedi goroesi cyhyd. Serch hynny, er bod *Grand Slam* wedi cyrraedd statws eiconig erbyn hyn, dim ond un rhan ymysg eraill o'dd hi i fi ar y pryd, er ei bod hi'n sicr yn un fwy diddorol na'r arfer. Dyma fy rhan gynta broffesiynol ar y teledu yn Saesneg, a Ffrangeg (er i fi ddefnyddio fy Ffrangeg sawl gwaith ar ôl hynny), ac o'dd e'n gyfle gwych i gyflawni'r nod o fod mor wahanol â phosib i fi fy hunan. Bydde Cissian Rees, y cynllunydd colur, yn 'y nhrawsnewid i'n gorfforol mewn modd eithafol. Feddylies i erio'd y bydde Ffrangeg y Gram yn arwain at sefyll yn fy nicyrs am saith o'r gloch y bore a Cissian yn fy mheintio'n frown drosta i cyn i fi dreulio'r diwrnod yn y gwely gyda Dewi Pws. Gan fod y lliw haul drosta i i gyd a wig Purdy i goroni'r cwbwl, o'n i'n ymdebygu rywfaint i fy mhenpal, Christine Morin! Gweithies i ar 'yn acenion Ffrengig a Seisnig/Ffrengig gyda Ffrancwr o'r enw Patrick ac es i gyda Coleen, meistres y gwisgoedd, i brynu dillad yn siop *vintage* y Red Barn ym Mhontcanna, lle mae oriel gelf y Tŷ Coch erbyn hyn. Ma'r sgarff *art deco* net ddu yn dal 'da fi, ac fe'i gwisges i dderbyn fy ngwobr BAFTA gynta – dwi'n siŵr ei bod hi wedi dod â lwc i fi. Sgrifennwyd y sgript yn Gymraeg gan Gwenlyn Parry a'i chyfieithu i'r Saesneg, medden nhw, gan Gwynne D Evans, cyfarwyddwr *premiere* byd *Dan y Wenallt* fy nyddie ysgol yn Nhalacharn. Er i ni ga'l ymarferion, o'dd tipyn o fyrfyfyrio ar y set. Torrai John Hefin dir newydd yn hynny o beth, ond o'dd 'da fe'r ddawn i greu awyrgylch braf i weithio ynddo ac mae hynny wedi'i adlewyrchu yn y ffilm. Es i ddim i Baris. Ffilmiwyd darne Odette i gyd ar wahanol lorie hen glwb y BBC yn Newport Road, lle'r arferen ni ddathlu yn dilyn recordio rhaglenni yn stiwdios Broadway.

Ma'r ffilm yn ymddangos yn ddiniwed iawn erbyn hyn yn ogystal â'i hiwmor, a hynny yw ei chryfder, er ar y pryd fe wthiwyd y ffinie o fewn cyd-destun rhywioldeb ar y sgrin. Rhwng y *strippers*, cymeriad hoyw Sion Probert, Maldwyn, a'r olygfa garu rhyngof fi a Glyn, cymeriad Dewi Pws, câi ei hystyried yn *risqué* ofnadwy. Ma'r ffaith 'mod i 'di ymddangos yn fronnoeth yn *Grand Slam* wedi bod yn destun rhyfeddod a chwilfrydedd parhaus ar hyd y blynyddoedd mewn cyfweliade, ond i fi ar y pryd do'dd e ddim mor anodd â hynny. O'n i'n trystio John Hefin, yn nabod Dewi a'r rhan fwya o'r criw ac felly'n teimlo'n saff, a gethon ni lot o sbri wrth ffilmio. Wrth i Odette a Glyn wylio'r gêm ar y teledu cafodd Dewi a fi faint fynnen ni o win a sigaréts, ac mae hynny'n esbonio'r meddalwch niwlog o gwmpas fy llygaid.

Mae'n rhaid i fi nodi fan hyn nad o'dd Odette yn butain, er 'mod i 'di cellwair yn amal bod angen tâl ychwanegol er mwyn gorfod diodde mynd i'r gwely 'da cefnogwr rygbi Cymru ar drip i wlad dramor, yn enwedig Dewi Pws! Menyw rydd, hyderus ei rhywioldeb o'dd Odette. Ro'dd hi'n ffansïo Glyn ac eisie mynd i'r gwely 'da fe. Menyw o'dd yn mwynhau rhyw heb gywilydd, ac yn hynny o beth o'dd hi'n wahanol i Audrey, Ceri a Malan a'u tebyg. Yn ystod y saithdege enillon ni fenywod fwy a mwy o gydraddoldeb rhywiol gyda dyfodiad y bilsen, ac ar y pryd ro'n i'n wirioneddol yn credu na fydde hi'n rhy hir cyn y bydde unrhyw anghydraddoldeb rhwng y rhywiau'n diflannu'n llwyr gyda'r meddylfryd newydd cyffrous ddeuai ar draws yr Iwerydd o America. Ond optimist llwyr o'n i. Am obeithion ffug! Er i ni ennill ychydig o dir, mae patriarchaeth yn wydn ac fe ymladdodd 'nôl gyda phob arf posib yn ei feddiant, gan olygu bod safonau dwbwl yn dal yn fyw ac yn iach yn 2011.

A minne'n meddwl 'mod i wedi llwyddo i dwyllo pawb, rhynt y wig a'r cwbwl, a hefyd gan fod dros 30 mlynedd ers hynny, mae'n dal yn syndod i fi pan fydd pobol yn 'y nghyfarch i mewn *restaurants* a meysydd awyr ac yn gofyn am lun. Ond ffenomenon amheuthun i actor yw ymddangos mewn ffilm sydd wedi goroesi a rhoi cymaint o bleser i gymaint o bobol.

Wnes i dipyn o waith theatr yn ystod y cyfnod yma hefyd. Es i ar daith gynta Bara Caws 'da *Croeso i'r Roial* yn ystod hydref '77, yn dilyn ein llwyddiant yn Eisteddfod Wrecsam, a hynny eto ar y ddealltwriaeth ein bod yn rhannu'r arian wrth y drws. Er bod fy nghyfnod fel actores gysylltiol wedi dod i ben, fe ges i ranne mewn dwy ddrama gan Gwmni Theatr Cymru. *Ynys y Geifr* gan Ugo Betti o'dd y drydedd ddrama i fi weithio arni gyda Nesta Harris yn cyfarwyddo ac ro'dd hwn yn gynhyrchiad digon rhyfedd. O'n i'n gwisgo wig hir ddu ac yn cynllwynio gyda chymeriade Olwen Rees a Beryl Williams i ollwng cymeriad Eilian Wyn Jones i waelod ffynnon. Ro'dd Beryl yn mynd trwy gyfnod hedonistaidd ar y pryd, na'th esgor ar ddod o hyd i boteli wisgi yn nrârs y set a digwyddiad cyffrous gydag aelod o dîm rygbi'r Ariannin. Dwi'n cofio'r ddrama'n benna am y stŵr anferth ges i gan Nesta pan gyhuddodd fi o ailflocio, sef ailgyfarwyddo symudiade, y rhan fwya o'r act gynta hanner ffordd trwy'r daith. Wel, o'n i'n meddwl bod e'n welliant! Ond dwi hefyd yn ei chofio am bryd arbennig o fwyd ym Mhortmeirion, a ysbrydolodd ein gyrrwr bws mini ifanc, o'dd newydd adael y Coleg Normal, i gychwyn ar yrfa fel actor – 'os mai dyma sut ma actorion yn byw,' medde Bryn Fôn wrth ymuno yn y wledd.

Drws Priodas o'dd y llall. O'dd hon wedi'i seilio ar lawlyfr William Williams Pantycelyn ar gyfer priodas. Dwi rili ddim yn gallu credu 'mod i wedi sgrifennu'r frawddeg hon, ond mae'n wir. Un arall o ddramâu crefyddol Wilbert o'dd hi, fel rhan o'i ymges i ddenu cynulleidfa barod y capeli. Wrth gwrs, fi chwaraeodd y 'wraig ddrwg' sy'n edifarhau ac oherwydd strwythur y ddrama ro'dd rhaid i fi redeg o un ochr y llwyfan i'r llall, gan newid o ddillad crand i wisgo carpie, a stwffo *ammonia crystals* o dan 'yn llygaid fel 'mod i'n gallu ymddangos fel petawn i'n beichio crio o fewn munude ar yr ochr arall. Dioddefodd 'yn llygaid i am wythnose. Uchafbwynt y cynhyrchiad, a gyfarwyddwyd yn ddeheuig gan Valmai Jones, o'dd ca'l cyfle i gwrdd â Gwilym Roberts, tad Mari Gwilym, dda'th i sgwrsio â ni am yr ysbrydol a'r meddylfryd crefyddol.

Ond yn goron ar y blynyddoedd eclectig yma'n dilyn 'y nghyfnod fel actores gysylltiol o'dd 'y nghyfnod yn Theatr Clwyd fel rhan o'r rhaglen *outreach*. Ro'dd e'n gynnig addawol. Sion Eirian o'dd yr awdur preswyl, Gruffydd Jones o'dd y cyfarwyddwr ac fe fydden i'n gweithio 'da Iola Gregory unwaith eto. Bydde dau actor do'n i erio'd wedi cwrdd â nhw'n ymuno â ni – sefyllfa anarferol yn y dyddie hynny, gan fod cyn lleied ohonon ni. Y ddau o'dd Eluned Jones, o'dd newydd raddio o'r Central School of Speech and Drama, a Michael Burns, serenodd yn y *Brittas Empire* rai blynyddoedd yn ddiweddarach. Yr unig faen tramgwydd yn fy marn i o'dd y ffaith bod yn rhaid i ni fyw yn yr Wyddgrug, tre ddiflas os buodd 'na un erio'd. Ond o'dd Alun Ffred yn byw yno, a dyna ble ces i lety. O'dd ein carwriaeth wedi dod i ben ond o'n ni'n dal yn ffrindie.

Gellir dadlau mai Alun Ffred o'dd y person calla i fi fod mewn perthynas ag e hyd hynny. Wedi'r cyfan, o'dd e'n athro, yn bennaeth adran hyd yn oed, ond o'n i ar ruthr gwyllt i rywle ac eisie bod yn rhydd ac yn annibynnol fel y ferch fach honno a wrthododd law ei brawd ar y tyle yng Nghlawddowen. Yn nhŷ cyd-athro iddo yn Ysgol Maes Garmon o'dd Alun Ffred yn byw. Mae Philip Wyn Jones erbyn hyn wedi ymddeol ac yn adolygydd ffilm cydnabyddedig, ond ar y pryd ro'dd yn rhaid iddo godi'n gynnar yn y bore ac felly'n anffodus, neu'n ffodus, gofynnodd i fi adael oherwydd fy arferiad o gyrraedd gartre'n hwyr iawn o'r dafarn a gwneud lot o sŵn 'da llestri a sosbenni yn y gegin. Symudes i fyw i fwthyn bach llaith yn Nhŷ Nant tu fas i Rosllanerchrugog gyda Iola, Mike Burns ac weithie Gruff.

Sioe a ddyfeisiwyd gan y cwmni o'dd hon i fod, a'r unig ganllaw o'dd mai sioe glybiau fydde hi. Ac felly y ganed *Sargeant Sarah's All Stars*. Fi ga'th y syniad, mae arna i ofn, o greu sioe yn portreadu sut y bydde'r fyddin yn llenwi'r bwlch tase'r holl actorion yn mynd ar streic. O'dd y diffoddwyr tân ar streic ar y pryd a cherbyde'r fyddin, y Duwiese Gwyrdd, ar y strydoedd yn hytrach na'r injans coch arferol. Fe greon ni enwe hyfryd fel Corporal Punishment a Private Parts.

O'dd 'na ganeuon (o'dd 'da fi gân ryfedd Marlene Dietrichaidd), a thricie hud, gan fod cymeriad Mike, Private Parts, yn honni y gallai ddarllen meddylie'r gynulleidfa. Dwi ddim yn cofio llawer mwy, ar wahân i'r ffaith ein bod ni, am ryw reswm, yn gwisgo *ballgowns* mewn rhanne o'r sioe. Gyrrai Eluned Jones gartre i dŷ ei rhieni bob dydd yn ystod yr ymarferion mewn sioc, yn amal iawn tua dau o'r gloch y prynhawn, wrth i'r gweddill ohonon ni ailymgynnull yn y Leeswood ar gyfer 'trafodaethe anffurfiol', gan ymddangos yn hwyrach, lawer iawn yn hwyrach, fel arfer o gwmpas stop tap, pan fydde Iola, pwy a ŵyr shwt, yn ein gyrru ni i gyd 'nôl i'r bwthyn bach llaith i wrando ar lot o Beethoven.

Ond fe sgrifennon ni sioe. O'dd ein nerfusrwydd yn waeth nag arfer ac yn f'atgoffa'n glir iawn o Beryl Williams yn crynu wrth dynnu'n hegar ar ei sigarét ar risie'r JP cyn noson gynta'r *Barnwr* yn Eisteddfod Bangor. 'Wel,' medde Iola'n despret, 'ar ôl yr holl flynyddo'dd, ma'n rhaid bo ni'n gwbod rhwbeth.' Ac ro'n ni, wrth gwrs. Ond do'dd e ddim yn ddigon i oresgyn bod yn aelod o gast y ddrama anghywir yn y fan anghywir ar yr amser anghywir. Yn anffodus, methiant llwyr fu ymdrech y dyn yn y swyddfa i drefnu taith o gwmpas clybiau'r ardal ac i sicrhau gigs addas i ni, felly fe agorwyd y sioe ryfeddol yma mewn cartre hen bobol yng nghanol y prynhawn, mewn pentre o'r enw Hope yn addas iawn! Yn dilyn cyfarfod sydyn, fe benderfynon ni dorri rhai o'r eitemau mwya *risqué*, gan obeithio na chele neb ormod o sioc wrth wylio'r gweddill.

Yn ystod y cyfnod o bum wythnos a glustnodwyd ar gyfer y daith, prin iawn fu'r perfformiade. Ymwelon ni â lleoedd mor amrywiol â neuadd eglwys Fethodist, cantîn gweithwyr Clwb Crosville, cantîn ffatri Air Products ac RAF Sealand, a berodd dipyn o bryder i ni wrth feddwl am y cynnwys. Canslodd Ffermwyr Ifanc Maelor ein perfformiad – mae'n rhaid eu bod nhw wedi clywed amdanon ni gan ryw drueiniaid eraill o'dd wedi gorfod eistedd trwy'r diddanwch rhyfedd. Gorffennes i gyda'r cwmni yng Nghlwyd ar y nos Sadwrn ac es i Gaerdydd i ddechre paratoi ar gyfer ail gyfres *Glas y Dorlan*.

Ro'dd Bara Caws yn dal yn hedyn bach. Ond un noson yn y snyg yn nhafarn y Glôb ym Mangor Ucha, a'r cwmni'n dadlau'n egnïol ynglŷn â'r ffordd 'mla'n, sylweddoles na fydde gen i byth ddigon o amynedd i ddyfalbarhau. Fe gymerodd rai blynyddoedd o waith caled gan aelode'r cwmni, Dyfan Roberts a Valmai Jones yn arbennig, cyn iddo ga'l ei ariannu'n llawn. Yn y cyfnod yn dilyn *Croeso i'r Roial* buon nhw'n gweithio'n ddiflino i godi arian ac fe ymchwiliodd Dyfan i bob posibilrwydd, gan lwyddo'n rhyfeddol yn y diwedd i roi'r cwmni ar sylfaen ariannol cadarn.

Ble nawr i fi felly, o'dd yn tindroi mewn limbo yn saith ar hugain mlwydd oed ac yn fy ieuenctid diamynedd yn credu na fydden i byth yn cyflawni... beth? Teimlwn nad o'n i'n mynd i unman... o'n i eisie mwy, eisie ymryddhau oddi wrth y dadlau parhaus am ddyfodol y theatr yng Nghymru.

Es i o'r sefyllfa pan gredwn fod unrhyw beth yn bosib i gyflwr o anobaith llwyr. Ro'n i'n diodde o syndrom 'rhwystredigaeth clawstroffobia diymadferthedd, yr amhosibilrwydd o osgoi pwyse hanes cenedl fach wedi'i gormesu', a'r ymateb arferol i'r salwch hwnnw yw credu taw'r unig ateb yw dianc.

Mae sawl ffordd o ddianc: ymroi i alcohol a chyffurie; cofleidio'r *status quo*; neu setlo lawr, y cyflwr bondigrybwyll ro'n i 'di bod yn ei osgoi ers blynyddoedd bellach, sef rhoi'r gore i actio, priodi a cha'l plant. Do'dd dim un yn apelio, ac ro'n i'n gwybod yn iawn na allwn i gynnal 'run ohonyn nhw am fwy na rhyw fis.

O'dd ateb arall wrth gwrs, sef dianc go iawn. Dianc yn gorfforol, neidio dros Glawdd Offa a gadael y wlad.

A dyna wnes i.

21

Llundain

FY HEN GYFAILL *Under Milk Wood* estynnodd help llaw i fi. O'dd hi'n 25 mlynedd ers marwolaeth Dylan Thomas ac ro'dd Malcolm Taylor wedi penderfynu atgyfodi'r sioe a mynd â hi i'r West End, a gofynnodd i fi ymuno â'r cynhyrchiad.

Waw! Dyma gyffrous, a'r ddihangfa hawsa bosib. Do'dd dim rhaid i fi ga'l cyfweliad ac fe gawn i chware'r un rhanne. O'n i'n gwybod y llinelle ac yn nabod y cymeriade. Dyma anrheg ar blât.

Mae hyn wedi digwydd droeon – dychmygu'r math o waith licen i ga'l ac mae'n digwydd. Yn 2009 o'n i'n sefyll yng ngwagle cefn y llwyfan yn Venue Cymru, Llandudno, yn barod i ymddangos fel y fam-gu wallgo yn *Tŷ Bernarda Alba* ac yn meddwl, 'O, roien i rwbeth i ga'l perfformio mewn cwmni *ensemble* mewn theatr fel hyn am ddwy flynedd.' Wel, dim cweit fel hyn chwaith, gan fod yr *acoustics* yno'n uffernol ac yn gwbwl anaddas ar gyfer dramâu.

Ac wedyn…? Wel, ches i ddim dwy flynedd, a do'dd yr holl waith ddim mewn theatrau confensiynol chwaith, ond yn 2009–10 fe ges i bron i flwyddyn o waith theatr cyffrous a heriol gyda'r Sherman a National Theatre Wales. *Serendipity*! Dwi wedi ca'l y lwc rhyfedda yn ystod fy ngyrfa. Fe gyrhaeddes galon byd theatraidd Lloegr mor ddiymdrech ag y cyrhaeddes i Hollywood a stiwdios Warner Bros bron i chwarter canrif yn ddiweddarach i ailafael yn rhan Mary Cooper yn Torchwood. Lwc llwyr o'dd yn egluro pam y ces i'r gwaith yn *Under Milk Wood* y tro hwn. Cymryd lle Ruth Madoc yng nghast gwreiddiol, gwreiddiol Malcolm o'n i achos bod Ruth erbyn hynny'n serennu yn *Hi-de-Hi!*

Falle bydden i wedi cyrraedd Lloegr rywffordd, rywbryd, yn hwyr neu'n hwyrach. Mae'n debyg bod rhyw chwilfrydedd wedi cyniwair yn'o i erio'd. Ble bydden i nawr tasen i wedi mynd i Brifysgol Bryste, neu'r Drama Centre? Ne' tase'r dege o lythyre sgrifennes i i'r theatrau yn Lloegr yn ystod y cyfnod anniddig hwnnw wedi esgor ar waith?

O'n i'n siomedig ac yn teimlo damed bach yn euog taw fi o'dd yr unig aelod o gast gwreiddiol Cwmni Theatr Cymru ga'th y cynnig i fynd i Lundain, a bydde fe wedi bod yn brafiach o lawer bod yng nghanol y criw cartrefol hwnnw. O'dd 'na Gymry Cymraeg yn y cast, sef Sion Probert, fy hen ffrind Maldwyn o *Grand Slam*; John Francis Harris o Drefdraeth, sydd bellach yn rhannu ei amser rhwng Los Angeles a Llundain – cwrddes i ag e'n ddiweddar mewn barbeciw ar gyfer Cymry Los Angeles yn nhŷ Matthew Rhys yn West Hollywood; a'r annwyl ddiweddar Aubrey Richards. Gweddill y cast o'dd Jennifer Hill, Richard Davies, Patricia Mort a Ronald Lewis, cyn 'Rank Starlet', yn chware'r llais cynta.Yn dilyn cyfnod ymarfer o dair wythnos yn Llundain aethon ni ar daith trwy Gymru ac i Croydon, Efrog a Chaeredin cyn agor yn theatr y Mayfair.

O'dd 'y mywyd i wedi'i chwalu'n llwyr. O'n i wedi hen benderfynu gadael Bangor a symud 'nôl i Gaerdydd, ac wedi dechre ar y broses o werthu 33, Heol Garth Uchaf, ond buodd yn rhaid i Mam gwblhau'r broses gan 'mod i ar fin ca'l fy nghlwmu am fisoedd di-dor, a dim ond dydd Sul yn rhydd – y cytundeb hira i fi ga'l, cynt na chwedyn.

O'n i'n chware Mae Rose Cottage – y rhan a chwaraes i yn Nhalacharn gynt, pan o'n i'n un ar bymtheg – Mary

Ann Sailors, Mrs Butcher Beynon (wedi'i seilio ar dad-yng-nghyfraith Wncwl Daniel, Butcher Eynon o Sanclêr), a'r rhan ore ohonyn nhw i gyd, Poli Gardis â'i chân wefreiddiol, ynghyd â'r cymdogion, y plant a'r 'guide book' a'i acen Americanaidd.

Ces i gartre yn Chiswick i gychwyn, gyda'r gynllunwraig colur Meinir Jones-Lewis a'r PA Ceri Evans, y ddwy'n wych wrth eu gwaith ac yn gweithio ar ffilmiau mawr ers blynyddoedd, ar ôl dechre'u gyrfaoedd yn HTV. Dwi'n fythol ddiolchgar iddyn nhw am eu croeso. O'n i'n llawn annwyd ac ar foddion gwrthfeiotig pan gyrhaeddes i, canlyniad gorweithio a gorchware'r misoedd blaenorol, a 'mhrif atgof am y cyfnod yw gorwedd yn y gwely yn 'hwthu 'nhrwyn. Ychydig o'n i'n wybod am Lundain. O'n i wedi bod yn aros 'da Wncwl Denzil a'i deulu, wedi bod yn Twickenham i weld gêm ryngwladol, wedi bod yn perfformio *Under Milk Wood* yn y New London ac i siopa ychydig o weithie, ond o'dd Llundain mor gyfarwydd i fi ag o'dd gogledd Cymru pan ymunes i â Chwmni Theatr Cymru, a'r un mor egsotig.

O'n i'n edrych 'mla'n at ymweld â'r holl siopau, orielau a theatrau, a phan gyrhaeddes i yno gynta o'n i'n arfer gwenu ar bobol ar y Tiwb ac ar y stryd a disgwyl ca'l gwên yn ôl.

Cychwynnodd y daith ym Mangor. O'dd Ronald Lewis, ein llais cynta, yn hanu o Bort Talbot, magwrfan cymaint o'n hactorion mwya dawnus, a llawer ohonyn nhw'n diodde o'r un salwch â Ronald. Ro'dd e'n ddyn hardd ac yn actor da, ond cafodd bwl rhyfedd wrth i'r cast nerfus aros yn ddisgwylgar i'r llen godi yn Theatr Gwynedd ar noson gynta'r daith. Ei yfed trwm o'dd achos ei anhwylder, ac fe'n gadawodd yn ystod ein hymweliad â Theatr Clwyd yr wythnos wedyn. Fe a'th Ronald Lewis druan yn fethdalwr yn 1981 ac fe gyflawnodd hunanladdiad yn 1982. Neidiodd Malcolm, ein cyfarwyddwr, i'r adwy, ond ro'dd ei benderfyniad i chware rhan y llais cynta, nid yn unig dros dro ond trwy gydol y daith ac yn Mayfair, yn sioc. Er ei fod yn actor digon medrus, dyn o ogledd Lloegr o'dd Malcolm. Do's bosib nad o's 'na ddigonedd o actorion Cymraeg addas fydde wedi neidio at y cyfle? Piti mawr na fydde Huw Ceredig wedi ca'l ail-greu y perfformiad arbennig a roddodd flynyddoedd ynghynt.

Cyffrous iawn o'dd agor yn y Mayfair. Ychydig feddylies i flynyddoedd ynghynt wrth eistedd yn y gynulleidfa'n gwylio drama o'r enw *Dusa, Fish, Stas and Vi* gan Pam Gems y byddwn i'n ymddangos ar yr un llwyfan. Teimlwn yr un mor anghrediniol wrth berfformio yn y Greenwich Street Theatre yn Efrog Newydd flynyddoedd yn ddiweddarach. Ro'dd hi'n arferiad derbyn telegramau i ddymuno pob lwc ar y noson gynta, ac ymhlith y rhai a dderbynies i o'dd un gan fy mrawd yn datgan, 'Like they do in the stories, good luck Scoot. 28 years 9 months and 29 days.' Parodi o eiric gorfoleddus Mae Rose Cottage a'r hen Mary Ann Sailors.

O fewn wythnos i agoriad y sioe yn Llundain ymunes ag asiantaeth. Ro'dd gan bawb arall yn y cast asiant, wrth gwrs; dyna o'dd y norm yn Lloegr, gan na fydde gobaith am waith yn Llundain fel arall. Shwt arall allai rhywun ddod i nabod yr holl gynhyrchwyr? Gwrthod cais actor di-asiant am gyfweliad wnâi pobol y castio. Do'dd dim angen asiant yng Nghymru gan fod pawb yn nabod pawb – prin fydde'r creaduried yn cyfiawnhau ennill eu comisiwn. Yn raddol mae'r sefyllfa wedi newid, a bellach cynrychiolir nifer helaeth o actorion Cymraeg a Chymreig gan asiantau, a sawl un wedi'i leoli yng Nghaerdydd erbyn hyn. Derbynies sawl cynnig a phenderfynes ymuno ag asiantaeth Jan Dutton, am mai hi o'dd yn ymddangos fwya cyfeillgar a deinamig.

Rheolwr cynhyrchiad y Welsh Theatre Company, fel y cawsom ein henwi, o'dd Julian Courtenay-Pinfield. O'dd mam Julian, Margaret Courtenay, yn hanu o Gaerdydd ac yn perthyn i'r genhedlaeth wnaeth ailddyfeisio'u hunain ar lun Saeson dosbarth canol a gwneud llwyddiant mawr o'r fenter. Ar ôl hyfforddi yn RADA, bu'n aelod o'r RSC ac ymddangosodd yn gyson yn y West End. Buodd ei fam-gu,

Kitty Short, yn actio'n gyson ar y radio yng Nghaerdydd. Ro'dd Julian felly'n hanner Cymro, ond yn ymgnawdoliad o gynnyrch diwylliant huawdl, hyderus ysgol breswyl Seisnig. Cychwynnon ni garwriaeth. Ro'dd Julian wedi benthyca ei dŷ yn Isleworth i'w dad, Ivan Pinfield, o'dd yn bennaeth arlwyo'r BBC ar y pryd, ei lys-fam Sandra a'i frawd a'i chwaer Melissa a Barnaby. Gan 'mod inne wedi manteisio gormod o lawer ar garedigrwydd Ceri a Meinir ffindes i fy hunan mewn fflat yn Golders Green, lle rhannodd Nico, ffrind Julian, fath 'da Sandie Shaw unwaith, ac yna symud i fflat yn Holland Park, cyn symud yn y diwedd i fyw i dŷ Julian yn Isleworth. Dyw Isleworth ddim ymhell o afon Tafwys a Kingston upon Thames, lle buodd 'Nhad yn dysgu cyn yr Ail Ryfel Byd a lle ro'dd Mam wedi gobeithio byw, yr union fan y gallen i fod wedi ca'l 'y ngeni. Cymerai oes i ni yrru i mewn i'r Mayfair o Isleworth – fel byw yn Abertawe, meddylies, a gweithio yng Nghaerdydd. Ro'dd cymhlethdod ac anferthedd y lle yn f'atgoffa o 'mhrofiad o fod yn ferch fach yn Birmingham.

O'n i'n dwlu ar *Under Milk Wood,* er gwaetha'r ffaith 'mod i'n gallu adrodd y cyfan ar 'y nghof yn 'y nghwsg erbyn hynny. Dyw hi erio'd wedi colli'i hud, dim ers y tro cynta darllenes i hi yn yr ysgol yng ngwersi fy athrawes Saesneg ysbrydoledig Vera Thomas pan o'n i'n bymtheg. Ond o'dd ei pherfformio hi bob nos a dwywaith ar ddiwrnode *matinée* yn fater arall. O'dd cynhyrchiad Malcolm yn statig, a phawb yn sownd ar ei focs cwrw – do'n ni ddim hyd yn oed yn codi ar ein traed. O'dd y theatr yn llawn, ond fel sy'n arferol yn y West End, yn amal yn llawn o dwristiaid nad o'dd wastad yn gwerthfawrogi clyfrwch ieithyddol Dylan Thomas, heb sôn am y jôcs. Do'n i erio'd wedi perfformio yn yr un man am fwy nag wythnos o'r bla'n ac felly cawn yr her o addasu i lwyfan ac *acoustic* gwahanol a theithio'n barhaus. Y tric o'dd sicrhau 'mod i'n cynnal fy niddordeb i ac felly diddordeb y gynulleidfa. Ro'dd yn rhaid dod o hyd i ffyrdd o gynnal gwirionedd a ffresni cymeriad am fisoedd bwygilydd. Oherwydd natur bytiog y ddrama, do'dd dim siwrne emosiynol i afael ynddi a do'dd dim cyfle i ymgolli ym myd y cymeriad am fwy nag ychydig funude. Shwt o'n i fod i aros ar ddihun tra bod yr actorion eraill wrthi? Cawn y dydd yn rhydd, wrth gwrs, ond hyd yn oed tase angen hynny, o'n i'n methu gorffwys na pharatoi â Jan, fy asiant newydd, wrth y llyw.

Cychwynnes i ar rownd ar ôl rownd o sesiynau castio, o leia ddwy yr wythnos. Do'n i erio'd wedi mynychu cymaint o glyweliade. O'dd Richard Eyre a Ken Loach yn ormod i fi, heb sôn am y bobol castio caled. Cerddes o gwmpas Soho droeon, yn dilyn clyweliadau mewn stafelloedd uwchben y caffis a'r siopau rhyw, yn ceisio adfer fy hunan-barch ar ôl perfformio o fla'n criw o bobol nawddoglyd, blastig yn eu dillad ffasiynol yn meddwl mai gwrthrychau o'dd actorion o'dd yn ymylu ar fod yn ynfyd. Cawn fy ngosod bob amser i eistedd ar gadair *squishy* lawer yn is na nhw a'n ffilmio'n darllen sgript gwbwl wirion a dibwrpas am stereoteip penodedig. Dwi wastad wedi casáu hysbysebion wrth wylio teledu, ac yn dilyn y clyweliade yma o'n i'n eu casáu nhw fwy byth. Yr unig fonws o'dd yr arian, wrth gwrs, ac ro'dd modd gwneud lot fawr o hwnnw. Yn anffodus, wnes i ddim. Do'n i byth yn ffitio'r stereoteip, heblaw am y tro hwnnw y bues i'n hysbysebu cwrw Bass.

Dyna'r unig hysbyseb ges i erio'd, i'w dangos yng Ngogledd Iwerddon yn unig, fel barmed mewn tafarn yn Neasden o'r enw The Spotted Dog. Fy nghyd-farmed o'dd Pam Ferris, o'r *Darling Buds of May* yn ddiweddarach, ac felly ro'n i mewn cwmni da. Dwi'n meddwl mai'r disgrifiad ges i gan Jan o'dd 'busty blonde barmaid' ac felly es i i'r cyfweliad mewn mini gwyrdd gole, bŵts cowboi gwyn, 'y ngwallt i'n uchel ar 'y mhen a lot o golur ar 'yn llygaid i. Ces i'r rhan, a mynd i'r Spotted Dog fel fi fy hunan, mewn trwser brown *corduroy*, crys siec, dim colur a 'ngwallt i lawr yn naturiol. Da'th y cyfarwyddwr i mewn i'r stafell snwcer lle ro'n ni'n ca'l ein colur gan gyfarth, 'Where's the one with the big tits?' Pan gyflwynes i fy hunan, cwympodd ei wedd. Do'dd e ddim yn gallu dychmygu am funed shwd allen i gyflawni'r rhan. Ond wnes i, a buon ni wrthi trwy'r dydd, gan ddefnyddio halen i roi gwell 'pen' ar y cwrw, Whitbread ac nid Bass!

I fi, hanfod actio yw trawsnewid. Un peth yw actio stereoteip, peth arall yw ymddwyn felly yn eich bywyd bob dydd. Pan anfonwyd ffotograffydd o'r *Daily Express* i gymryd llun cyhoeddusrwydd ar gyfer *Under Milk Wood*, o'n i jest yn ffili dod o hyd i ddigon o frwdfrydedd i ffitio i'r bocs wrth bôso mewn shorts wrth ymyl y Tafwys. Cymerwyd lluniau hyfryd cyn hynny, yn nhafarn enwog y Salisbury a'i drychau hardd. Pam ro'dd yn rhaid dilyn y trywydd chwerthinllyd yma? Yn yr un modd, pan chwaraes i Rachel, cariad Ronnie Barker, yn y gomedi sefyllfa *The Magnificent Evans* flynyddoedd yn ddiweddarach, ro'dd siom y newyddiadurwyr a'r ffotograffwyr yn amlwg wrth iddyn nhw sylweddoli nad o'n i'n edrych nac yn ymddwyn fel Rachel. Yn wir, rhoddes i'r atebion anghywir i'w cwestiyne. Wedi'r cwbwl, bydde ecsploetio'r ddelwedd honno yn *charade* dwyllodrus a fydde wedi 'nghlymu inne'n glyme byw, heb sôn am chwalu'n hunan-barch.

Wnes i chware Mae Rose Cottage mewn cynhyrchiad o *Under Milk Wood* ar gyfer y radio – wel, o'dd hwnna'n hawdd; o'dd y cast i gyd yn y cynhyrchiad. Ces i fwy o waith ar y radio yn dilyn hyn: Regina yn *Ghosts* gan Ibsen, mewn cynhyrchiad Cymreig wrth gwrs, gyda Siân Phillips, William Squire, Glyn Houston a Roger Rees, ac wedyn chwaraes i Gymraes arall ar y teledu, yn *Thomas & Sarah* i London Weekend, *spin-off* John Alderton a Pauline Collins o'r gyfres *Upstairs, Downstairs*, sydd nawr, wrth gwrs, wedi'i hatgyfodi ac yn ca'l 'i ffilmio yng Nghaerdydd.

Tua diwedd cyfnod rhediad y sioe yn y Mayfair ges i, ynghyd â Sion Probert, waith agosach at adre ar y gyfres *Verse, Worse and Baby Grand* i BBC Cymru, a'r annwyl Jack Williams yn cyfarwyddo. O'dd hyn yn bosib gan y bydden ni'n ymarfer a recordio ar ddydd Sul. Adrodd barddoniaeth o'n i a Sion, a bydde gwestai arbennig, awduron fel Laurie Lee, awdur *Cider with Rosie*, Brian Patten y bardd o Lerpwl a'r bardd o Gaerdydd John Tripp, a cherddoriaeth gan y grŵp Baby Grand a ffurfiwyd gan Chris Stuart a Robin Lyons, a'u brand arbennig o ganeuon *quirky*. Cynhelid hyn o fla'n cynulleidfa fyw mewn lleoliad annisgwyl, sef cantîn adeiladau'r cyngor yng Nghwmbrân a'i fordydd *formica* a'i gadeirie plastig. Ar gyfer y rhaglen gynta o'n i wedi fy rhoi i eistedd nesa at y ddihangfa dân. Ro'dd cymaint o ofn arna i bues i jest â rhedeg bant. Unwaith eto o'n i'n nerfus ofnadwy – wedi'r cyfan, o'n i wedi bod wrthi yn gwneud rhywbeth saff, yn perfformio yr un peth noson ar ôl noson, ac felly ro'dd gwneud rhywbeth arall yn ddychryn, heb sôn am y ffaith mai dyma'r tro cynta i fi berfformio fel fi fy hun ers dyddie *Seren Wib*, heb gymeriad yn glogyn. Gwnaethon ni beilot ym mis Hydref, ac yna dair rhaglen arall yn ddiweddarach, gan orffen tua'r un pryd ag *Under Milk Wood* ym mis Chwefror.

O'dd e'n 'y mhoeni i mai 'mond rhanne Cymraeg o'n i'n ca'l eu cynnig, ond 'sdim rhyfedd. Er mwyn ca'l eich derbyn yr adeg honno ar gyfer amrywiaeth o ranne, bydde'n rhaid dysgu shwt i ddefnyddio Received Pronunciation ac o'dd fy anallu i addasu fy acen yn faen tramgwydd. Tries i, ond ar fy myw do'n i ddim yn gallu meistroli'r RP, hynny yw, yr acen a gâi ei hystyried fel y ffordd gywir o siarad Saesneg – sef acen dosbarth canol uwch. Dwi wedi'i meistroli hi bellach, ond ar y pryd do'n i ddim yn gallu meddwl amdani fel *veneer*, fel haenen arwynebol ar ben fy acen fy hun, fel mae David Tennant yn gwneud 'da'i acen Albanaidd wrth chware Doctor Who; dilledyn o'n i'n ei wisgo neu'n ei ddiosg fel y mynnwn. Bydde siarad mewn acen Saesneg RP yn bradychu popeth o'n i'n credu ynddo, yn golygu ymuno â'r garfan honno o'dd yn cydnabod mai Saeson o'n nhw eisie bod. Iaith y concwerwr o'dd honno, yr iaith a ddisodlodd y Gymraeg, yr iaith ro'dd rhaid ei siarad rhag gorfod gwisgo'r

Welsh Not a cha'l cansen ar ddiwedd y dydd. Bydde'n rhaid i fi newid fy mhersonoliaeth yn llwyr ac actio bod yn rhywun arall, cyn hyd yn oed dechre creu'r cymeriade o'dd disgwyl i fi eu chware. O'dd e'n gam yn rhy bell, ac ro'n i fel petawn i'n gwrthsefyll ymosodiad ar fy hunaniaeth.

Da'th rhediad *Under Milk Wood* yn Mayfair i ben ddechre Chwefror 1979 ar ôl bron i wyth mis. O'dd e'n llwyddiant a da'th llawer iawn o gyfarwyddwyr a ffrindie lu i'n gweld ni, a chafon ni ymweliad gan y Prif Weinidog ar y pryd, hyd yn oed, sef James Callaghan, o'dd hefyd yn Aelod Seneddol De Caerdydd. Diolch i'r drefn, fuodd dim rhaid i ni groesawu Mrs Thatcher, dda'th i rym ym mis Mai y flwyddyn honno.

Ond mae'n rhaid i bopeth da ddod i ben rywbryd. Yn y West End mae'n rhaid i sioe wneud arian, mae'n fenter gwbwl fasnachol, ac fe gawson ni'n hysbysu y bydde'r sioe'n gorffen ar 30 Tachwedd i ddechre, yna fe ohiriwyd hynny tan 3 Chwefror.

Cyn gorffen yn y Mayfair glywes i 'mod i wedi ca'l rhan Lady Mortimer, sef merch Owain Glyndwr, yn *Henry IV Part 1* fel rhan o gyfres Shakespeare i'r BBC, ac fe gychwynnes i ymarfer bron yn syth, yn y twr o stafelloedd ymarfer y BBC yn Acton, sydd erbyn hyn yn swyddfeydd. Ro'dd yr adeilad yn fwrlwm o actorion, cyfarwyddwyr a thechnegwyr, a'r cantîn ar y llawr ucha yn rhyfeddod o wynebe cyfarwydd, gan gynnwys Omar Sharif! Mae Lady Mortimer yn canu, ac yn gwbwl anacronistaidd. 'Huna Blentyn' yw'r gân gaiff ei defnyddio. Agoriad llygad yn ystod yr ymarferion o'dd sylwi bod y cyfarwyddwr, David Giles, a'i ben yn y sgript heb edrych bron ar yr actorion, dim ond canolbwyntio ar gywirdeb yr iaith. Ma'r gyfres hon wedi teithio'n bell, a dwi'n dal i dderbyn arian ailddarllediadau o bedwar ban byd. Yr wythnos ar ôl gorffen *Henry IV Part 1* o'n i fod i ddechre ailymarfer *Under Milk Wood* ar gyfer taith pedwar mis o gwmpas Awstralia, gan dreulio pythefnos ym mhob un o'r dinasoedd mawr. O'dd popeth wedi'i hen drefnu. Cafon ni luniau cyhoeddusrwydd gyda'r rhyfeddol Barry Humphries, fel Sir Les Patterson y 'Gweinidog Diwylliant' ffiaidd ac anniben, yn Theatr Piccadilly, ble ro'dd ei sioe anhygoel yn rhedeg ar y pryd. Ond mae 'na reolau llym ynglŷn ag actorion yn gweithio mewn gwledydd tramor ac ar y funed ola, am ryw reswm, gwrthodwyd ein cais gan Equity Awstralia a ches i ddim cyfle i ymweld â fy Wncwl Owen yn Sydney wedi'r cwbwl.

Er bod cymaint yn digwydd ro'n i'n archwilio fy sefyllfa gymhleth *vis-à-vis* fy Nghymreictod, fy hunaniaeth a 'mherthynas â Lloegr yn ddiddiwedd. Fy ngwlad neu fy ngyrfa? Dyna o'dd y cwestiwn.

Am flynyddoedd, yn gwbwl hyderus, ro'n i wedi bod yn sôn bod Cymru'n wlad ar wahân ac wedi darllen a mwynhau llyfrau gan Margaret Drabble ac amryw o rai eraill tebyg iddi yn disgrifio byw yn y brifddinas anferth, amhersonol yma. Drwy'r system addysg ro'n i wedi 'nhrwytho yn llenyddiaeth y wlad hon ac yn glir iawn am fy safle a 'mherthynas i â Lloegr. Eto, mae yna wahaniaeth mawr iawn rhwng damcaniaeth a realiti. O'n i'n teimlo fel taswn i'n anweledig a Chymru, fy ngwlad, yn estyniad o orllewin Lloegr. Mae'r sefyllfa'n hollol wahanol erbyn heddiw, a Chymru'n wlad hyderus led-ddemocrataidd, â dyfodiad S4C a theledu lloeren. Awr o Gymraeg fydde ar y teledu yng nghanol y prynhawn, ond o'dd hi bron yn amhosib derbyn Radio Cymru. Yn Holland Park, llwyddes i ga'l signal trwy roi'r radio ar ben y wardrob a sefyll ar gadair i wrando. O'n i'n derbyn *Y Cymro* a'r *Faner* trwy'r post bob wythnos ac am y tro cynta yn eu darllen o glawr i glawr yn awchus, a byddwn i'n siarad â ffrindie a theulu ar y ffôn.

Tra 'mod i yng nghanol fy angst personol, o'dd fy ngwlad hithe yng nghanol angst pwysicach o lawer. Do'dd cyflafan Dydd Gŵyl Dewi 1979 ddim yn rhan uniongyrchol o'n hanes i; fe wnaeth fy alltudiaeth fy ngwarchod i rhag y gwaetha o'r diflastod dda'th i dyllu ein hoptimistiaeth. Pleidleisies i, wrth gwrs, gan drafaelu lawr o Lundain ar ôl ymarfer bod yn ferch i Owain Glyndwr a 'nôl y bore wedyn i barhau â'r pantomeim. Am ryw reswm cudd ro'dd y BBC wedi penderfynu dangos y ffilm *Grand Slam* ar noson y bleidles.

Gan fod y daith i Awstralia wedi methu, ro'n i'n ddi-waith ac yn hiraethus. Er bod y bleidles 'Na' yn ergyd galed, ro'dd gwaeth i ddod ym mis Ebrill, pan gollodd Gwynfor ei sedd, a Mrs Thatcher a'i phlaid yn dod i rym. Ond penderfynu aros yn Llundain wnes i, gan mai fan hynny ro'dd Julian ac ro'n i'n benderfynol o ddyfalbarhau.

Parhaodd y clyweliadau lu, ac fe ges i wersi canu gan yr Americanwr Chuck Mallett yn ei *mews* yn Bayswater, gwersi llais mewn seler yn rhywle a gwersi yoga i dawelu'r rhwystredigaeth.

Awn i'r theatr yn wythnosol: i'r West End, i'r National, y Lyric yn Hammersmith, y Mermaid, y Royal Court a'r *fringe*. O Ayckbourn i Stoppard, o *Deathtrap* i *Tommy*. Rhoiodd y profiad yma ail wynt i fy ysfa i greu theatr wleidyddol berthnasol yn llawn emosiwn adre yng Nghymru, a chryfhaodd fy argyhoeddiad nad hwn o'dd y model i ni.

Ces i ran arall ar y radio, sef The Welsh Gentlewoman yn *A Chaste Maid in Cheapside*. O'dd Jan fy asiant mor weithgar ag erio'd, a nawr 'mod i'n rhydd o *Under Milk Wood* bydde hi'n fy hala i glyweliade ar gyfer gwaith theatr. Methes i fynd i glyweliad ar gyfer *Jesus Christ Superstar* oherwydd bod fy llais wedi cracio, ond llwyddes i gyrraedd clyweliad y diwrnod canlynol ar gyfer *The Rocky Horror Show*, sydd wedi datblygu'n gwlt erbyn hyn. Taith trwy Brydain fydde hon. Canes i 'Hitchy-Koo', un o'r caneuon ganes i yn *Oh, What a Lovely War* ym mharc y Rhath yng Nghaerdydd, a chân werin Gymraeg, wrth gwrs, ar lwyfan theatr y Comedy.

Yn y cyfamser o'n i wedi bod yn teimlo ychydig yn isel ac yn anhwylus, a'r doctor wedi fy anfon i ga'l profion i weld a o'n i'n diodde o dwymyn y chwarennau. Ffoniodd Jan i ddweud bod cynhyrchwyr y *Rocky Horror Show* yn fy hoffi, a'u bod nhw'n cynnig rhan i fi yn y corws, yn ogystal â thanchware'r brif ran, Janet. Ond yn fuan wedyn ges i newyddion llawer mwy arwyddocaol. Yn gynnar ar fore dydd Sadwrn ym mis Mehefin es i weld y doctor a dwedodd hi nad o'n i'n sâl o gwbwl; i'r gwrthwyneb, o'n i'n disgwyl babi. O'n i wedi dod oddi ar y bilsen oherwydd fy anhwylder, ac wedi cofleidio'r dull o atal cenhedlu a gefnogir gan y Pab, sef ffurf ar *Russian roulette* rhywiol. Do'dd y ffurf arbennig yma ar hapchware erio'd wedi fy nenu o'r bla'n ond ro'dd llais fy isymwybod wedi trechu rheswm. Pan dda'th y wybodaeth wyrthiol, o'n i'n anghrediniol wrth gwrs, fel petai'r holl flynyddoedd o osgoi'r ffasiwn stad wedi creu ryw imiwnedd yn'o i.

Y noson honno aethon ni i weld cynhyrchiad o *The Lady from the Sea* gan Ibsen yn y Roundhouse, a Vanessa Redgrave yn y brif ran. O'dd e'n gynhyrchiad hudolus a'r adeilad mawr crwn wedi'i weddnewid gan fod pylle mawr o ddŵr yn gorchuddio'r llawr ac ro'n inne'n teimlo'n arbennig, wedi fy meddiannu â rhyw orfoledd rhyfedd ac yn meddwl am Mair a'r angel Gabriel. 'Mhen dyddie o'dd rhyferthwy'r perygl o golli'r peth mwya gwerthfawr i fi, sef fy ngyrfa, fel y tybiwn ar y pryd, yn fy nhaflu'n llwyr oddi ar fy echel. Cysures fy hun trwy ffonio fy ffrind Iola Gregory, o'dd newydd roi genedigaeth i'w merch gynta, Angharad.

Ychydig ddyddie'n ddiweddarach, wrth i Julian a finne yrru ar hyd yr Hammersmith *fly-over* yn y car bach glas ar ein ffordd i'r National i weld *As You Like It*, o'dd Llundain yn disgleirio o'n blaene yn yr haul. Cofies fod gan Sara Kestelman, o'dd yn chware Rosalind, fab a llenwes â ryw sicrwydd cynhyrfus, ryw fawredd brawychus, a phenderfynu mai hon fydde'r antur i guro pob antur. Er gwaetha fy holl anturiaethe a'n ysfa barhaol i am newid a her, o'n i ar fin rhoi naid i'r tywyllwch fydde'n trawsnewid fy mywyd am byth.

£9.95

Nadolig 2011

Am restr gyflawn o lyfrau'r Lolfa, mynnwch
gopi am ddim o'n catalog
neu hwyliwch i mewn i'n gwefan

www.ylolfa.com

lle gallwch archebu llyfrau ar-lein.